CW00953520

Nicole Larger
Reine Mimran

vocabulaire expliqué du français

Niveau intermédiaire

www.cle-inter.com

Direction éditoriale : Michèle Grandmangin
Édition : Odile Tanoh Benon
Correction : Solange Kornberg
Couverture : Laurence Durandeau
Illustration : Denis Larger
Maquette : Laurence Durandeau / Télémaque
Composition : Télémaque

ISBN : 2-09033719-2

INTRODUCTION

« Le tout est de tout dire et je manque de mots
et je manque de temps et je manque d'audace. »
Paul Éluard (1895-1952)

Un ouvrage sur le vocabulaire, pourquoi ? Pour qui ?

Étudier le vocabulaire, c'est plonger dans une matière multiple, mouvante, changeante. C'est affronter un monde inconnu, mystérieux. D'où un découragement compréhensible, d'où ce constat souvent exprimé par les étudiants étrangers et par leurs professeurs : le vocabulaire pour se faire comprendre, pour communiquer, pour exprimer sa pensée avec précision fait souvent défaut.
Le présent ouvrage est né de ce constat. Il est né aussi de notre désir de donner aux étudiants, grands adolescents et adultes de toutes origines linguistiques ayant déjà étudié le français pendant environ 150 heures, quelques clés pour aborder l'étude du vocabulaire et pour entrer dans l'apprentissage du lexique, dans la découverte de la langue originale avec son génie propre et sa musique.

• Avant toute explication, avant toute mise au point, nous avons voulu laisser l'étudiant découvrir les **mots en contexte**. C'est pourquoi nous donnons le plus souvent les exemples au début et non à la fin des explications, comme c'est habituellement l'usage. Sous la forme d'une histoire ou de dialogues inspirés de la vie quotidienne, le premier exemple, en général assez long, introduit la notion étudiée et incite le lecteur à aller plus loin dans sa découverte. Des exemples plus courts sont placés après certaines expressions pour les illustrer ou pour rendre plus intelligible leur contexte.

• À partir de là, c'est à l'étudiant de jouer ! Nous espérons, par ces histoires et ces exemples, avoir éveillé sa curiosité. Ses qualités d'observation et de réflexion lui permettront ensuite de **s'approprier le sens** des mots et d'en comprendre le **fonctionnement**.

• De plus, nous signalons à l'apprenant que les mots peuvent s'apprivoiser. Ils ne sont pas toujours ces monstres incompréhensibles et troublants qui déroutent et embarrassent. Nous lui indiquons que certains mots peuvent **se décomposer** en différents éléments (préfixe, radical, suffixe), ce qui permet d'éclairer leur signification.

• Par le système des **renvois** qui parcourent l'ouvrage d'un bout à l'autre de ses trois parties, nous permettons au lecteur d'aller d'un point à un autre, pour compléter une notion, pour l'enrichir.

• Par ailleurs, nous tentons de montrer qu'aucune langue n'est véritablement « étrangère ». En effet, par ses **emprunts** à d'autres langues, le vocabulaire français témoigne de la richesse des rencontres, des mélanges, des influences. Notons au passage les apports de la francophonie en matière de créativité lexicale.

• Enfin les **illustrations**, qui ont valeur didactique, aideront le lecteur à mieux comprendre la situation, à mieux saisir la signification des mots.

Nous vous souhaitons donc un bon voyage au pays des mots, avec tous nos personnages et avec Polysémix !

SOMMAIRE

PREMIÈRE PARTIE

DEUXIÈME PARTIE

TROISIÈME PARTIE

LA VIE DES MOTS

I

1 LA FORMATION DES MOTS

Quelques définitions

Les mots sont comme les êtres humains. Ils naissent, vivent et meurent. Ils peuvent aussi donner naissance à d'autres mots. De quelle manière ?

• On ajoute une lettre ou un groupe de lettres **au début** ou **à la fin** d'un mot base ou radical. Nous avons alors des mots d'un sens nouveau qui sont des **mots dérivés**.

Ce qu'on ajoute au début du mot s'appelle : **préfixe** (= fixé avant).
Ce qu'on ajoute à la fin du mot s'appelle : **suffixe** (= fixé à la suite).

> *L'artiste, sculpteur ou peintre, crée des formes diverses et nombreuses à partir d'une matière **informe*** (qui n'a pas de forme). *Il imite donc la nature qui est multi**forme*** (qui se présente sous des formes variées).
>
> *Il peut se **conformer** à* (être en accord avec) *la réalité, la **transformer*** (donner une autre forme), *ou la **déformer*** (changer la forme de).
>
> *Ces **transformations*** (changements) *montrent que l'artiste a de l'imagination, qu'il n'apprécie pas l'**uniformité*** (caractère de ce qui est toujours pareil) *et qu'il est **non-conformiste*** (qui n'obéit pas aux usages habituels).

– Le mot *forme* est le **mot base** ou le **radical**.

– Les éléments **in-**, **multi-**, **con-**, **dé-**, **trans-**, **non-**, sont des **préfixes** simples ou doubles. Ils donnent au mot un sens différent. **Le préfixe change le sens du mot**.

– Les éléments **-er**, **-ation**, **-ité**, **-iste**, sont des **suffixes**. Ils servent à former des verbes, des noms, des adjectifs… **Le suffixe change la catégorie grammaticale d'un mot**.

Un mot peut être :

– **préfixé :** informe, multiforme
– **suffixé :** formation
– **préfixé et suffixé :** conformer, déformer, transformation, uniformité, non-conformiste, uniformément

Tous les mots formés à partir d'un même radical constituent une **famille de mots**.

• On peut également créer des mots nouveaux à partir de deux autres mots. On forme ainsi des **mots composés** qui peuvent être :

– accolés : un portemanteau
– reliés par un trait d'union : une plate-forme
– reliés par une préposition : une chemise de nuit
– reliés par une préposition et des traits d'union : un haut-de-forme.

1 • 1 Les préfixes

Le préfixe s'ajoute à des verbes, à des noms et à des adjectifs. Il peut avoir plusieurs sens.

Les préfixes de verbes

Les principaux préfixes verbaux sont :

dé- (avec ses variantes orthographiques), qui exprime généralement une idée de privation, de négation, de séparation : défaire, dégager

en- (avec ses variantes orthographiques), qui signifie « à l'intérieur de » : engager

re- (avec ses variantes orthographiques), qui marque la répétition ou une idée d'accompli : refaire

■ dé-

dé- oppose un verbe préfixé à un verbe simple

déboutonner (ouvrir un vêtement en faisant glisser le bouton hors de la boutonnière) s'oppose à *boutonner* (fermer un vêtement).

Elle est rentrée chez elle toute ***décoiffée*** *par le vent violent qui soufflait ce jour-là. Elle s'est* ***déchargée*** *de ses paquets. Elle a* ***déboutonné*** *sa veste et l'a retirée puis elle s'est* ***déchaussée*** *et, sans* ***défaire*** *ses draps, sans* ***déranger*** *les coussins sur son lit, elle s'est allongée un instant avant le dîner. Une demi-heure plus tard, elle s'est levée, et prenant une nappe, l'a* ***dépliée*** *et a passé rapidement la main dessus pour la* ***défroisser****; elle a mis la table, puis s'est rendue à la cuisine et a enfourné le poulet qui* ***dégelait*** *depuis le matin ; en attendant qu'il rôtisse, elle a* ***décacheté*** *son courrier ; elle a* ***déplacé*** *une chaise pour y poser ses pieds et* ***décontracter*** *ses muscles douloureux, et elle a commencé à lire. Elle laissait de côté ce qui lui* ***déplaisait****, factures, publicités, cherchant à* ***découvrir*** *une lettre plus passionnante : mais il n'y en avait pas. Et elle est restée là, pendant que le poulet brûlait au four.*

débrancher : arrêter le courant en retirant la fiche d'une prise électrique
décacheter : ouvrir une lettre
décentraliser : déplacer ailleurs que dans la capitale les pouvoirs de décision, ou une entreprise
décharger : débarrasser d'un chargement
déchausser (se) : enlever ses chaussures
décoiffer : déranger la coiffure, mettre les cheveux en désordre
décoller : détacher ce qui est collé ; s'élever en l'air en parlant d'un avion
décommander : annuler une commande
décomposer : séparer les différentes parties d'un ensemble – se décomposer : pourrir

déconseiller : conseiller de ne pas faire
décontracter : supprimer la contraction, détendre
découdre : défaire ce qui était cousu
découvrir : arriver à connaître ce qui était caché, dévoiler, révéler
défaire : faire un geste, une action qui annule, qui supprime ce qui avait été fait
défier de (se) : avoir peu de confiance en quelqu'un
déformer : changer la forme de quelque chose, changer le sens (d'une pensée)
défroisser : supprimer les faux plis
dégeler : cesser d'être gelé, faire fondre
délivrer : rendre libre
dépeupler : faire perdre des habitants à un lieu, dégarnir un lieu de ses habitants
déplacer : faire changer de place, changer de place
déplaire : ne pas plaire à quelqu'un, causer de l'antipathie
déplier : étendre, défaire ce qui est plié
déranger : mettre en désordre ce qui était rangé
dérouler : étendre ce qui était roulé – se dérouler : avoir lieu
dévaloriser : diminuer la valeur, critiquer
dévoiler : enlever le voile qui cache, révéler

Ce préfixe **dé-** a une forme savante : **dis-**

disjoindre : écarter les uns des autres, séparer
disqualifier : exclure d'une compétition en raison d'une faute

Supprimez le préfixe et vous retrouverez toujours la forme simple du mot. Pour plusieurs de ces verbes, en remplaçant le préfixe **dé-** par le préfixe **re-**, vous répéterez l'action positive.

faire	défaire	refaire
joindre	disjoindre	rejoindre
peupler	dépeupler	repeupler
placer	déplacer	replacer

Ce même préfixe **dé-** qui marque le contraire donne : → **dés-** + voyelle ou **h** muet
→ **des-** + **s**.

*— Je **désapprouve** les journalistes qui écrivent dans ce journal. En effet, ils se **désintéressent** des grandes questions de l'actualité, de l'art, de la littérature ; ils ne s'intéressent qu'aux amours des acteurs, des chanteurs, des gens célèbres ; ils ne parlent jamais des gens **désavantagés** par la vie, des gens **désespérés** qui n'ont plus de travail et qui se sentent **désarmés**, sans appui, sans aide, dans une société **désorganisée**.*
*— Vous n'avez qu'à vous **désabonner** !*
— Oh, mais non, la vie serait trop triste...

désabonner : faire cesser un abonnement
désapprouver : ne pas être d'accord avec quelqu'un ou quelque chose
désarmer : enlever son arme à quelqu'un
désavantager : priver d'un avantage
déséquilibrer : faire perdre l'équilibre
désespérer : perdre tout espoir

déshabiller : enlever les vêtements
désintéresser (se) : ne plus porter intérêt à quelqu'un ou à quelque chose
désobéir : ne pas obéir
désorganiser : déranger, détruire l'organisation de quelque chose
desserrer : relâcher ce qui était serré, défaire
desservir : débarrasser une table, enlever ce qui a servi au repas ; faire communiquer des pièces, rendre un mauvais service à quelqu'un

Un petit nombre de ces verbes utilisent également le préfixe **re-** pour marquer la répétition ou l'idée d'accomplissement.
Attention : re- + voyelle = **ré-**

réabonner, réarmer, rééquilibrer, réexaminer, réorganiser, réunir

Mais :

rhabiller et récrire (ou réécrire)

dé- préfixe négatif qui efface le préfixe de base

Nous le constatons dans des verbes comme *accrocher* (mettre sur un crochet, sur un objet pointu qui retient, suspendre), *accroître* (rendre plus grand, agrandir), *agrafer* (attacher avec une agrafe), *attacher* (faire tenir par une attache, une corde), *atteler* (attacher un cheval, un âne, un bœuf, un animal à une voiture).

décrocher : détacher ce qui était accroché
décroître : diminuer
dégrafer : défaire, détacher ce qui était agrafé, ouvrir les agrafes
détacher : libérer de ce qui tient attaché
dételer : détacher un animal qui était attelé

■ dé- / en- / em-

dé- oppose un verbe préfixé en de- à un verbe préfixé en en- ou em- + p, b, m

Ici, le préfixe **dé-** indique généralement la séparation, l'éloignement.

Le préfixe en- / em- a le sens de « dans » et la base de ces verbes est généralement un nom : *barque, chaîne, courage, gage, terre…*

> *Le couple **déménageait, emballant** les affaires qu'il **déballerait** un peu plus tard, lorsqu'il **emménagerait** dans le nouvel appartement ; pendant ce temps, le chien qu'on avait attaché a voulu **se débarrasser** de la laisse qui le retenait à l'arbre. Il a essayé sans succès de **dégager** sa tête du collier qui l'**enchaînait**. **Découragé**, il a semblé renoncer, puis il s'est soudain **déchaîné**, et comme enragé, il s'est mis à s'agiter dans tous les sens, mordant tous ceux qui s'approchaient de lui, hurlant jusqu'à ce qu'enfin son maître vienne le délivrer.*

dé baller : sortir ce qui était dans un colis, dans un paquet
em baller : mettre dans un paquet

dé barquer : descendre d'un bateau
em barquer : monter dans un bateau

dé barrasser : éloigner ce qui gêne, dégager de ce qui embarrasse
em barrasser : mettre dans la gêne

dé chaîner : faire sortir des chaînes, ne pas contenir
en chaîner : mettre dans les chaînes

dé clencher : mettre en mouvement
en clencher : faire fonctionner

dé courager : rendre sans courage
en courager : inspirer le courage

dé gager : retirer
en gager : mettre en gage, introduire

dé ménager : quitter un logement
em ménager : entrer dans un nouveau logement

dé terrer : sortir de terre
en terrer : mettre en terre

■ re- / ré- / r-

re- ou ré- (forme savante) **ou r-** **préfixe qui marque la répétition**

re- + consonne :	rebâtir, remettre, repousser…
ré- ou **r-** + voyelle :	réanimer (ou ranimer), réapprendre, réunir, raccompagner…
ré- + consonne :	réclamer, réfléchir, se réjouir… Notez l'accent sur le « e » du préfixe (peut-être parce que le verbe simple et le verbe préfixé ont des sens différents).

C'était une soirée d'automne. La jeune femme, qui s'était sentie fatiguée, était montée ***se reposer*** *un moment. Elle avait été longtemps malade et elle* ***réapprenait*** *tout juste à* ***revivre****, à* ***renaître****. Elle essayait de* ***retrouver*** *des projets qui lui tenaient à cœur, de* ***reprendre*** *le cours de la vie.*
Elle est ***redescendue*** *au salon. Il y faisait un peu humide ; elle a* ***rallumé*** *le feu qui s'était éteint et a tendu vers les flammes ses mains glacées pour les* ***réchauffer*** *; elle a* ***repoussé*** *ses longs cheveux qui* ***retombaient*** *en désordre sur son visage, puis s'est* ***replongée*** *dans ses rêves habituels. Elle se sentait* ***rassurée*** *dans cette grande maison qu'elle* ***retrouvait*** *après de longues années d'absence. Elle* ***reprenait*** *des habitudes anciennes. Elle* ***recherchait*** *des traces.*

On avait ***repeint*** *les murs, on avait* ***remis*** *en état la grande cheminée, on avait* ***raccroché*** *les tableaux, on avait* ***rapporté*** *des meubles qui avaient été entreposés ici ou là, on avait* ***redescendu*** *du grenier de vieux miroirs, des châles des Indes qui maintenant* ***recouvraient*** *les fauteuils, on avait* ***rénové, réparé*** *; elle s'était* ***réjouie*** *de voir* ***se reconstituer*** *ce monde d'un autre temps où elle avait envie de* ***réécrire*** *l'histoire de sa vie. Et la maison qu'elle avait* ***rejetée*** *jadis l'avait* ***recueillie*** *et s'était* ***refermée*** *sur elle. Elle n'en* ***repartirait*** *plus.*

Ce préfixe peut aussi prendre plusieurs nuances.

Sens général : reprise de l'action

re- = à nouveau, une seconde fois simple répétition ou répétition avec changement

racheter : acheter de nouveau
rallumer : allumer de nouveau
ramasser : réunir ce qui est de part et d'autre, prendre par terre
rappeler : appeler quelqu'un pour le faire revenir
rasseoir (se) : s'asseoir de nouveau
rassurer : rendre la confiance
rattacher : attacher de nouveau
rattraper : attraper de nouveau

réapprendre (ou rapprendre) : apprendre de nouveau
rebâtir : bâtir de nouveau
recommencer : commencer de nouveau
reconstituer : constituer à nouveau
redemander : demander de nouveau ; demander plus
redire : dire plusieurs fois
redonner : rendre à quelqu'un ce qu'on lui avait pris ; donner de nouveau
réélire : élire une nouvelle fois
rentrer : entrer de nouveau
réessayer : essayer de nouveau
refleurir : fleurir de nouveau
réimprimer : imprimer de nouveau, sans changement
reloger : procurer un nouveau logement à quelqu'un qui a perdu le sien
se remarier : se marier de nouveau
renaître : recommencer à vivre
renouveler : faire de nouveau
réorganiser : organiser de nouveau, d'une autre manière
reparler : parler de nouveau
repartir : partir de nouveau
repasser : passer de nouveau
repeindre : peindre de nouveau
replonger : plonger de nouveau
retomber : tomber de nouveau
retrouver : trouver de nouveau
revivre : vivre à nouveau, vivre par l'esprit, retrouver ses forces

Sens général : retour en arrière

re- = en arrière, en revenant au point de départ

raccompagner : accompagner quelqu'un qui rentre chez lui
rapporter : apporter une chose là où elle était
rassembler : faire venir au même endroit des personnes séparées
renvoyer : faire retourner quelqu'un où il était avant

reconduire : accompagner une personne chez elle, ou à la porte
redescendre : descendre après être monté
rejeter : jeter en sens inverse (ce qu'on a reçu ou pris)
relever : remettre debout, dans sa position naturelle
repartir : partir pour l'endroit d'où l'on vient
reposer : poser ce qu'on a soulevé
repousser : pousser quelqu'un en arrière, faire reculer
retomber : toucher terre après s'être élevé

re- = un retour à un état antérieur qui avait cessé

raccrocher : remettre en accrochant ce qui était décroché
rallumer : allumer de nouveau ce qui s'était éteint
ranimer : rendre la conscience, redonner de la force
rétablir : établir ce qui a été oublié ou changé
rhabiller : habiller quelqu'un qui s'était déshabillé

reboucher : boucher ce qui a été débouché
réchauffer : chauffer (ce qui s'est refroidi)
réconcilier : remettre en accord des personnes qui ne l'étaient plus
reconstruire : construire de nouveau ce qui était démoli
redevenir : devenir de nouveau, recommencer à être ce qu'on n'était plus
réparer : remettre en état ce qui a été endommagé

re- = un changement de direction

réagir : avoir une réaction
rebondir : faire un ou plusieurs bonds après avoir frappé un obstacle

re- = reprise de l'action avec progression
(dans la langue familière, donne lieu à toutes sortes de créations)

redéfinir : donner une nouvelle définition
réécrire (ou récrire) : écrire à nouveau ; reprendre un texte pour l'améliorer
reformuler
relire : lire pour corriger ; lire de nouveau
repenser : penser de nouveau, réfléchir encore
reproduire : répéter, rendre fidèlement quelque chose
retravailler
revendre : vendre ce qu'on avait acheté
revenir : venir de nouveau là où on était déjà venu
revoir : être de nouveau en présence de quelqu'un ; regarder de nouveau

re- = complètement

remplir : emplir entièrement
recouvrir : couvrir totalement
recourber : rendre courbe
redresser : remettre dans une position droite
réfléchir : renvoyer par réflexion, penser
remuer : faire changer de position, bouger, agiter

remplacer : mettre une autre chose à la place d'une autre
renverser : faire tomber quelqu'un ou quelque chose à terre

re- = valeur d'intensité, d'hostilité, d'opposition ou de protection

rechercher : chercher à découvrir, à retrouver
réciter : dire à haute voix ce qu'on sait par cœur
réclamer : demander en insistant
recommander : désigner quelqu'un à l'attention bienveillante d'une personne
reconnaître : identifier par la mémoire ; admettre, avouer
recueillir : rassembler, réunir
rejoindre : aller retrouver
réjouir (se) : éprouver de la joie, de la satisfaction
relâcher : rendre moins tendu, moins serré
relier : lier ensemble
remarquer : avoir l'attention frappée par quelque chose
reposer (se) : cesser de se livrer à une activité fatigante
ressentir : éprouver vivement
retenir : conserver, garder
retirer : enlever
réunir : mettre ensemble ce qui était séparé

Avec les verbes suivants, le préfixe re- aura plusieurs des sens décrits ci-dessus

	rejeter : jeter, mettre ailleurs
	rejeter : jeter en sens contraire, chasser, écarter, repousser
remettre : mettre une seconde fois, encore	remettre : mettre à sa place antérieure
	remonter : monter après être descendu
	remonter : monter ce qui était démonté
repousser : pousser de nouveau (arbre, plante)	repousser : faire reculer, pousser en sens contraire
reprendre : prendre de nouveau	reprendre : prendre ce qu'on avait donné ou perdu
représenter : présenter de nouveau	représenter : présenter à l'esprit un objet au moyen d'un autre objet
retomber : tomber de nouveau	retomber : pendre de haut en bas
retourner : tourner de nouveau, encore ; aller de nouveau là où l'on est déjà allé	retourner : tourner en sens contraire ; aller là où l'on n'est pas

Autres préfixes verbaux

a- ou ad- (formation savante) = vers

apaiser, adapter

Mais :

ad- + c	= acc-	accourir
ad- + f	= aff-	affaiblir
ad- + g	= agg-	aggraver
ad- + l	= all-	allonger
ad- + p	= app-	apporter, apparaître
ad- + t	= att-	attrister, attirer

Dès que la vieille femme ***apparaît*** *au bout de la rue, tous les chats du quartier* ***accourent*** *vers elle. Ils* ***l'attendent*** *parce qu'elle leur* ***apporte*** *de la nourriture. Ils* ***l'accueillent*** *avec des miaulements de bonheur qui* ***attirent*** *d'autres chats.*

co- + voyelle ou **h muet, con- + consonne = avec, ensemble**

cohabiter, contenir

Souvent le « n » prend la forme de la consonne suivante :

con- + l	coll-	collecter (ramasser), collaborer (travailler en commun)
con- + m, b, p.	com-	comporter
con- + r	corr-	correspondre (avoir des relations par lettres avec quelqu'un)

On ***collecte*** *le verre dans de grands bacs qui peuvent* ***contenir*** *des dizaines de bouteilles. On se* ***comporte*** *en bon citoyen quand on fait ce tri.*

contre- marque l'opposition ou **l'action effectuée en sens contraire**

contre-attaquer, contredire, contre-manifester

en- ou em- + b, m ou **p = loin de (**à ne pas confondre avec le préfixe **en- = dans)**

emporter ; s'enfuir, s'envoler

en- ou em- + b, m, ou **p marque aussi l'entrée dans un état**

embellir, s'endormir, enlaidir

entre- indique la réciprocité ou **une position intermédiaire**

s'entraider ; entrevoir

ex- ou é- = hors de

exporter, émigrer (mais le verbe *migrer* est peu usité dans le langage courant)

in- ou im- + b, m ou **p = dans**

immigrer, importer

mé- ou més- + voyelle = mal

Ce préfixe donne souvent au verbe une valeur négative.

méconnaître (connaître mal), mécontenter (ne pas contenter), médire de (dire du mal de), se méfier de (n'avoir aucune confiance en), mépriser (n'accorder aucun prix à), mésestimer (avoir mauvaise opinion de quelqu'un)

pré- = avant, devant, à la place de

prédire (annoncer à l'avance), prédominer (être le plus important), préfacer (présenter un livre par un texte placé au début), préférer, préfixer, préparer

pro- = pour, devant, en avant, au lieu de

prolonger (faire durer plus longtemps, faire aller plus loin), proposer (offrir, suggérer)

sou- / sous-

soumettre (obliger quelqu'un à obéir, proposer quelque chose à quelqu'un), sous-louer, soustraire (enlever, ôter)

sub-

Le « b » prend parfois la forme de la consonne qui suit.

supporter

super- = par-dessus

superposer (poser au-dessus, par-dessus)

sur- = au-dessus

surélever (donner plus de hauteur), surmonter (coller au-delà), surpasser (être supérieur à), survoler (voler au-dessus de, examiner de façon rapide)

= en excédent, trop

surcharger, surchauffer, surestimer

trans-, tra- = à travers

transporter, traverser

■ Des verbes et des préfixes

DIRE = exprimer, communiquer par la parole

*Je le lui avais **prédit**; je lui avais dit et **redit** qu'il finirait mal s'il continuait à agir ainsi. Mais il m'a **contredit** puis il m'a **interdit** de lui rendre visite et il s'est mis à **médire** de moi auprès des autres.*

contredire	dire le contraire, s'opposer
interdire	dire qu'il ne faut pas faire
médire de	dire du mal de quelqu'un
prédire	annoncer à l'avance ce qui va se passer
redire	dire à nouveau

SE FIER À = donner sa confiance à quelqu'un

C'était mon ami, j'avais une totale confiance en lui, je me ***fiais*** *à lui et je lui* ***confiais*** *tous mes secrets. Mais il m'a trompé, il m'a menti, et maintenant je me* ***défie*** *et même plus, je me* ***méfie*** *de lui.*

se confier à	faire des confidences
se défier de	ne pas avoir pleine confiance, toute confiance…
se méfier de	ne pas se fier à quelqu'un, n'avoir aucune confiance en quelqu'un

LEVER = faire monter

Sur la scène d'un cirque ambulant, un homme s'avance et annonce: «Mesdames et messieurs, vous allez voir l'homme le plus fort du monde. Il va ***soulever*** *devant vous un poids de 300 kilos d'une seule main. Mesdames et messieurs, voici Superman.» Alors arrive sur scène un gros monsieur en maillot blanc et cape noire. Il* ***enlève*** *sa cape,* ***lève*** *les bras en signe de victoire puis se baisse pour* ***soulever*** *ses haltères de 300 kilos. Il tire sur les haltères et soudain pousse un cri en se tenant le dos. Il tombe à terre. Alors une petite femme sort des coulisses, se précipite sur lui, le* ***relève*** *et l'emporte dans ses bras, sous les applaudissements de la foule.*

enlever	retirer, faire qu'une chose soit déplacée
relever	mettre debout quelqu'un qui était tombé
soulever	lever à une petite hauteur, faire monter ; provoquer

MENER = conduire quelqu'un en accompagnant, mener la vie (vivre)

Je suis fille au pair à Paris, dans une famille française, et je ***mène*** *la vie de toutes les jeunes filles au pair. Je fais le ménage, je vais chercher les enfants à l'école. Parfois je les* ***amène*** *au jardin. Ils jouent, ils courent, ils se battent, ils se* ***démènent****, et quand, après les avoir surveillés, consolés, je les* ***emmène****, quand je quitte le jardin avec eux et que je les* ***ramène*** *à la maison, je ne suis plus qu'une jeune fille au pair fatiguée,* ***surmenée****.*

amener	conduire quelqu'un vers…
se démener	s'agiter violemment, faire de nombreux efforts
emmener	conduire quelqu'un loin de…
ramener	conduire quelqu'un là où il était précédemment
surmener	fatiguer à l'excès

METTRE = faire passer quelque chose à une autre place, ranger, ajouter

Le médecin à sa nouvelle secrétaire

— Mademoiselle, ***permettez****-moi de vous faire une remarque. Vous avez* ***commis*** *une erreur.*

— Comment ?

— Je vous dis que vous avez fait une bêtise ! Le dossier que vous avez ***transmis****, que vous avez envoyé à mon confrère, le docteur Kummel, n'est pas le bon. Regardez !*

— Pardon ?

*— Le cas que je lui **soumets**, que je lui présente est celui de Madame Fériée et non celui de Madame Férial. Je lui demande de donner, d'**émettre** un avis sur la maladie de Mme Fériée, f,é,r,i,é,e. Alors, vous reconnaissez, vous **admettez** votre erreur ?*

— Quoi ?

*— Écoutez ! Rangez vos dossiers, **remettez**-les en place et entrez dans mon cabinet, je vais examiner vos oreilles ! Vous allez **vous en remettre** à moi, je vais vous soigner et vous pourrez m'entendre !*

— Vous dites ?

admettre	reconnaître, accepter
commettre	accomplir, faire une action blâmable
émettre	produire en envoyant hors de soi (des sons, des ondes, des odeurs), exprimer
permettre	laisser faire, ne pas empêcher, autoriser
promettre	dire qu'on fera quelque chose, s'engager
remettre	mettre à sa place antérieure, mettre une seconde fois, mettre en la possession, donner
s'en remettre à	faire confiance à
soumettre	ramener à l'obéissance, proposer au jugement de quelqu'un
transmettre	faire passer d'une personne à une autre

PARAÎTRE = devenir visible

*Lorsque Hamlet apprit que le fantôme de son père était **apparu** à des gardes, il eut d'abord des doutes ; cela lui **paraissait** invraisemblable ; mais, la nuit venue, le fantôme **reparut** et il fit à son fils des révélations bouleversantes avant de **disparaître** au chant du coq.*

apparaître	se montrer tout à coup
disparaître	cesser d'être visible
réapparaître	reparaître
reparaître	redevenir visible après avoir disparu

PASSER = être en mouvement, se déplacer par rapport à un lieu fixe

→ Quelques verbes polysémiques, II, 1, p. 159.

*Le jeune homme qui **passait** devant le café s'est arrêté net en voyant, assise à la terrasse, une jeune fille qui **surpassait** en grâce et en beauté toutes les autres. Il a laissé ses amis le **dépasser** et continuer leur chemin. Quant à lui, il est **passé** et **repassé** devant elle, se demandant s'il aurait le courage de lui parler.*

dépasser	aller plus vite que quelqu'un, passer devant lui
repasser	passer de nouveau, revenir
surpasser	être supérieur à quelqu'un

PORTER = soutenir ce qui pèse un certain poids, avoir sur soi

*Tous les matins, Marie **apportait** sur son lieu de travail un petit pique-nique **comportant** un yaourt, des fruits et un thermos de thé. Elle n'aimait pas la nourriture de la cantine. À midi, elle quittait son bureau en **emportant** son petit panier et elle se rendait*

dans un jardin voisin. Elle mangeait en lisant un journal, mais elle sautait toujours la page économique ; l'équilibre entre ce que le pays ***importait*** *et ce qu'il* ***exportait*** *ne l'intéressait pas. Elle ne lisait que les articles qui la* ***transportaient*** *dans un monde de strass et de paillettes. Elle* ***supportait*** *mieux ainsi une réalité peu agréable. À une heure, elle* ***rapportait*** *son petit panier au bureau. Ses collègues lui reprochaient de se* ***comporter*** *avec une certaine froideur parce qu'elle leur parlait rarement. Tout cela lui* ***importait*** *peu et, le soir, elle* ***remportait*** *son petit panier.*

apporter	porter une chose vers, porter là où l'on va
comporter	porter en soi, contenir, avoir
se comporter	agir d'une certaine manière
emporter	porter une chose loin de, porter en partant
exporter	porter hors de, vendre à l'étranger
importer	porter à l'intérieur de, acheter à l'étranger ; présenter de l'intérêt
rapporter	rendre, rapporter une chose là où elle était
remporter	emporter ce qu'on avait apporté
supporter	soutenir, porter un poids
transporter	porter à travers, en traversant

POSER = mettre quelque chose sur un espace plat, installer

Anna a ***déposé*** *ses paquets dans l'entrée et elle a* ***composé*** *le numéro de téléphone de son amie Jeanne. Une voix lui a annoncé que sa correspondante était déjà en ligne. Elle a* ***supposé*** *que celle-ci parlait avec son petit copain. Elle a* ***reposé*** *le combiné et a attendu. Comme Jeanne le lui avait gentiment* ***proposé****, elle avait* ***entreposé*** *tous ses appareils ménagers dans son garage en attendant d'emménager dans son nouvel appartement. Elle se* ***proposait*** *maintenant de reprendre ses affaires.*

composer	poser avec, assembler, constituer, faire, former
déposer	poser une chose que l'on portait ; mettre en lieu sûr ; verser à la banque
entreposer	déposer dans un abri, laisser en garde
se proposer de	poser pour soi, se fixer un but, former le projet de...
proposer	faire connaître à quelqu'un
reposer	mettre dans une position qui enlève la fatigue ; poser ce que l'on a soulevé
supposer	poser à titre d'hypothèse, penser comme probable

PRENDRE = mettre dans sa main, attraper, saisir, enlever

Une mère à son enfant – *Allons,* ***prends*** *ton cahier et ouvre-le. Il faut que tu* ***apprennes*** *ta récitation. Lis le premier vers ; non, ça ne va pas,* ***reprends*** *s'il te plaît. Est-ce que tu* ***comprends*** *le sens de ce que tu lis ? Tu m'étonneras, tu me* ***surprendras*** *toujours, tu* ***entreprends*** *ton travail sans réfléchir.*

apprendre	être informé de quelque chose, s'instruire, acquérir des connaissances ; enseigner
comprendre	avoir une idée claire du sens de quelque chose, admettre
entreprendre	se mettre à faire quelque chose de long et de difficile
reprendre	prendre de nouveau, prendre un peu plus...
surprendre	découvrir, découvrir involontairement

TENIR = avoir quelque chose ou quelqu'un dans la main ou dans ses bras pour ne pas le laisser tomber

→ Quelques verbes polysémiques, II, 1, p. 164.

Au cours de yoga – ***Tenez-vous*** *bien droite sur une jambe, l'autre doit être pliée contre la première. Vos mains sont jointes devant vous comme si elles* ***contenaient*** *quelque chose de précieux. Levez les bras au-dessus de la tête.* ***Maintenez****, gardez cette position le plus longtemps possible.* ***Tenez*** *la tête bien haute comme si vous* ***souteniez*** *le ciel. Ne* ***retenez*** *pas votre respiration, voyons, respirez, respirez ! Certaines personnes pratiquent le yoga pour* ***entretenir*** *leur forme, mais vous savez, vous, qu'il vous apportera la paix et la sagesse. Attention,* ***tenez*** *bon !* ***Tenez*** *la position ! Attention, patatras ! Eh bien ! vous voilà par terre et la sagesse aussi !*

se tenir	tenir quelqu'un ou quelque chose afin de ne pas changer de position, de ne pas tomber
contenir	avoir en soi, renfermer, comporter
entretenir	faire durer, conserver, maintenir en bon état
maintenir	tenir avec ses mains dans une même position, fixer, immobiliser, retenir
retenir	conserver, garder
soutenir	tenir par-dessous, maintenir debout, empêcher de tomber

VENIR = se déplacer de manière à arriver dans un lieu

Je pense souvent à mes amis d'enfance. Que sont-ils ***devenus*** *? Se* ***souviennent****-ils de moi ?* ***Reviendront****-ils un jour ?Est-ce qu'ils ont accompli leurs rêves ou travaillent-ils seulement pour* ***subvenir*** *à leurs besoins ? Est-ce que leur vie actuelle leur* ***convient*** *? Toutes ces questions resteront sans réponse, parce que des personnes sont* ***intervenues****, des événements sont* ***survenus*** *qui, sans* ***prévenir****, nous ont séparés pour toujours.*

convenir	reconnaître, aller bien pour, se mettre d'accord, s'entendre pour faire quelque chose
devenir	passer d'un état à un autre, commencer à être
intervenir	entrer en action, prendre part à une action pour la changer
prévenir	dire à l'avance, faire savoir quelque chose à quelqu'un, avertir, informer
revenir	venir de nouveau, rentrer, retrouver l'endroit que l'on a quitté
se souvenir	avoir présent à la mémoire
subvenir (aux besoins de quelqu'un)	fournir de quoi vivre
survenir	arriver brusquement, à l'improviste

Les préfixes de noms et d'adjectifs

Certains de ces préfixes servent aussi aux verbes que nous venons de voir.
Nous allons grouper les préfixes des noms et des adjectifs en fonction d'un rapprochement de sens.

■ La quantité

mono-, uni- = un, un seul

*L'acteur jouait le rôle d'un vieil homme qui, dans un **monologue** prononcé d'une voix **monotone**, regrettait le mode de vie actuel; il critiquait les familles **monoparentales**, affirmant que dans ces familles, les enfants n'avaient qu'une vision **unilatérale**, **uniforme** du monde.*

• un monologue (scène d'une pièce de théâtre où un personnage parle seul), un monosyllabe (mot qui n'a qu'une seule syllabe prononcée)
monoparental(e) (qui ne comporte qu'un seul parent), monotone (d'un seul ton, donc qui ne change pas)

• un uniforme (vêtement qui est le même pour tout un groupe professionnel)

• uniforme (qui ne varie pas, pareil[le]), unilatéral(e) (qui se fait d'un seul côté, qui ne vient que d'une seule personne)

bis-, bi- = deux

*Sur sa **bicyclette bicolore**, gris et bleu, il faisait sa promenade **bimensuelle**.*

Le « s » disparaît souvent devant une consonne, sauf devant un autre « s ».

la bicyclette, bissextile (adj. féminin, se dit d'une année de 366 jours)

bicolore (qui a deux couleurs), bilingue (qui parle deux langues), bimensuel(le) (qui a lieu, qui paraît deux fois par mois)

tri- = trois

Au pays imaginaire – *Dans ce pays dont la population est **trilingue**, les architectes ont imaginé un Parlement de forme **triangulaire**. À chaque coin du **triangle** flotte un drapeau **tricolore** orné des trois symboles des trois langues; la présidence de ce Parlement est **trimestrielle**.*

un triangle

tricolore, trilingue, trimestriel, triangulaire

multi-, poly- = plusieurs

*Cet homme qui parlait plusieurs langues se disait à juste titre **polyglotte**. Il se sentait chez lui partout. Il aurait pu être **polygame**, avoir une femme dans chaque pays. Il aurait pu avoir une **multitude** d'enfants. Mais il n'avait qu'une femme et deux enfants. L'aîné travaillait dans le **multimédia**, la presse, la télévision, le cinéma. Le second dirigeait une **multinationale** qui avait des activités dans la plupart des pays du globe. Il avait gagné beaucoup d'argent, il était **multimillionnaire**. Et le père était fier de ses deux enfants.*

• une multinationale, une multiplication, la multitude (grande quantité, grand rassemblement de personnes)
multicolore, multimédia, multimillionnaire, multiple

• polyglotte
polygame, la polygamie

demi-, mi-, hémi-, semi- = à moitié, au milieu, en partie

*Il était **minuit**. Mais, dans l'**hémisphère** Nord, le jour s'attarde longtemps en été. Et dans cette **demi-obscurité**, on y voyait encore assez clair. Anne s'est dirigée vers le lieu du rendez-vous, une clairière en **demi**-cercle, à **mi-chemin** de sa maison et de celle de ses amis. Ils avaient décidé de passer une partie de la nuit dehors pour vivre une aventure extraordinaire. Une **demi-heure** plus tard, elle est arrivée devant une cabane abandonnée. Mais à sa grande surprise, les volets habituellement fermés étaient **mi-clos** et laissaient passer une faible lumière. Elle s'est approchée et a entendu des gens parler à **mi-voix**. Elle a regardé entre les volets et a aperçu dans une pièce **semi-circulaire** un groupe de gens qui agitaient leurs bras comme s'ils allaient s'envoler. Elle a eu si peur qu'elle s'est enfuie sans chercher à en savoir davantage.*

- une demi-heure, une demi-livre, la demi-obscurité, un demi-verre
- une mi-temps, midi, minuit, mi-clos, à mi-voix, à mi-chemin
- un hémisphère (moitié d'une sphère, moitié du globe terrestre)
- une semi-consonne (y, w), une semi-voyelle (y, w), semi-circulaire

■ Un degré élevé, la supériorité, la grandeur, l'excès

archi-, extra-, hyper-, super-, supra-, sur-, ultra-

*Dans une salle **archipleine** où il n'y avait plus une seule place libre, une cantatrice **extraordinaire** allait chanter des airs d'opéra, connus de tous, des airs **archiconnus** et d'autres plus contemporains, et même **ultramodernes**. Cette artiste **hypersensible** était aussi **hyper-intelligente**. Elle avait été une enfant **surdouée**, **surpassant** tous les enfants de son âge. Malgré cette **surabondance** de dons qui faisaient d'elle une sorte **d'extra-terrestre**, quelqu'un venu d'une autre planète, elle était restée simple et modeste. Mais avec le temps, une **surcharge** de travail, le **surmenage** provoqué par les répétitions, les nombreux voyages **ultrarapides** en **supersonique**, sa présence dans un film à grand spectacle, une **superproduction** hollywoodienne, l'avaient épuisée et avaient fait d'elle une personne toujours **surexcitée**. Et ce soir-là, pour la première fois de sa vie, elle était restée sans voix sur la scène ; on avait dû arrêter la représentation. La salle **surpeuplée** la siffla. Plus tard, elle prétendit que tout cela était faux, **archifaux**, mais on dit que cette soirée marqua la fin de sa carrière.*

- archiconnu(e), archifaux(fausse), archiplein(e)
- extraordinaire, extraplat(e), extraterrestre
- hyper-intelligent(e), un hypermarché, hypersensible, l'hypertension

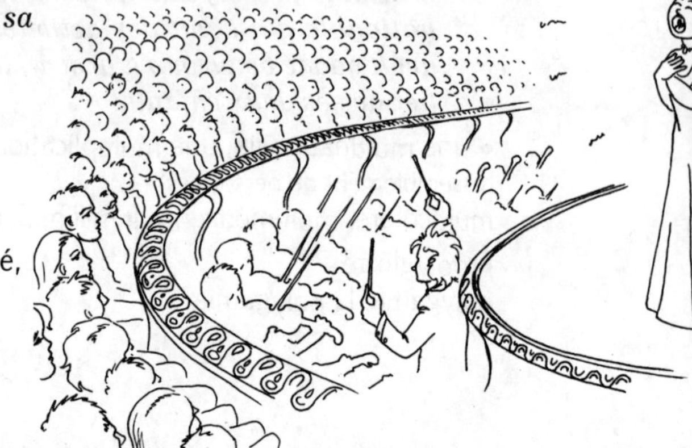

(Le préfixe hyper- connaît une grande vogue et forme sans cesse des mots nouveaux, et on entend : c'est hyper-intéressant, c'est hyper-important, etc.)

- le supercarburant, le superflu (ce qui n'est pas absolument nécessaire), un supermarché, supranational(e), une superproduction, un supersonique
- surabondant(e) (en quantité plus grande qu'il n'est nécessaire), la surabondance, une surcharge, un(e) surdoué(e), surexcité(e)
- le surmenage (le fait de se fatiguer excessivement), le surnombre, surpeuplé(e)
- ultracourt(e), ultramoderne, ultrarapide, ultrason

Certains préfixes marquent le contraire : hypo- (au-dessous de la normale), **sous-**
l'hypotension, le sous-développement, sous-développé

■ La petitesse, l'extrême petitesse

micro-, mini-

*La petite troupe a quitté sans regret la plage où la mer verdâtre montrait qu'une algue **microscopique** se développait dans l'eau. De plus, le sable couvert de bouteilles vides, de papiers gras, de Kleenex sales était sûrement plein de **microbes**. Le groupe est monté dans un **minibus** qui devait le conduire dans un **minigolf** des environs. C'étaient les vacances et les adolescentes en **minijupe** et en short profitaient du soleil et des plaisirs de l'été.*

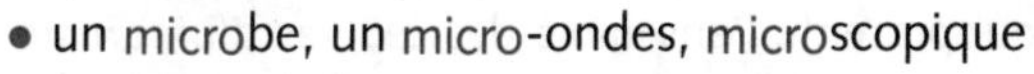

- un microbe, un micro-ondes, microscopique

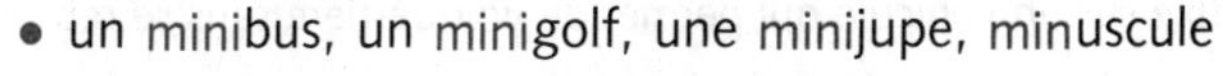

- un minibus, un minigolf, une minijupe, minuscule

■ La situation dans le temps et l'espace

ante-, arrière-, avant-

*Tu sais, **avant-hier**, j'ai rencontré un ami dont **l'arrière-grand-père** avait été **avant-centre** dans l'équipe nationale de football en 1925. Il était **l'avant-dernier** d'une famille de huit enfants. Le père, un artiste, un peintre d'**avant-garde**, qui avait exposé à Paris, sur la Côte d'Azur et dans l'**arrière-pays**, avait bien connu Van Gogh.*

- un antécédent (mot que représente le pronom relatif et qui est placé avant lui), l'antériorité, antérieur(e)
- un avant-centre, l'avant-dernier, d'avant-garde (en avance sur ce qui se fait en art), l'avant-guerre, avant-hier, une avant-première (présentation d'un spectacle avant la présentation au public), l'avant-veille

dia- = au travers de

une diagonale, un dialogue

entre-, inter- = entre, au milieu

un entracte, un interligne (espace entre deux lignes), un interlocuteur, interplanétaire, un intervalle (courte distance, espace de temps)

outre- → trans-, ci-dessous.

péri- = autour de

la périphérie (l'ensemble des quartiers éloignés du centre), périphérique

pré- = avant; post- = après

Dans la ***préface*** *et la* ***postface*** *de son grand ouvrage* ***posthume*** *sur la* ***préhistoire****, l'auteur raconte comment sa passion pour cette période avait commencé. Il se souvient que lorsqu'il était un petit enfant, à l'âge* ***préscolaire****, il adorait jouer avec des animaux* ***préhistoriques****, des dinosaures, des brontosaures, etc. Pour rire, il affirme que déjà dans le ventre de sa mère, pendant les examens* ***prénatals****, il avait dû entendre parler de ces animaux.*

- un préavis (avertissement officiel donné à l'avance de ce que l'on va faire), préfabriqué, la préface (texte de présentation placé au début d'un livre), le préfixe, la préhistoire (les événements qui se sont déroulés avant l'apparition de l'écriture), prénatal(e) (qui est avant la naissance), la préretraite (retraite que l'on prend avant l'âge de la retraite), préscolaire (qui précède l'âge d'aller à l'école)
- la postface, posthume (enfant né après la mort de son père, ouvrage paru après la mort de l'auteur)

rétro- = en arrière

une rétrospective (exposition qui présente l'ensemble des œuvres d'un artiste), un rétroviseur (petit miroir fixé sur un véhicule qui permet de voir derrière sans se retourner)

télé- = loin

À ***intervalles*** *réguliers, la maîtresse répétait : « N'oubliez pas de laisser un* ***interligne*** *en écrivant. » Et elle rappelait le sujet de la composition : «* ***Télécommande, télégramme, téléphone, télévision, télécommunication, téléobjectif****, toutes ces inventions du XXe siècle ont-elles contribué à rapprocher ou à éloigner les hommes ? »*

une télécommande (petit objet qui sert à commander un appareil à distance), la télécommunication (ensemble des moyens qui permettent de transmettre des informations à distance), un télégramme, un téléobjectif (objectif d'un appareil photo qui agrandit l'image et permet de prendre des photos de loin), un téléphone, un télescope (instrument qui permet d'observer des objets, des astres très éloignés), le téléspectateur, la télévision

trans- = à travers, au-delà de ; outre- = au-delà (par rapport à la France)

*Comment pourrions-nous situer la France ? À l'ouest, vous avez l'océan Atlantique. Bien au-delà, la France se prolonge dans les territoires d'****outre-mer****, la Martinique, la Guadeloupe ; un peu plus au nord, il y a la Manche, et au-delà,* ***outre-Manche****, c'est l'Angleterre. Au sud, s'étend* *une chaîne de montagnes, les Alpes. Les pays* ***transalpins*** *(l'Italie, la Suisse...) sont les voisins directs de la France. Si vous désirez aller plus loin vers l'est, prenez ce train qui fait rêver, le* ***Transsibérien****, ce chemin de fer* ***transcontinental*** *qui vous transportera à travers toute l'Europe centrale, jusqu'en Sibérie.*

- transalpin (qui est au-delà des Alpes), transcontinental(e) (qui traverse un continent d'un bout à l'autre), un transfert (déplacement d'un lieu à l'autre), une transfusion (injection de sang d'une personne qui donne à une personne qui reçoit), transsibérien (qui traverse la Sibérie)
- outre-Manche (en Grande-Bretagne), outre-mer (au-delà des mers)

■ L'opposition, l'hostilité

Il y a des gens qui ont peur de tout. Peur d'être volés, et ils achètent des ***antivols****. Peur de la maladie et, au moindre rhume, ils prennent des* ***antibiotiques****. Peur de la guerre, et ils construisent dans leur jardin des abris* ***antiaériens*** *ou même des abris* ***antiatomiques****.*

Il y a aussi des gens que tout dérange et qui évitent le vent, la pluie, le soleil; ceux-là, on les retrouve sous un ***parapluie*** *quand il pleut, sous un* ***parasol*** *à la plage quand le soleil est trop chaud, derrière un* ***paravent*** *pour se protéger des courants d'air ou du regard des autres. Ils ont bien raison cependant d'ouvrir leur* ***parachute*** *s'ils se jettent d'un avion en vol, et de faire poser sur le toit de leur maison un* ***paratonnerre*** *qui éloignera la foudre et l'incendie.*

anti- = contre (qui s'oppose)

antiaérien (qui s'oppose aux attaques aériennes), un antibiotique, antichoc (qui protège des chocs), l'anticonformisme, (un) anticonformiste, un antigel (qui protège du gel), les antipodes (lieu de la terre opposé à un autre), un antipoison, un antiseptique, un antivol

contra- = contre (avec l'idée d'une opposition)

contraceptif, la contraception, la contradiction (action de dire le contraire, de s'opposer à quelqu'un), contradictoire

contre- = contre (avec l'idée d'une hostilité, d'un empêchement)

le contre-courant (le courant qui se produit en sens inverse d'un autre courant), contre-indiqué, le contre-jour (éclairage d'un objet qui reçoit la lumière en sens inverse de celui du regard)

para- = contre (avec l'idée d'une protection)

un parachute, un parapluie, un parasol, un paratonnerre, un paravent

■ Les préfixes négatifs

Pierre a ouvert la lettre. Elle était soigneusement écrite. Chaque paragraphe commençait par un ***alinéa*** *et les phrases se suivaient sans*

***désordre**; aucune **dissymétrie** dans la présentation. Ce n'était pas la lettre d'un **analphabète**; mais il y avait quelque chose d'**anormal**, elle était **anonyme**. Pas de signature au bas de la lettre. C'était une lettre très **désagréable**. Elle apprenait à Pierre la trahison, la **déloyauté** d'un ami. Il a ressenti du **dégoût** en la lisant; et puis du **désespoir**. Pour lui qui croyait en la bonté humaine, quelle **désillusion**!*

a- ou an- + voyelle = privé de

Ce préfixe est présent surtout dans le vocabulaire de la **science** et de la **morale**.

- un alinéa (retrait de la première ligne d'un texte, d'un paragraphe), une amnésie (diminution ou perte totale de la mémoire), anormal(e) (qui n'est pas normal), asymétrique (qui n'est pas symétrique), un(e) athée (qui ne croit pas en Dieu)
- analphabète (qui n'a pas appris à lire et à écrire), une anarchie (désordre dû à une absence d'autorité), une anémie (manque de globules rouges), anonyme (qui ne fait pas connaître son nom), une anorexie (perte de l'appétit)

ana- = à l'inverse de

un anachronisme (erreur qui consiste à montrer une chose, une personne à une époque où elles n'existaient pas)

dé- + consonne, dés- + voyelle, dis- + s = le contraire

- le dégel (la fonte des neiges, de la glace quand le temps devient plus doux), le dégoût (la répulsion), déloyal(e) (qui n'est pas honnête, qui ne respecte pas ses promesses), la déloyauté
- le désaccord (le fait de ne pas être d'accord), désagréable (peu agréable, déplaisant), la désapprobation (le mécontentement qui montre que l'on n'est pas d'accord), le désarmement, le désavantage (un inconvénient), le déséquilibre (la perte de l'équilibre), le désespoir, la désillusion, désintéressé(e), la désobéissance, le désordre, la désunion
- dissemblable (qui ne sont pas semblables mais qui ont quelque chose en commun), dissymétrique (dont les deux parties de chaque côté d'un axe ne sont pas semblables)

in- ou im-, ill-, ir- = privé de, sans

in- + **m, b, p** → **im-**
in- + **l** → **ill-**
in- + **r** → **ir-**

Ce préfixe forme des adjectifs et des noms.

Attention à la prononciation :

	in- + voyelle	→ i-nanimé, i-napte, i-nexact(e), i-nhabituel(le)
mais	in- ou im- + consonne	→ in-direct(e), im-patient(e)
mais	im- + m + voyelle	→ i-mmatériel(le), i-mmobile, i-mmoral(e)

mais im-mangeable, im-manquable, im-mettable
(Observons ici que le préfixe négatif im- est associé à **un radical verbal** lui-même prolongé par le suffixe -able qui marque la possibilité = qu'on ne peut manger, qu'on ne peut mettre, qu'on ne peut manquer.)

Deux amis dans une chambre de la cité universitaire
— Comment ? Tu sors alors que j'arrive ? Mais c'est ***impoli****, c'est* ***inacceptable****, et je dirais même plus,* ***inadmissible*** *!! Non, je plaisante !*
— Écoute, j'ai absolument besoin d'aller à la bibliothèque pour finir le travail que j'ai laissé ***inachevé*** *hier. Ma documentation était* ***incomplète*** *et il était trop tard pour consulter d'autres ouvrages. J'étais* ***incapable*** *de travailler sans ces livres, il était donc* ***inutile*** *que je reste plus longtemps.*
— Sur quoi travailles-tu en ce moment ?
*— Oh ! C'est très spécial ! Je travaille sur le thème de l'****infini****, de l'****invisible****, de l'****inconnu****, de l'****irréel****, de l'****incertain****, de l'****imprécis****, de l'****improbable****, à travers des textes de la littérature universelle.*
— Mais c'est très difficile, pour ne pas dire ***impossible*** *à traiter !!*
— Oui, et certains textes sont ***illisibles****, parce que ce sont des manuscrits très anciens. Mais je passe des heures* ***inoubliables*** *dans ces recherches.*
— Moi, je trouve ça ***incroyable****,* ***inimaginable****. Mais restons dans le réel, monsieur le philosophe. Prends ton* ***imperméable****, il pleut à torrents !*

- illégal(e) (qui est contraire à la loi), illettré(e) (qui ne sait pas bien lire ni écrire), illisible (très difficile à lire)
- impair(e) (qui n'est pas pair[e]), impardonnable (qui ne peut être pardonné[e]), imparfait(e) (qui n'est pas parfait[e], pas achevé[e]), impeccable (qui est sans défauts), impensable (qu'on ne peut pas imaginer), imperméable (qui ne laisse pas passer l'eau), impoli(e) (qui n'est pas poli[e], qui est grossier/-ère), impossible (qui n'est pas possible), imprécis(e) (qui manque de précision), improbable (qui a peu de chance de se produire), imprononçable (qu'on ne peut pas prononcer), imprudent(e) (qui manque de prudence, d'attention)
- inacceptable (qu'on ne peut pas accepter), inachevé(e) (qui n'est pas terminé[e]), inadmissible (qu'on ne peut pas admettre, inacceptable), inanimé(e) (qui est ou qui semble sans vie), inattendue(e) (que l'on n'attendait pas), inimaginable (incroyable), innocent(e) (qui n'est pas coupable), inoubliable (qu'on ne peut oublier), inutile (qui ne sert à rien)
- incapable (qui n'est pas capable de), incassable (qui ne peut pas se casser), incertain(e) (qu'on ne peut pas prévoir), incolore (sans couleur), incomplet/-ète (qui n'est pas complet), inconfortable (qui manque de confort), inconnu(e) (qui n'est pas connu[e]), incontestable (qu'on ne peut contester), incroyable (qu'on ne peut pas croire), incurable (maladie qu'on ne peut pas guérir), indéfini(e) (qu'on ne peut pas définir), indéniable (qu'on ne peut pas nier), indubitable (dont on ne peut pas douter), infidèle (qui est changeant, qui n'est pas fidèle), infini(e) (sans fin), inhabité(e) (qui n'est pas habité[e]), injuste (contraire à la justice), insensible (qui manque de sensibilité), inséparable (qu'on ne peut séparer), insupportable (qu'on ne peut pas supporter), invisible (que l'on ne peut pas voir), involontaire (qui n'est pas voulu[e])
- irréel(le) (qui n'est pas réel[le]), irrégulier/-ère (qui n'a pas toujours la même forme, qui ne suit pas la règle), irréprochable (sans reproche), irrésistible (à quoi on ne peut pas résister)

mal-, mé-, més- = idée de négation, de manque, de mal

Portrait d'un homme – *Monsieur Pasdechance, c'est comme ça qu'on l'appelle. Il est* ***maladroit****, il casse tout ce qu'il touche. Il ne sait rien* *faire de ses mains, parce qu'il est **malhabile**. Il vit seul. Ses vêtements ne sont pas nets, plutôt **malpropres**. Il est **mécontent** de sa situation et **malheureux**. Et pourtant ce n'est pas un méchant homme et il n'est pas **malhonnête**.*

• la maladresse (manque d'adresse, d'habileté, de tact), maladroit(e) (qui manque d'adresse), maladroitement, la malchance, malchanceux, malhabile, le malheur, malheureux, malheureusement, malhonnête, la malhonnêteté, malpropre (sale), malsain(e) (marqué[e] par la maladie, qui n'est pas normal[e], dangereux[-se])

• méconnu(e) (qui n'est pas reconnu[e], pas estimé[e] à sa juste valeur), mécontent(e), le mécontentement

• la mésentente (la mauvaise entente)

non-

*Un homme fumait dans un compartiment **non-fumeurs** ; ses voisins lui ont dit poliment : « Vous devriez sortir. Fumer dans un compartiment **non-fumeurs** est un vrai **non-sens**. »*
Mais il a refusé grossièrement et a continué à rejeter sa fumée empoisonnée.
*Ces **non-fumeurs** étaient des gens **non violents**, mais à ce moment-là, ils étaient prêts à le pousser hors du compartiment, quand une toux **non-stop** a obligé le fumeur à jeter sa cigarette et à se précipiter à la fenêtre pour respirer de l'air frais, de l'air **non pollué**.*

Ce préfixe est souvent relié par un trait d'union à un nom, ou plus rarement à un adjectif (dans ce cas, il s'écrit généralement sans trait-d'union).

un(e) non-fumeur/-euse, un non-lieu (décision d'un juge qui arrête les poursuites contre un inculpé parce qu'il manque de preuves), un non-sens (ce qui n'a aucun sens), non-stop (qui ne s'arrête pas ; attention à la prononciation : *nonnestop), la non-violence (théorie qui refuse la violence dans l'action politique), non violent(e) (où il n'y a pas de violence), un(e) non-violent(e) (une personne qui refuse d'utiliser la violence)

sans-

*Les gens qui sont des **sans-emploi**, des **sans-abri**, des **sans-logis**, des **sans-papiers** peuvent se demander s'ils ont une place sur la terre.*

Relié à un nom par un trait d'union, il forme surtout des noms.

un(e) sans-abri (une personne qui n'a plus de logement), un(e) sans-emploi (une personne qui n'a pas de travail), sans-gêne (qui agit sans craindre de gêner les autres), le sans-gêne (l'impolitesse), un(e) sans-logis (une personne qui n'a pas de logement), un(e) sans-papiers (personne qui n'a pas de papiers d'identité, immigré[e] en situation irrégulière)

Autres préfixes

ex- = qui n'est plus

*En France, les familles d'aujourd'hui – qu'on appelle familles recomposées – réunissent souvent les **ex-maris**, les **ex-femmes**, les **ex-beaux-frères**, les **ex-belles-mères**… dans un joyeux désordre de relations familiales.*

Placé devant un nom, ce préfixe est suivi d'un trait d'union.

un ex-directeur, une ex-femme, un ex-mari (familièrement, on dit « mon ex »), un ex-ministre

sous-

> *Le représentant de la Croix-Rouge* ***soussigné****, recommande aux pays riches d'accorder une aide plus importante aux pays* ***sous-développés*** *où des enfants* ***sous-alimentés*** *vivent parfois dans des* ***sous-sols*** *sans air ni lumière.*

sous-alimenté(e), sous-développé(e), un sous-entendu (une chose que l'on dit sans l'exprimer vraiment), soussigné(e), un sous-sol (étage souterrain d'une construction)

vice- = à la place de

> *À la mort du président Kennedy, le* ***vice-président*** *Johnson a exercé le pouvoir avant les élections.*

Il accompagne des noms ou des titres de fonctions exercées en second, à la place de quelqu'un. Il est suivi d'un trait d'union.

le vice-chancelier, la vice-présidence, le vice-président

1 • 2 Les suffixes

Le suffixe, comme nous l'avons déjà vu, sert à faire passer un mot d'une catégorie grammaticale à une autre.
Mais si le suffixe ne change pas fondamentalement le sens d'un mot, il apporte malgré tout une nuance particulière, une valeur spéciale que nous allons étudier au fur et à mesure des suffixes répertoriés.

Ainsi, les suffixes permettent d'obtenir :

– des verbes :	sautiller	à partir d'un autre verbe : *sauter*
	téléphoner	à partir d'un nom : *le téléphone*
	rougir	à partir d'un adjectif : *rouge*
– des noms :	une ruelle	à partir d'un autre nom : *la rue*
	la longueur	à partir d'un adjectif : *long*
	un marcheur	à partir d'un verbe : *marcher*
– des adjectifs :	douceâtre	à partir d'un autre adjectif : *doux*
	amoureux	à partir d'un nom : *amour*
	souriant	à partir d'un verbe : *sourire*
– des adverbes :	amoureusement	à partir d'un adjectif : *amoureux*

Les suffixes de verbes

■ Le suffixe des verbes d'action

-er

Il s'ajoute à des noms communs et à des adjectifs pour former des verbes d'action.

bavarder (bavard), crier (le cri), marcher (la marche), rêver (le rêve), signaler (le signal)

■ Les suffixes factitifs

Ce sont des suffixes qui expriment l'action de **faire**, de **donner**, de **rendre**, de **mettre dans un état**.

-er

Le suffixe simple s'ajoute à un nom ou à un adjectif de base.

– Parfois on ajoute simplement **-er** au mot de base.

calmer (rendre calme), inquiéter (rendre inquiet), vider (rendre vide)

– Parfois on élargit la base par un préfixe.

longer, allonger, rallonger (long) – attrister (triste)

Remarque sur les verbes en -er

– Dans certains cas, le radical ne se modifie pas mais la prononciation se modifie.

appeler (un appel), geler (le gel)

– Il arrive que le radical se modifie légèrement.

différencier (la différence), privilégier (le privilège)
ciseler (le ciseau), jumeler (le jumeau), marteler (le marteau), morceler (le morceau), peler (la peau), renouveler (le renouveau) ; étinceler (une étincelle)

– Souvent la consonne finale du nom qui n'était pas prononcée s'entend dans le verbe.

chanter (le chant), donner (le don), galoper (le galop), sauter (le saut)

– Parfois une consonne qui n'est pas dans le mot base apparaît dans le verbe suffixé.

abriter (un abri), numéroter (un numéro)

-ifier, -iser

Ces suffixes élargis s'ajoutent à des noms ou à des adjectifs.

- **-ifier**

Quelqu'un l'avait dit à un ami qui l'avait répété à un journaliste et, peu à peu, la nouvelle s'était ***amplifiée****. Quelle nouvelle ? On avait découvert au fond d'un coffre, dans un grenier, un tableau de Léonard de*

Vinci. On disait que c'était la vraie Joconde, la vraie Mona Lisa. Il fallait ***clarifier*** *la question. Pour* ***simplifier****, on s'est mis à la recherche d'un expert qui* ***authentifierait*** *le tableau, qui dirait si on avait* ***falsifié*** *ou non la signature du peintre. On s'est adressé à un spécialiste qui était l'honnêteté* ***personnifiée****. Et on a attendu son jugement. Où était le vrai tableau, au Louvre, ou dans un grenier?*

amplifier (agrandir), authentifier (rendre authentique), clarifier (rendre clair), diversifier (rendre divers), falsifier (rendre faux), fortifier (rendre fort), (s')intensifier (devenir, rendre plus intense), notifier (informer), personnifier (transformer en personne), purifier (rendre pur), qualifier (donner qualité à, caractériser un mot), quantifier (donner une quantité mesurable), signifier (avoir un sens), simplifier (rendre simple), (se) solidifier (devenir ou rendre solide)

Remarque Ce suffixe verbal -ifier donne un suffixe nominal -ification.

amplification, authentification, clarification, diversification, falsification...

- **-iser**

L'équipe de la ville menait le match par 1 à 0 lorsque dans les dernières minutes de la rencontre, l'équipe invitée a ***égalisé****. Cela a mis en colère les supporters qui sont descendus sur le terrain et ont* ***brutalisé*** *les joueurs et l'arbitre, accusant ce dernier d'avoir* ***favorisé*** *l'équipe adverse. Certains supporters avaient* ***personnalisé*** *leurs vêtements en peignant dessus les couleurs de leur équipe. Les policiers sont intervenus pour calmer ces fous furieux. Tous les supporters se sont alors* ***solidarisés*** *pour se retourner contre les forces de l'ordre. Il est choquant de voir des gens* ***banaliser*** *et* ***généraliser*** *des actes violents et même les* ***politiser*** *en criant certains slogans.*
Pour ***tranquilliser*** *les spectateurs ordinaires, il faudrait ne pas* ***économiser*** *sur les moyens pour* ***humaniser*** *les rapports entre ces «sportifs» et il conviendrait de* ***légaliser*** *l'interdiction des boissons* ***alcoolisées****.*

actualiser (rendre actuel), alcooliser (convertir en alcool, ajouter de l'alcool), banaliser (rendre banal), brutaliser (agir avec brutalité), décentraliser = délocaliser (déplacer ailleurs des services situés dans la capitale), économiser (faire des économies, ne pas dépenser tout son argent), égaliser (rendre égal), favoriser (donner un avantage, aider), fertiliser (rendre fertile), généraliser (appliquer quelque chose à tout le monde de façon générale), harmoniser (donner une harmonie, rendre harmonieux), humaniser (rendre humain), s'humaniser (devenir humain), légaliser (rendre légal), organiser (arranger, diriger), personnaliser (rendre personnel), politiser (rendre politique), privatiser ≠ nationaliser, rentabiliser (rendre rentable), se solidariser (dire qu'on est solidaire, lié aux autres), sonoriser (rendre sonore) / insonoriser (rendre insonore), standardiser (normaliser, uniformiser), styliser (représenter un objet en le simplifiant), (se) tranquilliser (devenir ou rendre tranquille), uniformiser (rendre uniforme), utiliser (se servir de), urbaniser (transformer en ville), valoriser

Ce suffixe sert à former de nombreux verbes; il est très en vogue dans la langue d'aujourd'hui.

finaliser (présenter sous une forme presque définitive), franchiser (mettre une marque à la disposition des commerçants), médiatiser (rendre médiatique, connu), optimiser (rendre meilleur), sécuriser (rendre plus sûr), somatiser (traduire dans le corps un trouble psychique), sponsoriser (financer pour se faire de la publicité, parrainer)

Remarque Ce suffixe verbal -iser donne pour la plupart des verbes le suffixe nominal -isation.

généralisation, organisation, rentabilisation, utilisation

➔ Les néologismes de formation récente, II, 1, p. 188.

-ir

*Je vais te raconter ce qui se passe quand on **vieillit**. D'abord, les cheveux **blanchissent**. Puis les bras, les jambes **s'engourdissent** parce qu'on est moins actif. Parfois on **grossit**, on **s'alourdit**, parfois on **maigrit** et on **s'affaiblit**; le teint **jaunit**, **pâlit**. On **enlaidit**. On n'a plus les rêves de la jeunesse, l'imagination **s'appauvrit**, **se rétrécit**.*
*Tout cela est vrai. Mais tu sais, il y a des personnes qui **embellissent** en **vieillissant**; leur caractère **s'adoucit**, leur expérience de la vie les a **enrichies**. Leurs idées se sont **approfondies** et elles regardent le monde d'un œil bienveillant, et le monde les regarde d'un œil **attendri**.*

Ce suffixe, qui est celui des verbes du 2e groupe, s'ajoute généralement à des adjectifs de couleur et de qualité. Il sert à former des verbes qui marquent :

– l'action de **devenir**

blanchir, bleuir, brunir, jaunir, noircir, pâlir, rougir, verdir
durcir, faiblir, grandir, grossir, maigrir, mincir, vieillir

– l'action de **rendre** ou de **devenir**

épaissir	rendre épais	s'épaissir	devenir épais
obscurcir	rendre obscur	s'obscurcir	devenir obscur

De nombreux verbes de ce groupe ajoutent également un préfixe.

raccourcir	rendre court	**(r)af**fermir	rendre ferme
refroidir	rendre froid	**ra**lentir	rendre plus lent

adoucir	rendre doux	s'**a**doucir	devenir doux
affaiblir	rendre faible	s'**af**faiblir	devenir faible
agrandir	rendre grand	s'**a**grandir	devenir grand
alourdir	rendre lourd	s'**a**lourdir	devenir lourd
aplatir	rendre plat	s'**a**platir	devenir plat
appauvrir	rendre pauvre	s'**ap**pauvrir	devenir pauvre
approfondir	rendre profond	s'**ap**profondir	devenir profond
arrondir	rendre rond	s'**ar**rondir	devenir rond
attendrir	rendre tendre	s'**at**tendrir	devenir tendre
éclaircir	rendre clair	s'**é**claircir	devenir clair
élargir	rendre large	s'**é**largir	devenir large
enrichir	rendre riche	s'**en**richir	devenir riche
embellir	devenir ou rendre beau	s'**em**bellir	se rendre beau
enlaidir	devenir ou rendre laid	s'**en**laidir	se rendre laid
rajeunir	devenir ou rendre jeune	se **ra**jeunir	se rendre jeune
rétrécir	devenir ou rendre étroit	se **ré**trécir	devenir étroit

Ce même suffixe **-ir** sert aussi à former d'autres types de verbes, eux aussi préfixés.

alunir (se poser sur la Lune), **att**errir (se poser sur la terre)

Remarque Sur ces verbes dont la base est un adjectif de qualité, on a généralement un suffixe nominal en **-issement**.

agrandissement, éclaircissement...

Les suffixes diminutifs, fréquentatifs

Ce sont des suffixes qui montrent que l'action se répète et qu'elle se fait par petits mouvements. Ils se forment à partir d'un verbe.

-iller, -iner, -onner, -oter

• -iller

*Dans la cour de l'école, l'enfant qui avait froid **sautillait**, tout en **mordillant** un bâton de réglisse qu'il tenait entre ses lèvres **fendillées** par les gerçures.*

fendiller	(sur *fendre*)	se couvrir de petites fentes
mordiller	(sur *mordre*)	mordre légèrement et à plusieurs reprises
sautiller	(sur *sauter*)	avancer par petits sauts

• -iner

trottiner	(sur *trotter*)	trotter à petits pas

• -onner

*Tout en la **chantonnant**, elle a **griffonné** rapidement le titre de la chanson que diffusait la radio, tandis que sa sœur qui **mâchonnait** son crayon en lisant **marmonnait** quelque chose contre les chansons stupides.*

chantonner	(sur *chanter*)	chanter à mi-voix très doucement
griffonner	(sur *griffer*)	écrire ou dessiner vite et sans soin
mâchonner	(sur *mâcher*)	mâcher à petits coups
marmonner	(sur une onomatopée)	dire quelque chose entre ses dents

• -oter

*Honteux d'avoir roté bruyamment devant tout le monde, le vieil oncle a **toussoté** d'un air embarrassé en **clignotant** des yeux comme s'il était gêné par une trop forte lumière; il a **chuchoté** quelques mots que personne n'a compris, puis il s'est mis à **siffloter**, comme si rien ne s'était passé, en **pianotant** sur la table d'une main nerveuse. Ne sachant plus quoi faire, il a **tapoté** la joue d'un enfant qui passait par là.*

chuchoter	(valeur d'onomatopée)	parler bas en remuant à peine les lèvres
clignoter	(sur *cligner*)	cligner, ouvrir et fermer les yeux à plusieurs reprises rapidement

pianoter	(sur *piano*)	tapoter avec le bout des doigts comme un pianiste sur le clavier
siffloter	(sur *siffler*)	siffler sans faire attention
tapoter	(sur *taper*)	frapper légèrement en donnant de petits coups
toussoter	(sur *tousser*)	tousser en faisant peu de bruit
vivoter	(sur *vivre*)	vivre au ralenti, avec de petits moyens

Les suffixes péjoratifs

-ailler, -asser, -ouiller

Ces suffixes expriment une action qui comporte un élément défavorable ou une action qui se fait d'une façon répétée ou indéfinie.

> *Ma voisine est insupportable. Elle ne fait rien toute la journée, elle **traînasse** en savates et robe de chambre ou elle **rêvasse** à sa fenêtre. Quand on la rencontre dans l'escalier, le spectacle n'est pas agréable. Elle **bredouille** un «bonjour» rapide et ensuite elle se met à parler. Mais elle veut toujours avoir raison et elle **discutaille** sur n'importe quel sujet. De temps en temps, elle se **gratouille** le crâne et **tiraille** des mèches de ses cheveux sales.*

- **-ailler**

discutailler	(sur *discuter*)	ne pas cesser de discuter
tirailler	(sur *tirer*)	tirer à plusieurs reprises

- **-asser**

rêvasser	(sur *rêver*)	rêver vaguement
traînasser	(sur *traîner*)	être sans but, être là inoccupé

- **-ouiller**

bafouiller	(sur une onomatopée)	parler d'une façon embarrassée
barbouiller		salir
bredouiller	(sur un vieux verbe)	parler d'une manière précipitée
gargouiller		produire un bruit d'eau, produire des gargouillements (intestin par exemple)
gratouiller	(sur *gratter*)	gratter un peu et de temps en temps
mâchouiller	(sur *mâcher*)	mâcher sans avaler

Les suffixes d'adjectifs

Ce sont des suffixes qui s'ajoutent à des noms, à des verbes ou à d'autres adjectifs.

grossier	(sur *gros*)
italien	(sur *Italie*)
souriant	(sur *sourire*)

La plupart présentent des formes de masculin et de féminin, de singulier et de pluriel.
grossier**(s)** / grossi**ère(s)**
italien**(s)** / italien**ne(s)**
souriant**(s)** / sourian**te(s)**

Certains ont la même forme au masculin et au féminin.
minc**e(s)** / minc**e(s)**

Nous allons étudier les suffixes suivants d'après leur sens.

■ L'origine (pays et régions)

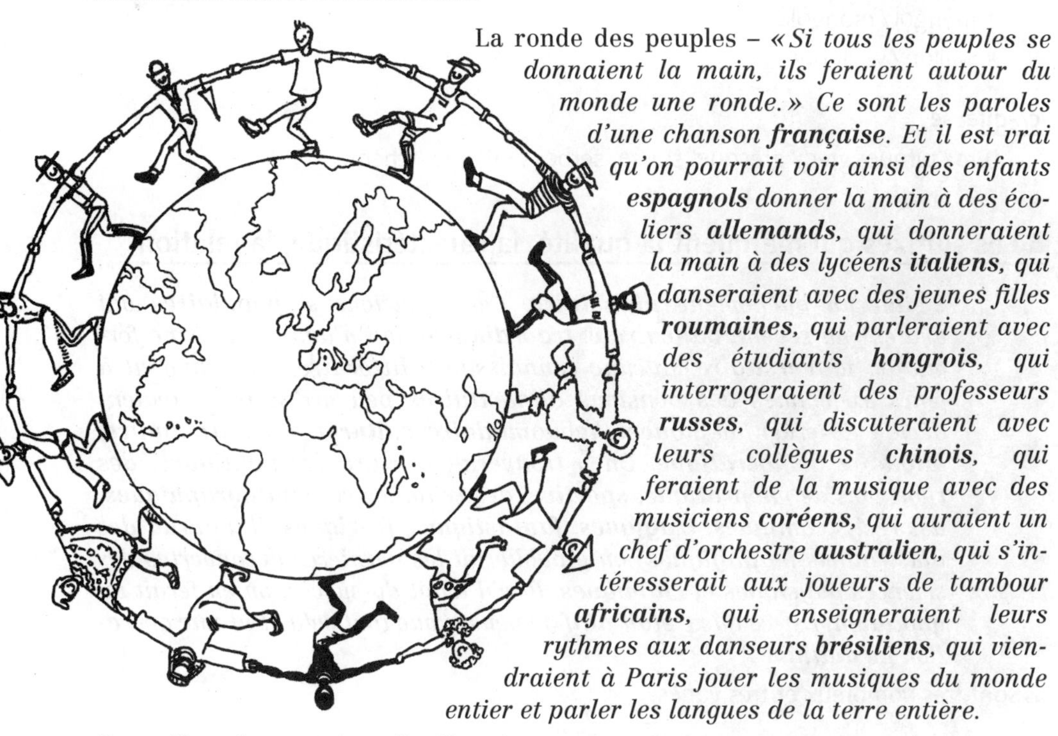

La ronde des peuples – *« Si tous les peuples se donnaient la main, ils feraient autour du monde une ronde. » Ce sont les paroles d'une chanson* ***française****. Et il est vrai qu'on pourrait voir ainsi des enfants* ***espagnols*** *donner la main à des écoliers* ***allemands****, qui donneraient la main à des lycéens* ***italiens****, qui danseraient avec des jeunes filles* ***roumaines****, qui parleraient avec des étudiants* ***hongrois****, qui interrogeraient des professeurs* ***russes****, qui discuteraient avec leurs collègues* ***chinois****, qui feraient de la musique avec des musiciens* ***coréens****, qui auraient un chef d'orchestre* ***australien****, qui s'intéresserait aux joueurs de tambour* ***africains****, qui enseigneraient leurs rythmes aux danseurs* ***brésiliens****, qui viendraient à Paris jouer les musiques du monde entier et parler les langues de la terre entière.*

Ces suffixes forment des adjectifs qui commencent par une lettre minuscule.
Elle est angl**ais**e.

(Ils peuvent former aussi des noms, si l'adjectif est accompagné d'un déterminant : article, adjectif démonstratif, adjectif possessif… Le nom commence alors par une lettre majuscule : *un Angl**ais**, une Angl**ais**e*.)

Le suffixe **-ien/-ienne** constitue le groupe le plus important suivi par le groupe en **-ais/-aise**.

Faisons le point sur ces différents suffixes :

-ien/-ienne, -in/-ine, -éen/-éenne

• boliv**ien** / boliv**ienne**, nigér**ien** / nigér**ienne** (habitant du Niger)

- argentin / argentine, philippin / philippine
- guadeloupéen / guadeloupéenne

-ais/-aise, -ain/-aine, -an/-ane, -and/-ande, -ian /-iane

- anglais / anglaise, américain / américaine
- afghan / afghane
- allemand / allemande
- nigérian / nigériane (habitant du Nigeria),

-ois/-oise, -ol/-ole, -on/-onne

- danois / danoise, suédois / suédoise, zaïrois / zaïroise
- mongol / mongole
- wallon / wallonne

-c/-que, -e

turc / turque, grec / grecque, suisse, serbe, slovaque, tchèque

Les suffixes qui marquent la qualité, la caractéristique, la relation

C'était un phénomène ***planétaire****. Ces musiciens si* ***populaires*** *qui avaient un revenu* ***bancaire extraordinaire****, qui n'avaient aucune formation* ***universitaire****, aucune connaissance* ***littéraire****, qui payaient à leurs ex-femmes des pensions* ***alimentaires*** *peu* ***ordinaires****, avaient décidé de créer un* ***nouvel hebdomadaire culturel****,* ***révolutionnaire****,* ***laïque*** *et* ***démocratique****. On y trouverait des articles* ***politiques****, des rubriques de vie* ***pratique****,* ***sportive****, des critiques* ***cinématographiques****, des récits* ***comiques****,* ***tragiques****,* ***fantastiques****,* ***féeriques****. Il y aurait des illustrations* ***magnifiques****; on y publierait les dernières découvertes des sciences* ***physiques*** *et* ***chimiques****. Et s'il avait du succès, on en ferait un* ***quotidien****. Est-ce que c'était* ***naïf*** *de penser que tout cela était une opération* ***médiatique****?*

Ils sont très nombreux et très variés.

-ain/-aine et -ain/-ine

- humain(e), républicain(e) (adj. et nom)
- copain / copine

-aire = qui concerne, qui est relatif à

alimentaire (qui concerne les aliments), bancaire (relatif à la banque), extraordinaire, hebdomadaire (adj. et nom), littéraire, ordinaire, planétaire, populaire, révolutionnaire (adj. et nom), universitaire (adj. et nom)

-al/-ale, -eau (ou -el + voyelle)/-elle, -el/-elle

Quelle jeune fille ***originale****! Elle est* ***belle*** *mais* ***naturelle****; il n'y a rien de* ***théâtral*** *en elle. C'est une* ***intellectuelle****, mais elle est* ***maternelle*** *avec* *ses amis. Elle fait des études* ***médicales*** *et veut se battre contre les maladies* ***mortelles****; ce qui lui plairait, c'est d'être dans un service* ***chirurgical*** *où elle mettrait en pratique son habileté* ***manuelle****; pour le bien* ***général****, elle multiplierait les rencontres* ***individuelles****, et les contacts* ***fraternels*** *entre médecins et malades.*

- amical(e), général(e), initial(e), matinal(e), maximal(e), médical(e), mental(e), minimal(e), original(e), partial(e) (injuste), royal(e), théâtral(e)
- nouveau(x), nouvel / nouvelle(s), beau(x), bel / belle(s)
- continuel(le), culturel(le), éternel(le), formel(le), fraternel(le), individuel(le), intellectuel(le), manuel(le), maternel(le), mortel(le), naturel(le), originel(le), partiel(le) (en partie), paternel(le), réel(le), visuel(le)

Attention à la différence entre les féminins de ces deux suffixes :
-ale (un seul « l »)
-elle (deux « l »)

-eur/-euse

Le directeur — *Madame, je vous ai convoquée pour vous parler de votre fils. Il est* ***bagarreur****, il se bat avec tous ses camarades. Il est* ***chahuteur****, il est très agité en classe. Je suis désolé, tout cela n'est pas très* ***flatteur*** *pour vous, mais c'est ainsi. Je sais, il a des excuses, il n'a pas de père, mais...*
La mère — *Pas de père ? Mais pas du tout, mon mari est bien vivant...*
Le directeur — *Et en plus, il est* ***menteur*** *!!!*
La mère — *Oh, vous savez, mon fils aime plaisanter. Il est très* ***moqueur****, très* ***rieur****. Mais ce n'est quand même pas un* ***voleur****, ni un* ***tueur*** *!*
Le directeur — *Mais madame, votre fils a dix ans...*

Ce suffixe peut former des adjectifs ou des noms.

bagarreur / bagarreuse (adj. et nom), bricoleur / bricoleuse (adj. et nom), chahuteur / chahuteuse (adj. et nom : qui aime chahuter, qui aime s'agiter bruyamment dans une classe), flatteur / flatteuse (adj. et nom : qui fait des compliments exagérés), menteur / menteuse (adj. et nom), moqueur / moqueuse (adj.), rieur / rieuse (adj.), trompeur / trompeuse (adj.)

-eux/-euse, -ieux/-ieuse

Que se passe-t-il quand on est ***amoureux*** *? D'abord, on est* ***joyeux****,* ***heureux****. Tout est* ***délicieux****, tout est* ***savoureux*** *: ce qu'on mange, ce qu'on boit, ce qu'on respire. La vie devient* ***merveilleuse****. On croit que tout* *est possible. On devient **courageux**, et même **audacieux**. On n'a peur de rien. Et surtout, on s'intéresse à la personne que l'on aime. On est **curieux**. Quels sont ses goûts ? Qui sont ses amis ? Mais petit à petit, voilà qu'on est un peu trop **curieux**. Que fait-elle ? Avec qui est-elle ? On devient **capricieux**, on ne sait plus ce qu'on veut, on perd son calme et on est **coléreux**, et même **furieux** contre elle et contre les autres. On n'a plus envie de rien faire, on devient **paresseux** et, pour finir, on est bien **malheureux**.*

*Mais ce n'est pas fini… Voilà qu'on est de nouveau **amoureux**…*

– Ce suffixe **-eux/-euse** s'ajoute directement au **nom**.

amoureux	(sur *amour*)	qui aime, qui éprouve de l'amour
dangereux	(sur *danger*)	qui présente un danger
heureux	(sur *bonheur*)	qui ressent du bonheur
malheureux	(sur *malheur*)	qui n'est pas heureux

Attention à la variante :

douloureux	(sur *douleur*)	qui cause une souffrance
savoureux	(sur *saveur*)	qui a un très bon goût, excellent

Attention : l'adjectif *vieux* comporte le même suffixe mais il a une forme de « masculin + voyelle » qui est *vieil* et le féminin est *vieille*.

– Sur les noms terminés en **-e**, le **-e** du suffixe se confond avec le **-e** de la terminaison.

coléreux	(sur *colère*)	qui se met facilement en colère
courageux	(sur *courage*)	qui agit malgré la peur
paresseux	(sur *paresse*)	qui ne fait pas d'efforts, qui aime ne rien faire
merveilleux	(sur *merveille*)	admirable, magnifique

Attention : sur *majesté*, on a un adjectif *majestueux*.

– Ce suffixe **-eux** devient **-ieux/-ieuse** dans les noms terminés en **-ce**.

audacieux	(sur *audace*)	qui agit avec courage, originalité, insolence
capricieux	(sur *caprice*)	qui fait des caprices, qui a des envies qui ne durent pas longtemps
délicieux	(sur *délice*)	très bon, très agréable

– Parfois, ce suffixe s'ajoute non pas au nom entier, mais seulement au radical.

curieux	(sur *curiosité*)	qui veut savoir quelque chose
furieux	(sur *fureur*)	très en colère

-ic/-ique, -ique, -atique

public / publique, laïc / laïque (indépendant[e] de toute confession religieuse), caractéristique (adj. et nom), catégorique, cinématographique, chimique, comique, démocratique, dramatique, fantastique, féerique, identique (pareil[e], semblable), magique, magnifique, médiatique, physique, politique, tragique

Remarque : Dans *laïc / laïque*, le tréma (les deux points) sur le « i » montre que les deux voyelles se prononcent séparément.

-ien/-ienne

Nous avons vu que ce suffixe marque l'origine : *italien(ne)*.
Ici, il marque aussi une relation à quelque chose : *quotidien(ne)*.
Ajouté à un nom propre, il montrera aussi la relation (de travail ou de goût) d'une personne ou d'une chose avec un artiste.

baudelairien(ne), proustien(ne), sartrien(ne)
mozartien(ne) (adj. et nom), wagnérien(ne) (adj. et nom)

-ier/-ière ; -er/-ère après « ch » ou « g »

Autrefois, dans une famille de ***droitiers****, la fille* ***gauchère*** *ou le garçon* ***gaucher*** *passaient pour des gens bizarres,* ***particuliers, singuliers****. Et on essayait de les corriger de ce qu'on appelait une erreur* ***grossière*** *de la nature. Aujourd'hui, on laisse les* ***gauchers*** *vivre tranquillement leur vie de* ***gauchers****.*

- droitier / droitière (adj. et nom : qui se sert de la main droite dans la vie quotidienne)

grossier / grossière (adj. : qui est de mauvaise qualité, rude)
particulier / particulière (adj. : qui ne ressemble à rien d'autre, pas ordinaire)
singulier / singulière (adj. : bizarre, étrange, original)

- gaucher / gauchère (adj. et nom : qui se sert de la main gauche dans la vie quotidienne)

mensonger / mensongère (adj. : qui est fait pour tromper, faux) → Les paronymes, I, 2, p. 136.

-if/-ive

actif / active, affirmatif / affirmative, auditif / auditive, exclamatif / exclamative, facultatif / facultative (qu'on peut faire ou non), interrogatif / interrogative, naïf / naïve (qui croit trop facilement), négatif / négative, péjoratif / péjorative, pensif / pensive, sportif / sportive, tardif / tardive (qui a lieu tard, qui se fait trop tard)

-in/-ine, -in/-igne

Mon fils a un ***copain*** *qui est vraiment* ***coquin****. Il fait toutes sortes de bêtises, mais il est assez* ***malin*** *pour ne jamais être puni. Est-ce un comportement* ***enfantin*** *? On dira que c'est un comportement* ***humain****.*

C'est un suffixe qui marque la **relation** ou la ressemblance.

- coquin / coquine (adj. et nom : malicieux), enfantin / enfantine (relatif à un enfant, ou comme un enfant), féminin / féminine, masculin / masculine, radin / radine (adj. et nom : avare, qui n'aime pas dépenser ; familier)
- bénin / bénigne (adj. = qui n'est pas grave), malin / maligne (adj. et nom : personne qui sait sortir d'une situation embarrassante, qui sait se débrouiller, qui est capable de réussir – adj. : méchant ; grave en parlant d'une maladie)

■ Les suffixes péjoratifs

-ard(e), -asse

Scène de ménage

La femme — *J'en ai assez de te voir assis toute la journée devant la télé. Tu n'es qu'un* ***flemmard.***

Le mari — *Moi aussi j'en ai assez, assez de tes reproches, de ta voix* ***criarde.*** *Tu m'empêches de vivre! Et je ne supporte plus cette vie terne, ennuyeuse,* ***fadasse!***

La femme — *Mais tu ne sais rien faire, tu ne sais que crier, tu n'es qu'un* ***braillard,*** *un* ***vantard*** *qui crois être un génie mais qui as peur de tout, un* ***froussard,*** *un* ***trouillard!***

Ce suffixe forme des adjectifs qui peuvent être aussi des noms.

Il est bavard ; c'est un bavard.

Il a habituellement une valeur dépréciative. Mais il peut avoir parfois une valeur augmentative :

• bavard(e)	qui parle beaucoup, qui parle sans cesse
braillard(e) (familier)	qui crie fort ou parle et chante très fort
criard(e)	aigu et désagréable ; une couleur criarde = choquante
flemmard(e) (familier)	qui n'aime pas faire d'efforts, paresseux, fainéant
froussard(e) (familier)	qui a peur de tout
furibard(e) (familier)	furieux
pleurnichard(e) (familier)	qui pleure et se plaint
trouillard(e) (familier)	qui a peur de tout
vantard(e)	qui a l'habitude de se vanter, de parler favorablement de soi
veinard(e) (familier)	qui a beaucoup de veine, de chance
• fadasse	trop fade (fade : qui manque de goût, qui manque de saveur)
mollasse	trop mou, trop molle
tiédasse	d'une tiédeur désagréable

-âtre

Deux amies

— *J'ai visité aujourd'hui un appartement horrible; tout était affreux: la cuisine aux murs* ***noirâtres,*** *le canapé* ***verdâtre,*** *les rideaux sales,* ***grisâtres,*** *la salle de bains qu'on n'avait pas repeinte depuis des années et qui avait pris une teinte* ***jaunâtre.*** *Mais le pire, c'était la lumière* ***rougeâtre*** *qui tombait du lustre de la chambre. Un vrai cauchemar!*

Ce suffixe s'ajoute souvent à un adjectif de couleur ou à d'autres adjectifs, pour leur donner une valeur dépréciative, péjorative.

blanchâtre, bleuâtre, douceâtre, grisâtre, jaunâtre, noirâtre, rougeâtre, verdâtre

➔ Les expressions culturelles, II, 2, p. 220.

Les suffixes du participe présent et de l'adjectif verbal

-ant(e) ou -ent(e), -cant(e), -gant(e)

*En **marchant** dans les rues **passantes** de ma ville, je regarde toujours les gens. C'est vraiment **intéressant**! Que de visages **différents**! Certains sont **souriants**; d'autres tristes, **émouvants**; ou au contraire **menaçants**; certaines personnes font des grimaces **amusantes**; on rencontre des mères qui trouvent que la vie est bien **fatigante**; des enfants **aimants, obéissants, désobéissants, charmants**; des personnes **élégantes**. Bref, il y a le monde, le monde bien **vivant**.*

– Le suffixe **-ant** qui forme le participe présent du verbe donne aussi l'adjectif verbal. Mais à la différence du participe présent qui est invariable, l'adjectif verbal s'accorde comme n'importe quel adjectif; il exprime un état.

aimant(e), amusant(e), brillant(e), émouvant(e), exigeant(e), gênant(e), hésitant(e), important(e), intéressant(e), menaçant(e), naissant(e), obéissant(e), piquant(e), souriant(e), tolérant(e), vieillissant(e)

Les mots suivants font exception: ils présentent un suffixe différent de celui du participe présent.

Adjectif verbal	Participe présent
fatigant(e)(s)	fatiguant
communicant(e)(s)	communiquant
convaincant(e)(s)	convainquant
provocant(e)(s)	provoquant
différent(e)(s)	différant
excellent(e)(s)	excellant
négligent(e)(s)	négligeant
précédent(e)(s)	précédant

– Les suffixes **-ant** et **-ent** forment aussi, à partir de noms, des adjectifs qui marquent une qualité:

constant(e) (la constance), élégant(e) (l'élégance), puissant(e) (la puissance)
évident(e) (l'évidence), indulgent(e) (l'indulgence), intelligent(e) (l'intelligence)

Autres suffixes d'adjectifs

-able, -ible, -uble marquent la possibilité

*Nous vivons parfois dans des lieux **admirables**, nous menons une vie tranquille, **paisible, respectable**, le bonheur est **possible, accessible**, mais nous ne sommes pas heureux et nous oublions les gens qui vivent dans une pauvreté à peine **croyable**, qui ont une vie **horrible**, un travail **pénible**, des maisons pas du tout **habitables** et pour qui les fins de mois sont des moments **terribles** où on pose une question **insoluble**: où trouver l'argent qui manque? Est-ce que nous ne sommes pas **coupables** de vivre ainsi? Et souvent nous nous croyons **charitables** parce que nous donnons en passant quelques sous à quelqu'un.*

Ces suffixes **-able**, **-ible**, **-uble**, forment des adjectifs à partir de deux origines :

– un radical verbal

- acceptable (une proposition qu'on peut accepter), admirable (un spectacle, une personne qu'on peut admirer), aimable (qu'on peut aimer), croyable (que l'on peut croire ; adjectif utilisé de préférence dans un contexte négatif : « Ce n'est pas croyable ! »), durable (qui peut durer), faisable (qu'on peut faire), habitable (un logement qu'on peut habiter), potable (qu'on peut boire sans danger), respectable (un homme, un projet qu'on peut respecter)
- accessible (où l'on peut arriver facilement), admissible (qu'on peut admettre), exigible (qu'on peut exiger), incorrigible (qu'on ne peut corriger), indescriptible (si important qu'on ne peut pas le décrire), possible (qu'on peut...), visible (qu'on peut voir)
- insoluble (qu'on ne peut résoudre, quelque chose à quoi on ne peut trouver de solution)

→ Les préfixes de noms et d'adjectifs, I, 1, p. 26-27.

– le radical d'un nom existant ou un radical latin

- capable (la capacité), charitable (la charité), coupable, effroyable (l'effroi), formidable, probable (sur le radical de preuve, prouver)
- horrible (un cri horrible, qui provoque l'horreur), paisible (quelqu'un qui mène une vie tranquille, ou un lieu qui vit dans la paix), pénible (qui donne de la peine, de la fatigue), terrible (qui peut inspirer une grande peur, une terreur)

-esque

Mon amie n'avait aucune expérience de la vie, toujours enfermée chez elle, elle lisait toute la journée, toutes ses connaissances étaient ***livresques*** *et son imagination* ***romanesque****. Elle vivait en dehors de la réalité et attendait le prince charmant, à cinquante ans, cela devenait* ***grotesque****.*

Selon les mots, ce suffixe peut avoir aussi une valeur péjorative ou marquer simplement le rapport avec quelque chose.

burlesque (comique, ridicule), cauchemardesque (de cauchemar), grotesque (qui fait rire, ridicule), livresque (qui a un rapport avec les livres), romanesque (qui a un rapport avec les romans)

-u(e) indique l'abondance

charnu(e) (bien fourni[e] en chair), chevelu(e) (qui a beaucoup de cheveux), poilu(e) (qui a beaucoup de poils), velu(e) (poilu[e]), ventru(e) (qui a du ventre)

-et(te), -ot(te), -ichon(ne) suffixes diminutifs

Ce sont des suffixes qui donnent souvent une nuance affectueuse.

jeunet(te) ou jeunot (bien jeune), longuet(te) (un peu long), propret(te) (bien propre), simplet(te) (qui est un peu simple d'esprit),
vieillot(te) (qui a un caractère vieilli et un peu ridicule), pâlot(te) (un peu pâle),
pâlichon(ne) (un peu pâle), maigrichon(ne) (un peu maigre)

-ier/-ière, -ième indiquent l'ordre, le rang

premier / première, dernier / dernière
deuxième, troisième, quatrième, cinquième, sixième..., neuvième (attention, le « f » de *neuf* se transforme en « v »), dixième, onzième, douzième...

-issime suffixe superlatif

brillantissime (extrêmement brillant), célébrissime (extrêmement célèbre), gravissime (extrêmement grave), rarissime (extrêmement rare), richissime (extrêmement riche)

-iste

Ce suffixe masculin et féminin marque l'appartenance à un groupe politique ou à une théorie ou à une école d'artistes.

capitaliste, communiste, cubiste, impressionniste

➔ Les suffixes de noms I, 1, p. 51.

Les suffixes de noms

Ce qui caractérise de nombreux suffixes de noms, c'est qu'un même suffixe peut avoir plusieurs sens. En voici quelques illustrations.

-ade sert à former des **noms féminins** qui indiquent :

- une réunion d'objets de la même espèce — balustrade, façade (le devant d'un bâtiment)
- une réunion d'actions — fusillade
- une action — baignade, escapade, glissade, promenade, rigolade (familier)
- le résultat d'un mélange — citronnade, limonade, marmelade, orangeade

-age donne des **noms masculins** qui marquent :

- l'action et le résultat — arrivage, bavardage (le fait de parler sans arrêt), enfantillage (comportement qui ressemble à celui d'un enfant), étalage (action de montrer), remue-ménage (agitation avec du désordre et du bruit), tapage (bruit que l'on fait en tapant sur quelque chose), témoignage
- un état — esclavage, surmenage, voisinage (le fait d'être proche)
- une réunion de choses de la même espèce — feuillage (ensemble de feuilles), outillage (ensemble d'outils), plumage (ensemble de plumes), voisinage (ensemble des voisins)

-at forme **des noms masculins** et il indique :

- le métier — avocat(e), magistrat(e) (notons que le féminin de ces deux mots est d'introduction récente)

– l'état, la qualité, la fonction	anonymat, bénévolat, doctorat, professorat
– le lieu	habitat

-erie donne des **noms féminins :**

– de lieu	boucherie, boulangerie, charcuterie, crémerie, épicerie, librairie, papeterie
– de qualité ou de défaut	camaraderie, étourderie
– d'action	agacerie, causerie, tricherie

→ Les néologismes de formation récente, II, 1, p. 188.

-ien(ne) donne des **noms masculins ou féminins** qui indiquent :

– la profession, la spécialité	chirurgien(ne), collégien(ne), mécanicien(ne), pharmacien(ne)
– l'origine, la nationalité	italien(ne), nigérien(ne), parisien(ne)
– le rapport, la relation	mozartien(ne), proustien(ne), sartrien(ne)

-er ou **-ier après « g » ou « ch »** forme des **noms masculins** et peut désigner :

– une personne	boucher, boulanger, charcutier, crémier, épicier, pâtissier, horloger
– un arbre	abricotier, cerisier, oranger, palmier, pêcher, poirier, pommier, prunier, rosier
– un récipient	beurrier, sucrier

-ère ou -ière après « g » ou « ch », forme féminine de **-er ou -ier**, indique :

– une personne	bouchère, boulangère, charcutière, crémière, épicière, pâtissière
– un récipient	cafetière, salière, théière

-ure, -ture, -ature forment des **noms féminins** qui indiquent :

– la fonction	magistrature
– le lieu	devanture (façade d'une boutique)
– l'action, le résultat	aventure, écriture, signature
– le résultat d'une action	coupure, blessure, rature (trait qui barre une lettre ou un mot écrit pour l'annuler), rupture (fracture, cassure, séparation)
– la réunion	armature (ensemble de tiges qui servent à soutenir), ossature (l'ensemble des os), parure (ensemble de bijoux assortis), toiture (l'ensemble des éléments du toit)

Nous allons maintenant voir plus en détail les suffixes de noms selon le sens qu'ils indiquent.

■ L'action ou le résultat

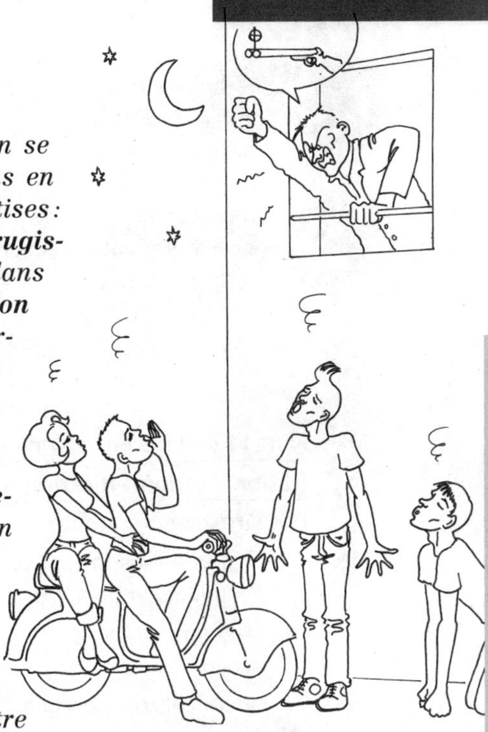

*Au **commencement**, c'est un **amusement**. On se retrouve, c'est un **rassemblement** de copains en pleine nuit, et on fait toutes sortes de bêtises: **miaulements, aboiements, hennissements, rugissements**, on se croirait dans une ferme ou dans un zoo. C'est un **bouleversement**, une **révolution** dans ce quartier tranquille où vivent des personnes âgées. Les voisins sortent et forment un **attroupement**, et il y a des **interrogations**, des **hésitations**. Que faire? Quelle est la **solution**, la **punition**? Est-ce qu'on doit dire à ces jeunes gens: «Circulez, **stationnement** interdit devant chez nous!»? Doit-on demander leur **interpellation** et leur **condamnation** au tribunal, leur **exclusion** du quartier? Ou bien simplement le **paiement** d'une amende? Après **délibération**, on leur donne seulement un **avertissement**.*
*Et en **conclusion**, on leur dit: «Profitez de votre jeunesse, bientôt, vous remarquerez des **changements** en vous. Vous ne pourrez rien contre le **vieillissement** de votre corps et un jour peut-être, comme nous, vous observerez une **modification** de vos habitudes et vous aurez un **sentiment** de colère devant l'**apparition** de ces **groupements** de jeunes qui s'amusent à troubler les autres par leurs **miaulements, aboiements, meuglements, hennissements, rugissements** en pleine nuit.»*

Noms masculins en -ement ou -iment et -issement (sur les verbes du 2e groupe)

Ces suffixes sont ajoutés au radical du verbe.

- amusement (amuser), attroupement (attrouper), bouleversement (bouleverser), changement (changer), commencement (commencer), comportement (se comporter), développement (développer), gouvernement (gouverner), groupement (grouper), miaulement (du chat) (miauler), paiement (payer), rassemblement (rassembler), règlement (régler = action de régler un conflit, ensemble de règles à respecter), stationnement (stationner), traitement (traiter)
- aboiement (du chien) (aboyer), tutoiement (tutoyer), vouvoiement (vouvoyer)
- sentiment (sentir)
- agrandissement (agrandir), avertissement (avertir), élargissement (élargir), embellissement (embellir), hennissement (du cheval) (hennir), rajeunissement (rajeunir), ralentissement (ralentir), rugissement (du lion) (rugir), vieillissement (vieillir)

Noms masculins en -age, -issage

- arrivage (le fait d'arriver pour des marchandises), bavardage (le fait de bavarder), clonage (mot récent; reproduction à l'identique d'un être vivant), décollage (le fait de décoller, de quitter le sol pour un avion), élevage (le fait et la manière d'amener des animaux à leur plein développement), essayage (le fait d'essayer un vêtement pour voir s'il va bien), lavage (l'action de laver), mariage (l'action de se marier), nettoyage (l'action de nettoyer), passage (l'action de passer, un lieu où l'on passe), patinage (l'action de patiner, glisser sur la glace), pilotage (l'action de piloter, de conduire), réglage (le fait de régler un mécanisme), repassage (l'action de repasser du linge), rinçage (le fait de passer à l'eau pour enlever le savon), sondage (l'action de chercher à connaître l'opinion des gens, de chercher à savoir ce qu'il y a dans le sol), veuvage (le fait d'être veuf, veuve, d'avoir perdu son mari ou sa femme), voisinage (le fait d'être proche)

• apprentissage (action d'apprendre), vernissage (action de vernir)

Noms féminins en -aison, -ison, -sion et en -tion
(-ation, -cation, -ification, -isation, -ition, -uction, -ution)

Ces suffixes sont ajoutés au radical du verbe.

• comparaison (comparer), conjugaison (conjuguer), liaison (lier), livraison (livrer), terminaison (terminer)

• guérison (guérir), trahison (trahir) [Notons que ces verbes du 2e groupe ne sont pas formés à partir d'adjectifs.]

• conclusion (conclure), décision (décider), division (diviser), vision (voir)

• action (agir), collection (collectionner), correction (corriger), inspection (inspecter)

• affirmation (affirmer), condamnation (condamner), constatation (constater), déclaration (déclarer), exclamation (s'exclamer), hésitation (hésiter), interrogation (interroger), libération (libérer), multiplication (multiplier), négation (nier), observation (observer)

• communication (communiquer), éducation (éduquer), explication (expliquer)

• classification (classifier), modification (modifier)

• modernisation (moderniser), organisation (organiser)

• addition (additionner), apparition (apparaître), définition (définir), disparition (disparaître), punition (punir)

• construction (construire), instruction (instruire), réduction (réduire)

• dissolution (dissoudre)

Noms féminins en -ade, -ance, -ence, -erie, -ure

• baignade (le fait de nager, de se baigner), balade (attention avec un seul « l » = promenade), glissade (le fait de glisser), noyade (le fait de se noyer), promenade (le fait de se promener)

• croyance (le fait de croire), espérance (le fait d'espérer), gérance (l'acte, le fait de gérer, de diriger, d'administrer)

• exigence (le fait d'exiger), existence (le fait d'exister, le fait d'être), fréquence (caractère de ce qui arrive plusieurs fois), intelligence (le fait de comprendre, ce qui permet de comprendre), négligence (le fait de négliger)

• causerie, coquetterie (désir de plaire), tricherie (tromperie)

• aventure, blessure, coupure, écorchure (déchirure légère de la peau), écriture, rature (trait qui barre une lettre ou un mot écrit pour l'annuler), rupture, signature

■ L'état ou la qualité

La plupart de ces suffixes montrent une qualité morale ou intellectuelle (ou un défaut) d'une personne, l'état ou le caractère d'une chose, et font passer de l'adjectif à un nom féminin.

-té, -eté, -ité

*Quelles sont les qualités que je recherche chez quelqu'un ? Je vais vous le dire. Sur une feuille de papier on peut tout demander. Et par exemple, la **beauté** associée à la **simplicité**, la **générosité** et la **gaieté**, la **bonté** et même la **naïveté**, la **loyauté** qui n'empêcherait pas la **perspicacité**, la **volonté** sans **dureté**, la **vivacité** du caractère qui irait bien aussi avec un peu de **timidité**, le goût de la **vérité** sans la **sévérité** ; et on rejetterait avec force la **cruauté**, la **grossièreté**, la **lâcheté**, la **méchanceté**, la **brutalité**, la **férocité**, la **stupidité** et la **vulgarité**.*
*Et que fait-on des ces **qualités** qui peuvent être des défauts, comme : la **légèreté**, la **banalité**, la **docilité**, la recherche de la **popularité** ?*
*En **réalité**, si on veut respecter la **vérité**, si on reste dans la **probabilité**, la **possibilité**, on admettra que l'**humanité** est un mélange de tout cela.*

- la beauté : qualité de ce qui est **beau**
  la bonté : qualité de quelqu'un de gentil, de **bon**
  la cruauté : état de quelqu'un qui est **cruel**, qui cherche à faire du mal
  la fierté : état de quelqu'un de **fier**, qui se croit supérieur aux autres
  la gaieté : état de quelqu'un qui est **gai**, qui est de bonne humeur, qui rit souvent
  la loyauté : qualité de quelqu'un qui est **loyal**, qui est honnête, fidèle
  la variété : qui a des aspects **variés**, divers, différents
  la volonté : qualité d'une personne qui veut, qui est **volontaire**, déterminée

- la brièveté : état de ce qui est **bref** : court, qui dure peu de temps
  la dureté : état de ce qui est **dur** : qui résiste, qui est difficile à supporter
  la fermeté : qualité de quelqu'un qui est **ferme**, qui se tient bien, qui ne change pas d'avis
  la grossièreté : état de quelque chose de **grossier**, de mauvaise qualité, de quelqu'un de maladroit, d'ordurier
  l'habileté : qualité de quelqu'un qui agit avec adresse, intelligence, qui est **habile**
  la lâcheté : caractère de celui qui est **lâche**, qui a peur
  la légèreté : état de quelque chose de **léger**, qui a peu de poids, fin, faible, de quelqu'un qui est vif, peu sérieux
  la méchanceté : caractère de celui qui est **méchant** : qui fait du mal ou veut en faire
  la naïveté : caractère de celui qui est **naïf** : qui croit tout ce qu'on lui dit
  la netteté : état de ce qui est **net** : qui est clair et précis
  la pauvreté : état ou qualité de ce qui est **pauvre** : celui qui n'a pas assez d'argent pour vivre
  la propreté : état de ce qui est **propre** : qui n'est pas sale

- la banalité : **banal** : ce qui est banal, ordinaire
  la brutalité : **brutal** : qui est violent
  la capacité : **capable** : qui peut faire quelque chose, qui est habile
  la complicité : **complice** : quelqu'un qui aide quelqu'un d'autre à faire quelque chose de mal
  la criminalité : **criminel** : qui constitue un crime, une faute grave punie par la loi

la docilité :	**docile** : qui obéit facilement
l'(in)égalité :	**(in)égal** : qui est (ou qui n'est pas) de même quantité, de même valeur, qui est ou qui n'est pas pareil, semblable
la facilité :	caractère de ce qui est **facile**, de ce qui se fait sans effort
la familiarité :	**familier** : que l'on connaît bien, apprivoisé
la fatalité :	**fatal** : fixé, déterminé par le destin
la féminité :	**féminin** : qui est propre à la femme
la férocité :	**féroce** : qui est cruel par instinct, très méchant
la finalité :	**final** : ce qui est à la fin, ce qui est le dernier
la généralité :	**général** : qui concerne un ensemble de personnes, de choses
la générosité :	**généreux** : qui donne beaucoup
la gravité :	**grave** : qui peut avoir des conséquences dramatiques, sévère
l'humanité :	**humain** : caractère de l'homme comme espèce, bon, sensible
l'humidité :	**humide** : caractère de ce qui est mouillé
l'infériorité :	**inférieur** : qui est au-dessous, plus bas
l'(in)utilité :	le fait d'être (in)utile ; **(in)utile** : qui sert à quelque chose (ou qui ne sert à rien)
la mentalité :	la façon de penser (**mental** : qui se fait dans l'esprit)
la moralité :	qualité d'une personne qui a des principes **moraux**, qui suit des règles de bonne conduite
l'obscurité :	absence de lumière (**obscur** : où il n'y a pas de lumière)
l'opportunité :	circonstance qui convient à ce qu'on veut faire, qui est **opportune**
la perspicacité :	caractère de celui qui est **perspicace**, qui est capable de comprendre plus vite que les autres
la popularité :	le fait d'être **populaire**, d'être connu et aimé de la plupart des gens
la possibilité :	caractère de ce qui est **possible**, de ce qui peut arriver
la probabilité :	caractère de ce qui est **probable**, de ce qui a des chances de se produire
la productivité :	possibilité d'être **productif**, de produire, de faire beaucoup
la publicité :	art de faire connaître un produit à l'opinion **publique** pour mieux le vendre
la rapidité :	le fait de faire une chose en peu de temps, le fait d'être **rapide**
la réalité :	ce qui est **réel**, qui existe vraiment
la sévérité :	comportement d'une personne **sévère**, d'une personne dure
la simplicité :	qualité d'une personne qui a des goûts **simples**, modestes
la stupidité :	caractère de ce qui est **stupide**, idiot, bête
la supériorité :	état de ce qui est **supérieur** en nombre, en valeur, en force
la timidité :	caractère d'une personne **timide**, qui manque de confiance en elle
la vérité :	caractère de ce qui est **vrai**, réel
la vivacité :	qualité de ce qui est **vif**, rapide
la vulgarité :	manque de distinction, de raffinement, état de ce ou de celui qui est **vulgaire**

-esse

l'adresse (adroit), la délicatesse (délicat), la faiblesse (faible), la finesse (fin), la gentillesse (gentil), l'ivresse (ivre), la jeunesse (jeune), la maladresse (maladroit), la mollesse (mou), la paresse (paresseux), la richesse (riche), la rudesse (rude), la sagesse (sage), la sécheresse (sec), la souplesse (souple), la tendresse (tendre), la vieillesse (vieux), la sveltesse (svelte)

-eur

C'est un suffixe qui indique une caractéristique physique d'une personne ou d'une chose (forme, dimension, couleur...), une sensation, un sentiment.

Généralement, les noms féminins en **-eur** s'écrivent sans « e » final.

l'ardeur, la blancheur (d'un tissu, d'un visage, de la neige), la chaleur, la douceur, la douleur, l'épaisseur, la hauteur, la laideur, la largeur, la lenteur, la longueur, la maigreur, la minceur, la moiteur (l'humidité de la peau, de l'air), l'odeur, la pâleur, la rigueur (la sévérité, la fermeté), la rougeur (d'un visage), la saveur, la vapeur, la vigueur (la force, l'énergie, l'ardeur)

-ie

la bourgeoisie, la folie, la jalousie, la monotonie, la poésie

-ise

la bêtise (bête), la franchise (franc), la gourmandise (gourmand), la sottise (sot)

-itude

la certitude (certain) / l'incertitude (incertain), l'exactitude (exact) / l'inexactitude (inexact), la gratitude (l'adjectif n'existe plus) / l'ingratitude (ingrat), la multitude (multiple), la solitude (seul)

■ L'agent ou la profession

Une adolescente s'interroge – *Que serai-je plus tard ? Est-ce que je passerai ma vie dans une cuisine à faire du pain, des gâteaux, de bons petits plats, est-ce que je serai* ***boulangère, pâtissière, cuisinière****? Pourquoi pas, si j'en ai envie ?*

J'aimerais peut-être vendre de bons fromages et je serai ***crémière****, ou bien j'aurai une boutique pleine d'épices, de conserves, de boîtes de sucre, de sel, de bouteilles d'huile et je serai* ***épicière****.*

Je pourrais aussi faire des vêtements et je serai ***couturière****. Ou bien je fabriquerai, je réparerai des montres, des pendules, des horloges et je serai une habile* ***horlogère****. Et si j'aime les fleurs et les arbres, qui m'empêchera d'être* ***jardinière****? Et si j'aime les enfants et les livres, pourquoi ne serais-je pas* ***institutrice, éducatrice****? Et si j'aime le théâtre, la musique, la danse, cela me plairait d'être* ***actrice, chanteuse*** *ou* ***danseuse****.*

Mais qui me laissera faire des serrures ? Pas messieurs les ***serruriers****.*

Qui me laissera réparer les chaussures ? Pas messieurs les ***cordonniers****.*

Qui me laissera poser des vitres aux fenêtres ? Pas messieurs les ***vitriers****.*
Qui me laissera fabriquer des meubles en bois ? Pas messieurs les ***menuisiers****.*
Et si je suis ***professeur, ingénieur, docteur, procureur****, est-ce qu'on saura qui je suis ? Homme ou femme ? Qui le saura ?*
Mais on le saura quand je serai ***enseignante, exploratrice, navigatrice, réalisatrice, créatrice*** *et* ***professeure, ingénieure, procureure*** *!!!*

– Dans la rue, il y a un ***antiquaire*** *et, à côté, un* ***disquaire*** *qui est lui-même voisin du* ***libraire****. Chez l'****antiquaire****, on trouve des objets de la Grèce ancienne ou de l'Égypte pharaonique qui pourraient intéresser des* ***archéologues*** *et des* ***égyptologues****. Le* ***disquaire*** *propose des morceaux de musique qui ont été composés à partir de chants d'oiseaux et qui pourraient passionner les* ***ornithologues****.*
Chez le ***libraire****, si on s'intéresse à l'étude des caractères, voilà les ouvrages des* ***psychologues*** *; si on s'intéresse à la langue, voilà les études des* ***philologues*** *et, si on croit à l'influence des astres, voilà les livres des* ***astrologues****.*

– C'était un petit orchestre formé de ***musiciens*** *amateurs qui avaient chacun un métier, mais qui par amour de la musique se réunissaient une fois par semaine pour jouer ensemble.*
Ainsi le ***dentiste****, le* ***pharmacien*** *et le* ***libraire*** *de la petite ville étaient* ***guitaristes****. La* ***standardiste*** *du Grand Hôtel était* ***pianiste*** *et le* ***bagagiste, bassiste****. Les* ***journalistes*** *du journal local étaient* ***violonistes****,* ***l'instituteur, hautboïste*** *et le* ***publiciste, clarinettiste****. La* ***pharmacienne*** *était* ***percussionniste*** *et la* ***boulangère, violoncelliste****. Quelques dames et messieurs à la retraite étaient* ***choristes*** *et l'un ou l'autre de ces* ***musiciens*** *jouait ou chantait parfois en* ***soliste****.*
*C'était une petite ville d'****artistes****.*

-ain(e)

écrivain (le féminin *écrivaine* est encore rarement utilisé sauf en français canadien et également dans quelques journaux)

-aire

Ce suffixe donne des noms qui ont la même forme au masculin et au féminin.

antiquaire, disquaire, fonctionnaire, libraire, manutentionnaire (personne qui déplace des colis pour les stocker ou pour les expédier), secrétaire, vétérinaire

-ant(e)

dirigeant(e), enseignant(e), gagnant(e), ignorant(e), savant(e)

-eron

Ce suffixe forme en grande partie des noms de métiers ruraux. Ce sont des noms uniquement masculins.

bûcheron (personne dont le métier est d'abattre les arbres), forgeron (personne qui travaille le fer), vigneron (personne qui cultive la vigne, qui fait du vin)

-(t)eur/-(t)euse, -(a)teur/-(a)trice

acheteur / acheteuse, baigneur / baigneuse, brodeur / brodeuse, campeur / campeuse, chanteur / chanteuse, coiffeur / coiffeuse, danseur / danseuse, fumeur / fumeuse, joueur / joueuse, marcheur / marcheuse, menteur / menteuse, monteur / monteuse (personne qui monte des films), vendeur / vendeuse

Remarque Ce suffixe **-eur** forme aussi des noms de métiers sans féminin.

auteur, censeur, docteur, ingénieur, procureur, professeur

Mais il faut signaler, dans la langue contemporaine, une tendance à féminiser ces noms en ajoutant un « e » final. Aussi voyons-nous apparaître, notamment au Canada et aujourd'hui dans la presse française, *des auteures*, *des professeures*, *des docteures*, *des ingénieures*, *des procureures*. Cette féminisation peut sembler timide, puisque le féminin ne s'entend pas. Elle serait certainement plus audacieuse si on disait **censeuse*, **professeuse*, **auteuse* ou **autrice* comme pour certains mots en **-teur** ou **-ateur** qui ont un féminin en **-trice** ou **-atrice**.

acteur / actrice, conducteur / conductrice, créateur / créatrice, décorateur / décoratrice, dessinateur / dessinatrice, explorateur / exploratrice, instituteur / institutrice, lecteur / lectrice, moniteur / monitrice, navigateur / navigatrice, traducteur / traductrice

-ien/-ienne

chirurgien (le féminin n'existe pas encore), comédien / comédienne, mathématicien / mathématicienne, mécanicien / mécanicienne, musicien / musicienne, pharmacien / pharmacienne

-ier/-ière, ou -er/-ère après « ch » ou « g »

boucher / bouchère, boulanger / boulangère, caissier / caissière, couturier / couturière, crémier / crémière, épicier / épicière, horloger / horlogère, jardinier / jardinière, pâtissier / pâtissière, romancier / romancière, serrurier, teinturier / teinturière

Ce suffixe forme aussi des noms de métiers sans féminin. Ce sont généralement des noms d'artisans. On sait que les femmes autrefois ne pratiquaient pas ces métiers.

menuisier, plombier (mais une *plombières* est une crème glacée), serrurier, tapissier, vitrier

-iste et -isme

– Le suffixe **-iste** forme certains noms de **métiers**, et de nombreux noms de **musiciens**. Il a la même forme pour le masculin et le féminin.

bagagiste, dentiste, journaliste, publiciste, standardiste
artiste, bassiste, choriste, clarinettiste, concertiste, guitariste, hautboïste, percussionniste, pianiste, soliste, violoniste, violoncelliste

Et à partir de sigles, on forme des noms comme :

un RMiste (personne qui reçoit le RMI), un vététiste (personne qui pratique le VTT ou vélo tout terrain)

➔ Les sigles, II, 1, p.183.

– Le suffixe **-iste** forme aussi les noms de **partisans** d'un groupe politique ou d'une théorie.

capitaliste, centriste, communiste, idéaliste, mondialiste, progressiste, socialiste

Ces noms correspondent à un suffixe en **-isme** qui marque la **doctrine**.

le capitalisme, le centrisme, le communisme, le mondialisme, le socialisme…

– Ces mêmes suffixes en **-isme** et en **-iste** servent à former des noms d'**artistes** et des noms d'écoles d'artistes.

les cubistes, les dadaïstes, les impressionnistes, les naturalistes, les réalistes, les surréalistes,
le cubisme, le dadaïsme, l'impressionnisme, le naturalisme, le réalisme, le surréalisme

En résumé, la plupart des mots en **-isme** et en **-iste** appartiennent à la langue de la politique, de la philosophie, de la vie sociale, de l'art. On peut en former à tout moment, selon le contexte politique, social ou artistique.

l'altermondialisme, le freudisme, le marxisme, le minimalisme, le tiers-mondisme

-logue et -logie

Il existe toute une série de mots formés avec le suffixe **-logue** (d'origine grecque). Ce suffixe indique la personne qui étudie une matière particulière, qui en parle, qui montre des compétences dans cette matière. Il a la même forme pour le masculin et le féminin.

archéologue, astrologue, égyptologue, géologue, ornithologue (celui qui étudie les oiseaux), philologue, psychologue, radiologue

À ce suffixe, correspond un suffixe **-logie**, qui marque la matière étudiée (nom féminin).

archéologie, astrologie, égyptologie, géologie, ornithologie, philologie, psychologie, radiologie

■ Un instrument ou une machine

Les suffixes indiquant une fonction utilitaire (instrument, appareil ou endroit) sont nombreux et variés.

-eur/-euse ou -teur/-teuse

Selon l'appareil, le genre masculin ou féminin est bien établi.

l'ascenseur, l'interrupteur (petit objet grâce auquel on arrête ou on rétablit le courant électrique), le mélangeur (appareil servant à mélanger l'eau chaude et l'eau froide), le moteur, l'ordinateur, le projecteur, le radiateur, le réfrigérateur, le téléviseur

la couveuse, la moissonneuse-batteuse, la perceuse, la visionneuse (appareil pour regarder des photos, des films)

-oir/-oire

Ce suffixe forme des noms masculins ou féminins d'instruments, de petits appareils, et aussi des noms de lieu de l'action.

- un arrosoir (un objet qui sert à arroser les fleurs), le bougeoir (l'objet qui porte la bougie), le hachoir (instrument qui sert à hacher, à couper la viande), le miroir (une glace pour se regarder), le rasoir (objet pour se raser), le tiroir
- la bouilloire (récipient servant à faire bouillir de l'eau)
- le comptoir (longue table haute et étroite où on sert les consommations et où on paye, où on compte son argent), le couloir (un lieu pour passer), le dortoir (grande salle où dorment plusieurs personnes), le fumoir (un lieu pour fumer), le parloir (un lieu pour parler, dans les prisons par exemple), le trottoir (un lieu à l'origine pour trotter, aujourd'hui un lieu pour marcher)
- la baignoire (un objet où prendre des bains), la patinoire (lieu pour patiner sur la glace)

Les suffixes diminutifs

-elette, -elle, -et/-ette, -ot

Tous ces suffixes indiquent **la petitesse** des personnes et des choses.

*C'était une jolie **chambrette**. Sur la cheminée, il y avait une **statuette** et une **pendulette** qui ne donnait pas l'heure exacte. Une **fillette**, en **chemisette** blanche et **jupette** bleue, mangeait une **tartelette** sur une **tablette** pendant qu'un **garçonnet**, qui avait enlevé sa **casquette**, lavait dans une **cuvette**, avec une **savonnette**, un **chiot** qui, tout tremblant, secouait les **gouttelettes** d'eau. Les deux enfants chantaient une **chansonnette**. Dehors près du **muret** du **jardinet**, une chatte et ses **chatons** surveillaient de pauvres **oisillons**. De l'autre côté, dans la **ruelle**, c'était le silence.*

- une côtelette, une gouttelette, une tartelette
- une lamelle (une petite lame), une poutrelle (une petite poutre), une ruelle (une petite rue), une rondelle (une petite tranche ronde), une tourelle (une petite tour)
- un coffret, un garçonnet, un jardinet, un muret
  une boulette, une casquette, une chaînette, une chambrette, une chansonnette, une chemisette, une clochette, une cuvette, une fillette, une maisonnette, une pendulette, une savonnette, une statuette, une tablette

– Parfois, le suffixe **-ette** prend une nuance affectueuse que l'on retrouve aussi dans les diminutifs de prénoms.

une sœurette, Jeannette, Pierrette

– Le suffixe **-ot** prend aussi cette nuance.

un frérot, un marmot (fam. ; un petit garçon), Jeannot, Pierrot

– Quelques suffixes désignent de petits animaux : **-on**, **-ot**, **-illon**, **-eau**.

âne / ânon, chat / chaton, chien / chiot, lapin / lapereau, lion / lionceau, loup / louveteau, mouche / moucheron, oiseau / oisillon, ours / ourson

■ Suffixes divers

-ée indique un collectif, un contenu, une durée, une distance

Ce suffixe forme des noms féminins.

- la maisonnée (tous les habitants d'une maison), la tablée (l'ensemble des personnes assises autour d'une table)
- la bouchée (la quantité d'aliment qu'on peut mettre dans la bouche), la cuillérée (le contenu d'une cuillère), la gorgée (petite quantité de liquide avalée d'un coup), la pincée (la quantité prise entre le pouce et l'index), la poignée (la quantité que peut contenir la main fermée)
- la journée (la suite des heures entre le lever et le coucher du soleil), la matinée, la soirée, la veillée
- l'enjambée (un grand pas), la traversée (action de traverser une grande étendue d'eau)

-ard(e) désigne des personnes d'après le lieu où ils habitent ou bien donne une valeur péjorative

- un campagnard (un habitant de la campagne), un montagnard (un habitant des montagnes)
- un chauffard (un mauvais chauffeur), un clochard (personne qui vit sans travail ni domicile fixe), un froussard (quelqu'un qui a peur), un richard (un homme riche), un smicard (familier, personne qui est payée au S.M.I.C., qui ne reçoit que le salaire minimum)

➔ Les suffixes d'adjectifs, I, 1, p. 40.
➔ Les sigles, II, 1, p. 183.

-asse donne une valeur péjorative, souvent familière

la caillasse (fam., des cailloux, des pierres), la lavasse (fam., boisson, soupe fade avec beaucoup d'eau), la paperasse (papier écrit, considéré comme inutile), la tignasse (fam., chevelure épaisse, mal peignée)

-aie désigne les plantations

une cerisaie, une oliveraie, une orangeraie, une palmeraie, une roseraie

Suffixes formés à partir de verbes

Il faut enfin noter les très nombreux suffixes d'adjectifs et de noms formés à partir de l'**infinitif**, du **participe présent** ou du **participe passé**.

*Le **lever**, le **déjeuner**, le **dîner**, le **goûter**, le **souper**, le **coucher** rythment la journée.*
*Le **rire**, le **sourire** sont les armes et les plaisirs de la vie sociale.*
*Les **étudiants** doivent faire des **résumés** et des **dictées**.*
*L'**entrée** et la **sortie** sont signalées par une enseigne lumineuse verte.*
*On appelle le Japon le « pays du soleil **levant** ».*

*Vers le **couchant**, le ciel et les nuages étaient **rougeoyants**.*
*Il est **fatigué**. Elle est **surprise**, c'est une jeune fille enthousiaste et **passionnée**.*
*Les voyageurs sont **entassés** dans le métro.*

Les suffixes d'adverbes

*« Agis **intelligemment**, **prudemment**, **patiemment** et tu réussiras. » C'est ce qu'on dit **normalement**, **brièvement**, aux jeunes gens qui commencent dans la vie. Eux, écoutent **gentiment**, mais ils savent **précisément** ce qu'ils veulent et **finalement** ils font ce qu'ils ont **passionnément** envie de faire.*

-ment

Ajouté généralement à l'adjectif féminin, il forme des adverbes de manière.

doux / douce → doucement ; heureux / heureuse → heureusement ;
sûr / sûre → sûrement ; simple (masc. / fém.) → simplement

Mais :

– On ajoute **-ment** à l'adjectif masculin terminé par une voyelle.

joli → joliment ; passionné → passionnément ; poli → poliment ; vrai → vraiment

Exception : gai → gaiement.

Attention à des cas particuliers comme :

bref → brièvement ; gentil → gentiment

– Dans certains cas, le suffixe **-ment** devient **-ément**.

confus, énorme, précis → confusément, énormément, précisément

– Certains adjectifs en **-ent** ou **-ant** forment un adverbe avec le suffixe **-emment** ou **-amment**.

patient, prudent → patiemment, prudemment
constant, élégant → constamment, élégamment

Le suffixe zéro et le suffixe « e »

Deux amis, Pierre et Paul, discutent
Pierre — *Quel **ennui**, il faut faire des **choix** dans la vie !*
Paul — *Mais tu as besoin d'un **emploi** sûr, d'une **paie** mensuelle ! Et tu peux les avoir grâce à l'**appui** de tes amis.*
Pierre — *Moi, je voudrais le **vol** des oiseaux dans le ciel, le **galop** des chevaux dans la forêt, la **marche** sur une route déserte, et de temps en temps des **appels** au loin, des **cris** d'animaux.*
Paul — *Tu rêves !!!*

On peut constater que certains mots ne comportent pas de suffixe.

– Ainsi, on forme des noms masculins en retirant la désinence du verbe et en gardant le radical pur.

l'appel (appeler), l'appui (appuyer), le choix (choisir), le cri (crier), l'emploi (employer), l'ennui (ennuyer), l'envoi (envoyer), le galop (galoper), l'oubli (oublier), le vol (voler)

– Et on forme des noms féminins en ajoutant à ce radical pur le suffixe « e » ou suffixe de la dérivation régressive.

la gêne (gêner), la hâte (hâter), la marche (marcher), la paie (payer)

Quelques familles de mots

Pour conclure sur ce sujet, nous allons montrer comment, à partir des **préfixes** et des **suffixes**, nous pouvons constituer des **familles de mots** et comment on enrichit ainsi son vocabulaire.

ADJECTIF	NOM	VERBE	ADVERBE
riche richard *(péjoratif)* richissime *(superlatif)*	la richesse	(s')enrichir	richement
faible faiblard	la faiblesse	faiblir (s')affaiblir	faiblement
lent(e)	la lenteur le ralentissement	ralentir	lentement
étroit	l'étroitesse	rétrécir	étroitement
large	la largeur les largesses	élargir	largement
long(ue)	la longueur le prolongement la prolongation	(r)allonger prolonger	longuement
amoureux/-euse aimable aimant	l'amour l'amant	aimer	amoureusement aimablement
doux/douce douceâtre *(péjoratif)*	la douceur le radoucissement	(s')adoucir (se) radoucir	doucement
lisible illisible	le lecteur la (re)lecture	lire relire	lisiblement
simple	la simplicité la simplification	simplifier	simplement
général(e)	la généralité la généralisation	généraliser	généralement

1 • 3 Les mots composés

Nous venons de voir que l'on fait vivre les mots en les enrichissant par la préfixation et la suffixation.
On peut également les enrichir par la composition, procédé qui consiste à fabriquer des mots nouveaux qui prendront la forme de mots composés.

Comment forme-t-on un mot composé ?

– En combinant des éléments grecs ou latins :

philo/sophie, biblio/thèque, biblio/graphie, bio/graphie, onoma/topée, poly/glotte, ortho/graphe, démo/cratie, mon/archie, théo/logie...
agro/nomie, agri/culteur, déci/mètre, centi/mètre, uni/forme, carni/vore...

– En collant l'un à l'autre des mots qui existent déjà :

porte/feuille...

– En les juxtaposant et en les liant par un trait d'union :

un après-midi

– En formant un groupe de plusieurs mots séparés :

un clin d'œil

Tout cela forme donc des mots composés, c'est-à-dire des mots dont les composants ont chacun un sens particulier mais qui, réunis, prennent un autre sens qui leur est propre.

Comment reconnaître qu'il s'agit bien d'un mot composé ?

Aucun autre mot ne peut venir se glisser entre les éléments d'un mot composé. Si on prend le mot composé chou-fleur, on voit qu'il forme un tout parce qu'on ne pourrait pas dire par exemple : *un chou-*magnifique* fleur ; mais on peut dire un chou-fleur *magnifique* ou encore un *magnifique* chou-fleur.
Autre exemple : un clin d'œil. Il est impossible de dire : *un clin *coquin* d'œil, mais on dira : un clin d'œil *coquin*.

Attention : Il est possible que, dans les pages qui suivent, soient venus se glisser des intrus, groupes de mots ou expressions que nous n'appelons pas des mots composés. Nous les garderons malgré tout.

Le trait d'union

Il faut remarquer que le trait d'union fonctionne de manière un peu arbitraire. Pourquoi faut-il parfois un trait d'union, et pourquoi parfois n'en faut-il pas ? En effet, pourquoi écrit-on à contrecœur (contre sa volonté) sans trait d'union et en un seul mot, et pourquoi écrit-on à contre-courant (en s'opposant à), en deux mots et avec un trait d'union ? C'est une question qui n'a pas de réponse, d'autant que dans la langue d'aujourd'hui, on accepte que certains mots perdent leur trait d'union mais, inversement, on en remet un à certains autres.

En principe, il n'y a pas de trait d'union dans les expressions formées avec des prépositions : la salle à manger, la salle de bains… Mais dans les mots juxtaposés, on trouve ou on ne trouve pas de trait d'union. Ainsi, nous avons coffre-fort, amour-propre, mais chaise longue, carte postale. Si la difficulté vous intéresse, à vous de regarder et de vérifier dans le dictionnaire.

On peut former toutes sortes de mots composés (noms, adjectifs, verbes, prépositions, conjonctions, adverbes) en associant précisément des noms, des adjectifs, des adverbes, des infinitifs, des prépositions.

Nous allons étudier plus spécialement les noms et les adjectifs composés.

Après le déjeuner, elle était restée dans le ***wagon-restaurant*** *où on sentait encore l'odeur de la salade de* ***choux-fleurs*** *et de* ***pommes de terre*** *à la vinaigrette. Le* ***va-et-vient*** *plus lent des serveurs, le* ***bien-être*** *proche du* ***laisser-aller*** *qu'apporte un bon repas accompagné d'un vin fin, le mouvement des voitures sur le* ***chemin de fer****, la douceur d'un* ***après-midi*** *d'été l'avaient plongée dans une rêverie indéfinie.*

*Bien calée contre l'****appuie-tête*** *de son siège, elle regardait le paysage ; parfois des cyclistes en promenade passaient à toute allure, le* ***porte-bagages*** *chargé de paniers de* ***pique-nique*** *; parfois deux* ***auto-stoppeurs*** *apparaissaient, debout sur le* ***bas-côté*** *de la route, le pouce levé vers des voitures qui roulaient à toute vitesse ; de temps en temps on apercevait une* ***station-service*** *peinte de couleurs éclatantes,* ***rouge saumon*** *ou* ***jaune canari****.*

À un moment donné, un ***cerf-volant*** *a attiré son regard. Il volait dans l'air, suivant les mouvements du vent, et elle a imaginé les enfants qui tenaient la ficelle : des petits garçons ou des petites filles en vacances chez leurs* ***grands-parents****. Le spectacle était étonnant. Un bref orage d'été avait laissé dans le ciel un magnifique* ***arc-en-ciel*** *et les couleurs du cerf-volant et de l'arc-en ciel se faisaient concurrence. Puis, le cerf-volant a disparu et elle s'est mise à observer les voyageurs…*

… En face d'elle, une femme armée d'un ***cure-dents*** *nettoyait ses dents avec application, mais sans élégance ni* ***savoir-vivre*** *; elle portait un parfum* ***bon marché****, fort, sucré, écœurant ; assis près d'elle, un homme, son mari peut-être, jouait avec un* ***tire-bouchon*** *tout en adressant des* ***clins d'œil*** *aux* ***jeunes filles*** *qui, par hasard, posaient sur lui leurs regards. Quel* ***sans-gêne****, a-t-elle pensé !*

Son voisin de droite avait ouvert un journal à la page des ***faits divers*** *où le* ***portrait-robot*** *d'un criminel s'étalait sur trois colonnes ; son voisin de gauche, lui, faisait des* ***mots croisés*** *qui semblaient bien difficiles. Un vrai* ***casse-tête*** *! Elle a essayé d'engager la conversation mais, avec un grand sourire, l'amateur de*

mots croisés lui a fait comprendre qu'il était ***sourd-muet****. Derrière elle, un* ***jeune homme****, avec qui elle aurait aimé bavarder, était plongé dans une* ***bande dessinée*** *qui avait l'air passionnante. Elle a donc quitté la* ***salle à manger*** *du* ***wagon-restaurant*** *et, avec philosophie, elle s'est dit que les voyages finalement ne favorisent pas les rencontres ni les* ***tête-à-tête****.*

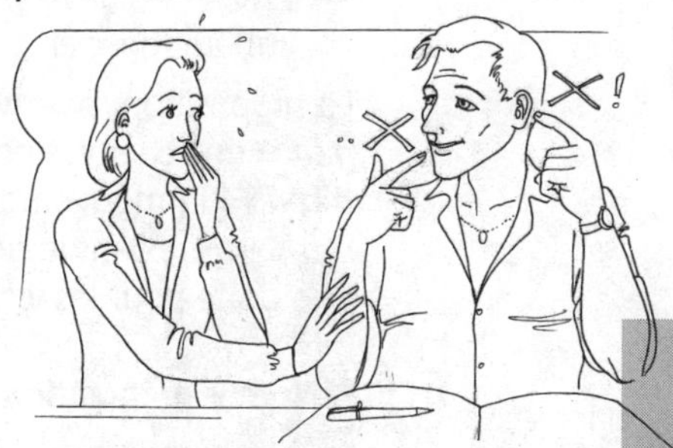

Les noms composés

À partir d'un nom

• Deux noms juxtaposés

*J'apprends à conduire avec un moniteur d'****auto-école****.*

un aller-retour, un appartement-témoin (appartement qui sert de modèle pour les futurs acheteurs), une auto-école (une école de conduite automobile), l'auto-stop, la bande-annonce (extrait d'un film qui permet aux spectateurs d'avoir une idée du film avant sa sortie), la bande-son (bande magnétique sur laquelle on enregistre les paroles et la musique d'un film), un bar-tabac (café où on vend des cigarettes), un bloc-notes (petit carnet sur lequel on prend des notes), un café-crème, un canapé-lit, une classe affaires, un(e) garde-malade (personne qui surveille et soigne les malades), une pause-café, une voiture-bar, un wagon-lit

La langue d'aujourd'hui aime beaucoup ces mots juxtaposés et elle en fabrique constamment.

→ Quelques tendances du français parlé, II, 1, p. 172.

• Nom + adjectif

l'amour-propre (la fierté), un berger allemand (un chien de berger; le berger est la personne qui garde les troupeaux de moutons), une carte postale, une chaise longue, un coffre-fort, un coup franc (terme de football; c'est un coup tiré contre l'équipe adverse sans opposition), le sang-froid (le contrôle de soi, le calme)

• Nom + participe passé

une bande dessinée, un dessin animé

• Nom + préposition + nom

une barbe à papa (friandise à base de sucre coloré, filé, formant une masse légère, qui entoure un bâton et que les enfants aiment beaucoup mais qu'ils ne peuvent jamais terminer, ce dont se chargent les parents), une boîte à / aux lettres, une brosse à dents, un face-à-face (un dialogue télévisé), un pied-à-terre (logement qu'on occupe de temps en temps)

un bureau de poste, un chef-d'œuvre, une chemise de nuit, un clin d'œil, un coup d'œil (un regard rapide), un jardin d'enfants (une garderie pour les jeunes enfants), une pomme de terre, une robe de chambre, un sac de couchage, une salle d'attente, une salle de bains, un trait d'union

un arc-en-ciel

La préposition marque une destination, une caractéristique ou un lieu : *une chemise de nuit* = une chemise pour la nuit ; *un jardin d'enfants* = un jardin pour les enfants ; *un clin d'œil* = un mouvement de la paupière qui se ferme et s'ouvre rapidement ; *un arc-en-ciel* = un arc dans le ciel, c'est le prisme des couleurs dans le ciel ; *une boîte à / aux lettres* = une boîte pour les lettres, pour le courrier.

- **Nom + préposition + infinitif**

  une chambre à coucher, une crème à raser, un fer à repasser, une machine à laver, un manque à gagner (l'argent que l'on n'a pas pu gagner et que l'on aurait dû gagner), une salle à manger

À partir d'un adjectif

- **Adjectif + nom**

  un beau-fils, un beau-frère, les beaux-arts, des beaux-parents, une belle-fille, une belle-mère, une belle-sœur (*beau* n'a pas ici sa valeur habituelle d'adjectif, bien qu'il s'accorde ; il marque l'alliance, la parenté), un bonhomme, le bon sens (un bon jugement), le court-bouillon (préparation d'eau, de vin blanc et d'épices dans laquelle on fait bouillir du poisson), un court-circuit (arrêt du courant électrique lorsque deux fils électriques se touchent), une grand-mère, un grand-père, les grands-parents, une jeune fille, un jeune homme, des jeunes gens, un petit-four

Il faut noter que dans les expressions *grand-mère*, *grand-père*… l'adjectif a, en réalité, perdu sa valeur d'adjectif et que *grand* désigne une tranche d'âge plutôt que la taille. Ainsi on pourrait dire, pour rire, qu'il y a de « *petites grands-mères* »…

- **Adjectif + infinitif**

  le franc-parler (*avoir son franc-parler,* c'est dire librement ce qu'on pense)

- **Adjectif + préposition + infinitif**

  le prêt-à-porter

- **Adjectif + préposition + pronom**

  un bon à rien

À partir d'un adverbe

- **Adverbe + nom**

  un arrière-goût, une arrière-pensée (une pensée cachée), un arrière-petit-fils, un arrière-plan, l'arrière-saison (l'automne)

- **Adverbe + infinitif**

  le bien-être (une sensation de plaisir)

• **Adverbe + participe passé**
le déjà-vu

À partir d'une préposition

• **Préposition + nom**
un à-côté (un point, un aspect accessoire), un avant-centre, un avant-propos, un(e) après-midi, un hors-d'œuvre, un hors-jeu (une faute d'un joueur sur un terrain de sport), le hors-piste (ski pratiqué en dehors des pistes tracées), un sans-abri (personne qui n'a plus de logement), un sans-cœur, un sans-faute, un sans-le-sou, un sans-logis (un sans-abri), un sous-titre (traduction des dialogues d'un film qui passe en bas de l'image)

• **Préposition + infinitif**
un pourboire

• **Préposition + participe passé**
un sous-entendu (une allusion, une insinuation)

À partir d'un verbe

• **Verbe + complément**
un abat-jour, un amuse-gueule, un appuie-tête, un casse-cou (familier; personne qui commet des imprudences), un casse-croûte (repas léger), un casse-pieds (familier; personne sans-gêne), un casse-tête (problème difficile à résoudre), un couvre-lit, un croque-madame (croque-monsieur avec un œuf), un croque-monsieur (sandwich chaud de pain de mie avec du jambon et du fromage), un essuie-glace, un faire-part (carte imprimée qui annonce un événement familial, naissance, mariage, décès), un lave-linge, un ouvre-boîte, un pare-brise, un porte-bonheur, un portefeuille, un portemanteau, un porte-savon, un porte-serviettes, un serre-tête (ruban en demi-cercle pour tenir les cheveux), un tire-bouchon

Dans la composition « verbe + complément », à l'exception de *portefeuille* et de *portemanteau* qui sont formés par collage, les mots sont séparés par un trait d'union.

• **Verbe + adverbe**
un couche-tard, un couche-tôt, un lève-tôt

• **Verbe + pronom**
un fourre-tout (sac de voyage souple), un rendez-vous

• **Verbe + préposition + pronom**
un touche-à-tout (c'est un enfant qui aime explorer ce qui l'entoure et qui touche tout ce qui se trouve sur son passage, ouvrant et fermant les tiroirs, prenant les objets et essayant de comprendre leur usage... bref, un enfant qui fatigue ses parents et les autres; c'est aussi une personne adulte qui a de nombreuses activités sans s'attacher véritablement à aucune)

- **Deux infinitifs**

  le laisser-aller (la détente), le laisser-faire (le fait de ne pas intervenir), le savoir-faire (la compétence), le savoir-vivre (la bonne éducation)

- **Verbe conjugué + infinitif**

  un laissez-passer (papier qui permet à quelqu'un d'entrer, de sortir librement)

Autres éléments

- **Un chiffre + un nom**

  un deux-pièces (appartement qui comporte deux pièces ; désigne aussi un maillot de bain), un deux-roues (vélo, scooter, moto...), un quatre-quarts (gâteau fait d'un quart de farine, un quart de lait, un quart de sucre, un quart d'œufs)

- **Énoncé**

  *Cette femme n'était pas très jolie, mais **elle avait un je-ne-sais-quoi** qui séduisait.*

  le je-m'en-foutisme (familier ; c'est l'état de celui qui se désintéresse de tout, qui est indifférent à tout), (un) je-ne-sais-qui (une personne inconnue – l'expression a une valeur péjorative), un je-ne-sais-quoi (quelque chose, une caractéristique qu'on ne peut traduire en mots), un laissé-pour-compte (personne ou marchandise rejetée, négligée), le qu'en-dira-t-on (l'opinion des autres, l'opinion publique)

Les adjectifs composés

- **Deux adjectifs**

  sourd-muet (personne qui n'entend ni ne parle)

- **Adjectif + participe passé**

  ivre mort (qui a bu trop d'alcool)

- **Adjectif + nom**

  *Les loyers sont chers dans une grande ville, **ils sont bon marché** dans un petit village, ils sont **meilleur marché**.*

  beau joueur / mauvais joueur (qui accepte / qui refuse la défaite, qui accepte / qui refuse d'avouer qu'il a perdu), bon marché (pas cher)

On pourrait aussi ranger dans cette catégorie des adjectifs composés de couleur (même si ce n'est pas toujours admis par certains linguistes) :

bleu ciel, jaune citron, rouge cerise, vert émeraude

- **Nom + préposition + nom**

  soupe au lait (qui se met facilement en colère)

→ Les expressions imagées, II, 2, p. 215.

- **Adverbe + adjectif**

  avant-coureur (qui annonce), clairvoyant, tout-puissant

  Le vent, les éclairs, le tonnerre sont les ***signes avant-coureurs*** *de l'orage.*

- **Adverbe + participe passé**

  bien-aimé (chéri), bienvenu, nouveau-né (c'est aussi un nom)

- **Préposition + nom**

  hors service (qui n'est plus en service), sans-gêne (c'est aussi un nom : le *sans-gêne* est une attitude un peu trop familière)

Remarque Il faudrait également signaler les mots composés empruntés à l'anglais.

un airbag, un baby-foot, une baby-sitter, un blue-jean, un cow-boy, un hot-dog, un tee-shirt

→ Les emprunts, II, 1, p. 189.

Accord des noms et des adjectifs composés

Elle a acheté de beaux ***abat-jour*** *qui tamiseront la lumière et qui donneront une atmosphère douce et agréable à son salon, ce qui favorisera ses* ***tête-à-tête*** *amoureux.*

En principe, dans tous les mots composés, on n'accorde que les noms et les adjectifs. Les verbes, les adverbes, les prépositions restent naturellement invariables. Il y a cependant quelques particularités. Tout dépend du sens et de la forme du mot.

– Ainsi, on écrira de la même façon au singulier comme au pluriel : un abat-jour, **des abat-jour**. Dans ce mot, *abat* est un verbe, donc invariable, mais *jour* est un nom. Pourquoi n'est-il pas au pluriel ? Parce qu'ici ce mot a une valeur abstraite, il signifie la lumière et restera donc au singulier.
De même, un tête-à-tête désigne toujours une seule personne en face d'une autre. Donc ce mot restera **invariable** : **des tête-à-tête**.
Dans le mot compte-gouttes, *compte* est un verbe toujours invariable, mais *gouttes* est logiquement au pluriel, puisque, lorsque l'on compte, on compte plusieurs gouttes : **des compte-gouttes**.

– Pour les noms composés qu'on écrit **en un seul mot**, comme portefeuille, portemanteau, etc., on accorde seulement à la finale : **des portefeuilles, des portemanteaux**.

Exception : un bonhomme, **des bonshommes**.

– En ce qui concerne les mots composés formés de « **nom + préposition + nom** », là aussi c'est le sens qui est le plus important pour l'accord.

une pomme de terre → **des pommes de terre** (ce sont les pommes qui viennent de la terre – la terre ne se comptabilise pas)
un sac de couchage → **des sacs de couchage** (pour le couchage)
une salle d'attente → **des salles d'attente**
un chef-d'œuvre → **des chefs-d'œuvre**
une boîte à / aux lettres (le pluriel « lettres » est normal, la boîte contient plusieurs lettres) → **des boîtes aux lettres**
un jardin d'enfants → **des jardins d'enfants**
un clin d'œil → **des clins d'œil / des clins d'yeux**

– Pour ce qui est des **adjectifs composés**, on devrait normalement accorder les deux adjectifs.

sourd-muet → **sourde-muette, sourds-muets / sourdes-muettes**
ivre mort → **ivre morte, ivres morts/mortes**

Mais **restent invariables** :
– les **adjectifs de couleur** formés d'un adjectif et d'un nom :

*Elle portait une jupe **bleu ciel**, des gants **vert d'eau**, une écharpe **jaune canari** ; un vrai perroquet...*

– les expressions comme sans-gêne (qui signifie « sans aucune gêne »).

*Ces riches bourgeoises étaient vraiment **sans-gêne** ; elles parlaient des gens malheureux, **des sans-logis, des sans-le-sou**, tout en mangeant des petits-fours et en buvant du thé dans de précieuses tasses de porcelaine.*

– des expressions comme bon marché. Ici, cela peut s'expliquer du fait que *bon* s'accorde avec *marché* qui est masculin singulier :

*À Paris, il y a un grand magasin qui s'appelle « Au Bon Marché » et qui, à l'origine, lors de sa création vers la fin du XIXe siècle, s'était donné comme but social de proposer aux gens peu aisés **des articles bon marché**. Cela était possible, parce que le fondateur avait inventé le principe des achats en grandes quantités, ce qui permettait de baisser les prix.*
Aujourd'hui, on est loin de ce principe. Le Bon Marché est un magnifique magasin rempli d'objets, d'articles, de vêtements de grand luxe.

– ou comme croque-monsieur (sandwich fait avec deux tranches de pain de mie, du jambon et du fromage) qui ne peut pas faire au pluriel **croque-messieurs* mais qui reste lui aussi invariable : **des croque-monsieur**.

Petit rappel grammatical ! N'oubliez pas !

Normalement, l'article indéfini pluriel **des**, placé devant un adjectif suivi d'un nom au pluriel, devient de : **des** + **adjectif pluriel + nom pluriel → de**.
Mais dans le nom composé « adjectif + nom », l'adjectif fait partie du nom.

Ainsi comparez !

À la cérémonie, il y avait ***de vieux amis*** (adjectif + nom), ***de bons camarades*** (adjectif + nom), ***des jeunes gens*** (nom composé), ***des grands-parents*** (nom composé)...

Récapitulatif thématique

• **La maison**

un appartement-témoin, un deux-pièces
une chambre à coucher, une salle à manger, une salle de bains
un abat-jour, un couvre-lit, une table de nuit
une brosse à dents, un porte-savon, un porte-serviettes
une chaise longue, un fer à repasser, une machine à laver

• **La famille et les gens**

un grand-père, une grand-mère, un petit-fils, une petite-fille, une belle-fille, un beau-fils, des beaux-parents, un beau-frère, une belle-sœur, un arrière-petit-fils, un nouveau-né, un jeune homme, une jeune fille, des jeunes gens

• **La cuisine, les aliments et les gâteaux**

un amuse-gueule, un casse-croûte, un court-bouillon, un croque-madame, un croque-monsieur
une barbe à papa, une langue-de-chat, un petit-four, une pomme d'amour, un quatre-quarts
une pause-café

• **Des lieux et des objets**

un bar-tabac, un bureau de poste, une salle d'attente
une boîte à / aux lettres, un coffre-fort
un ouvre-boîte, un tire-bouchon

• **Les arts**

un bas-relief, les beaux-arts, un chef-d'œuvre
une bande-annonce, une bande-son, un ciné-club, un dessin animé, un sous-titre
un arrière-plan
une bande dessinée
un avant-propos, un trait d'union

• **Le voyage**

une auto-école
un aller-retour, l'auto-stop, un sac de couchage
la classe affaires, un train autos-couchettes, une voiture-bar, un wagon-lit
un appuie-tête, un essuie-glace, un pare-brise
un deux-roues, un quatre-quatre

• **Le sport**

un avant-centre, un coup franc, un tir au but

• **Les qualités, les défauts, le caractère**

le bon sens, le franc-parler, le sang-froid, le savoir-faire, le savoir-vivre
l'amour-propre, le je-m'en-foutisme, le laisser-aller, le sans-gêne,
un bon à rien, un casse-cou, un casse-pieds, un couche-tard, un couche-tôt, un lève-tôt, un laissé-pour-compte, un sans-cœur, un touche-à-tout
être clairvoyant, tout-puissant
être ivre mort, sans-gêne, soupe au lait

• **L'économie**

un manque à gagner, un portefeuille, un pourboire, le prêt-à-porter, un rendez-vous, un sans-abri, un sans-logis

• **Les sensations**

un arrière-goût, le bien-être

1 • *4* Les locutions verbales et adverbiales

Les locutions verbales et adverbiales sont des expressions composées, puisqu'une locution est une expression comportant au moins deux mots, ce qui est le principe même de la composition.

Ainsi avoir peur est un verbe formé de deux mots : l'auxiliaire *avoir* et le nom *peur*. Indépendamment l'un de l'autre, ces deux mots ont un sens particulier ; mais associés dans l'expression *avoir peur*, ils prennent un sens qui leur est propre. Un tel verbe composé s'appelle une **locution verbale**, et il peut avoir un verbe simple comme synonyme ; ici par exemple, le verbe *craindre* ou le verbe *redouter*. On appelle donc en principe « locution verbale » le groupe :

verbe + nom sans article :	avoir peur

Mais on trouve aussi des groupes :

verbe + article + nom :	avoir l'air
verbe + adjectif + nom :	faire bonne figure
verbe + préposition + nom :	mettre au jour

De même qu'il y a des locutions verbales, il peut y avoir aussi des **locutions adverbiales**, c'est-à-dire des adverbes, formés de deux mots au moins. Ainsi, un même adverbe peut se présenter sous une forme simple (un seul mot) ou sous la forme d'une locution (au moins deux mots).
Silencieusement a un doublet sous forme de locution qui est : en silence.

Attention : il existe de nombreux doublets de cette sorte, mais ils ne sont pas toujours synonymes.

En continuant à balayer le champ lexical de la langue, on pourrait trouver également :

- des locutions prépositives : à côté de, près de, au-dessus de, le long de…
- des locutions conjonctives : après que, bien que, parce que…
- des locutions pronominales : ce qui, ce que…

Notre propos ici est de vous présenter les formes plus complexes que sont les locutions verbales et adverbiales, et de nous attarder plus spécifiquement sur ces catégories.

Les locutions verbales

En partant de quelques verbes simples, comme avoir, être, faire, prendre, donner, mettre, tenir… nous allons montrer comment la langue se sert de ce qu'elle a, de ses composants, pour dire plus ou pour dire autre chose.

■ AVOIR

Quand je suis malade, quand ***j'ai mal*** *à la gorge,* ***mal à*** *la tête,* ***mal*** *partout, quand* ***j'ai soif*** *et que* ***je n'ai plus faim****, quand* ***j'ai envie de*** *dormir mais que* ***je n'ai pas sommeil****, quand* ***j'ai chaud*** *et* ***froid*** *en même temps, j'appelle mes parents, mes amis,* ***j'ai besoin*** *d'eux. Pourquoi ?* ***J'ai honte de*** *le dire, mais* ***j'ai peur****. Peur de quoi ? On se moque de moi ! « Mais ce n'est qu'une angine !* ***Aie confiance en*** *la médecine ! Quelques jours d'antibiotiques et ce sera fini ! » Est-ce que* ***j'ai tort*** *ou* ***raison****, je ne sais pas, mais* ***je n'ai pas confiance****, alors je reste dans mon lit et j'attends… Et ce qui doit* ***avoir lieu, a lieu****; quelques jours plus tard, me voilà sur pied, ayant oublié mon angine et ma peur,* ***j'ai l'air*** *forte et courageuse… jusqu'à la prochaine angine…*

avoir + nom

*Tu **as l'air** fatigué aujourd'hui, ça va ?*
*La cérémonie de mariage **aura lieu** le 3 février à 15 heures.*

avoir affaire à qqn (se trouver en rapport avec quelqu'un), avoir l'air (paraître, sembler), avoir besoin de, avoir confiance en, avoir envie de, avoir faim, avoir honte de, avoir lieu (se passer, se produire), avoir mal à, avoir peur de, avoir pied (pouvoir garder la tête hors de l'eau tout en touchant le fond avec les pieds), avoir raison (être dans le vrai, ne pas se tromper), avoir soif, avoir sommeil, avoir tort (ne pas être dans le vrai, se tromper), avoir à cœur de (avoir vraiment envie de), avoir du mal à (avoir des difficultés)

avoir + adjectif

avoir chaud, avoir froid, avoir beau + infinitif

Dans ces locutions, le verbe *avoir* prend le sens de « ressentir » (ressentir le besoin, le chaud, l'envie, le froid, la honte, la peur, la soif, le sommeil). Il s'agit de sensations qui ne sont pas satisfaites.
Dans l'expression avoir beau, l'adjectif *beau* n'a pas du tout son sens habituel. Il est là simplement pour marquer l'opposition, comme le fait l'adverbe *bien* dans la locution conjonctive *bien que*.

Bien qu'il neige abondamment, ils prennent la route./Il a beau neiger, ils prennent la route.

■ FAIRE

***Il faisait très beau**, on avait mis le bateau à la mer. On avait voulu **faire plaisir à** des amis qui **ne faisaient pas partie du** club nautique et qui n'avaient jamais navigué. Et puis, soudain, des nuages gris ont couvert le ciel, la mer est devenue toute noire : c'était la tempête. Le vent **faisait rage** ; il soufflait avec une violence inouïe, il fallait **faire attention**, **faire appel à** tout son courage pour **faire face à** ce mauvais temps, à ce vent qui **faisait peur aux** marins les plus expérimentés. Il fallait **faire preuve d'esprit de décision** ; parmi les passagers, certains **faisaient confiance au** pilote et essayaient de **faire bonne figure** ; d'autres **faisaient part** à haute voix **de** leurs inquiétudes. Une voile du bateau, en claquant violemment, a touché une jeune fille et lui **a fait mal à** la tête. Le bateau **faisait route** vers nulle part, il sautait sur les vagues et personne ne le contrôlait. Est-ce qu'il allait **faire naufrage**, est-ce qu'il allait se briser sur des rochers ?*

*Tout d'un coup le vent est tombé, la mer s'est calmée et les passagers, verts, blancs, gris, **faisaient semblant de** trouver que la mer était la plus belle chose au monde et que cette promenade était la plus belle aventure de leur vie. Mais en réalité, ils **faisaient** tous **pitié**...*

faire + nom

➔ Quelques verbes polysémiques, II, 1, p. 148.

*« Quand vous écrivez, **faites attention à** l'orthographe », dit la maîtresse d'école.*

*Cet enfant est insupportable ; dès qu'on lui refuse ce qu'il demande, il se met à **faire la tête**, à rester dans son coin sans parler.*

faire affaire avec (traiter), faire appel à, faire attention à, faire (grand) cas de (tenir compte de, donner de l'importance à), faire confiance à, faire connaissance (de / avec), faire face à (se tenir devant), faire fête à, faire feu sur (tirer avec une arme), faire halte (s'arrêter), faire mal (à), faire mine de (faire semblant de), faire naufrage (couler, pour un bateau), faire obstacle à (empêcher, gêner), faire part de quelque chose à quelqu'un, faire partie de, faire peur, faire pitié (inspirer de la pitié), faire plaisir à, faire preuve de (montrer), faire rage (arriver à la plus grande violence), faire route vers, faire semblant de, faire (du) tort à, faire usage de quelque chose (utiliser), faire l'affaire (convenir, aller), faire la tête (familier ; bouder)

faire + adjectif + nom

faire bonne chère (bien manger), faire bonne figure (donner l'impression qu'on est content), faire bonne / mauvaise impression, faire fausse route (se tromper de chemin), faire grand bruit (donner une grande importance), faire la sourde oreille (ne pas écouter)

faire + nom + adjectif

*Après quarante ans de mariage, ce vieux couple **se faisait encore les yeux doux**, c'était à la fois touchant et un peu ridicule.*

faire coup double (obtenir un double résultat en une seule fois), faire la part belle (laisser, donner l'avantage à), faire les yeux doux à quelqu'un (regarder qqn amoureusement)

faire + adjectif

faire jeune, faire vieux / vieille

faire beau, mauvais, froid, chaud, frais, tiède, doux (verbes impersonnels pour traduire les différentes nuances de la température extérieure)

faire + nom + préposition + nom

faire bande à part (rester à l'écart, rester de côté)

faire dans un énoncé idiomatique

faire d'une pierre deux coups (obtenir deux résultats par la même action), faire les quatre cents coups (faire beaucoup de bêtises), s'en faire (être soucieux, inquiet)

➔ Les expressions imagées, II, 2, p. 209.

■ DONNER, PORTER, PRENDRE

*Les événements politiques **donnent** souvent **lieu à** des discussions entre amis, qui peuvent **donner naissance à** des désaccords graves. Qui a raison, qui a tort ? C'est souvent difficile à dire. Alors, ne **prenez** pas **part à** la discussion. C'est le moment de **prendre le large**, si vous ne voulez pas vous fâcher avec vos amis, parce qu'on va sûrement vous appeler, vous **prendre à témoin** avant de vous **prendre pour juge** et de vous demander de **donner raison** ou **tort à** l'un ou **à** l'autre. Et là, **prenez garde**, c'est très dangereux ; c'est sûr, vous allez perdre un ami... L'un ou l'autre vous **prendra à partie** ou peut-être même **portera plainte contre** vous, qui sait ! Il vaut mieux **prendre congé** pour ne pas être obligé de **prendre parti pour** l'un ou **pour** l'autre. Donnez n'importe quel prétexte, dites que vous avez trop chaud, que vous allez **prendre l'air, prendre le frais**, on ne vous **prendra** peut-être pas **au sérieux**, mais... c'est préférable... **prenez la fuite** !*

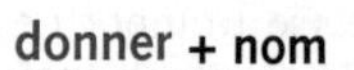

donner + nom

donner congé à (renvoyer), donner un coup de main à quelqu'un (l'aider), donner lieu à (donner, fournir l'occasion), donner naissance à, donner raison à qqn (dire que quelqu'un a raison), donner tort à qqn (dire que quelqu'un a tort)

porter + nom

*La vieille dame a **porté plainte contre** ses voisins trop bruyants.*

porter plainte contre (accuser)

prendre + nom

prendre l'air (sortir), prendre congé de (saluer quelqu'un avant de partir), prendre conseil de qqn (demander conseil à quelqu'un), prendre feu (s'enflammer, commencer à brûler), prendre le frais (sortir pour respirer l'air frais), prendre froid (subir l'effet du froid), prendre la fuite (commencer à fuir), prendre garde à quelqu'un / quelque chose *ou* prendre garde de + infinitif (faire attention), prendre le large (s'en aller), prendre part à (participer à), prendre parti pour qqn (défendre quelqu'un), prendre le parti de + infinitif (décider), prendre le parti de qqn (avoir la même opinion que quelqu'un et le soutenir), prendre peur, prendre place (s'installer, s'asseoir), prendre à cœur (de) (avoir un intérêt passionné pour), prendre quelqu'un à partie (l'attaquer), prendre qqn / qqch. au sérieux (accorder de l'importance à quelqu'un ou à quelque chose), prendre qqn à témoin (demander à quelqu'un de témoigner pour soi, demander le témoignage de quelqu'un)

■ METTRE, PERDRE, RENDRE, TENIR, TIRER, TROUVER

Ma jeune cousine était sur le point de donner naissance à son premier enfant. Elle avait très mal, elle croyait qu'elle allait ***rendre l'âme****, mais elle* ***tenait bon****. Son bébé* ***l'avait mise au pied du mur****, il allait arriver et elle devait* ***tenir compte de*** *ce petit être. Son mari était près d'elle, mais il ne lui* ***rendait pas vraiment service****. Il était resté pour lui* ***tenir compagnie****, pour lui donner du courage, et il ne voulait pas qu'****on le mette à l'écart****, il voulait être là. Mais il tremblait, tout le monde* ***se rendait compte*** *qu'il* ***perdait pied****, qu'il* ***perdait la tête****. Il ne savait plus ce qu'il disait, ce qu'il faisait, il rentrait, il sortait. Heureusement, l'arrivée rapide du bébé* ***a mis fin*** *à son angoisse ou du moins on le croyait, car dès que le bébé est apparu, le père a disparu; il était par terre, il* ***s'était trouvé mal****, il* ***avait perdu connaissance****.*

mettre + nom

mettre fin à, mettre à jour (actualiser), mettre au jour (amener à la lumière du jour un enfant qui naît, ramener à la lumière du jour des objets enfouis dans la terre), mettre au monde (donner naissance), mettre qqn au pied du mur (pousser quelqu'un dans une situation où il ne lui est plus possible de reculer), se mettre à table (familier; avouer)

→ Quelques verbes polysémiques, II, 1, p. 154.

perdre + nom

perdre connaissance (s'évanouir), perdre pied (dans l'eau, ne plus pouvoir toucher le fond avec les pieds; perdre le contrôle de soi), perdre la tête (s'affoler, perdre son sang-froid, son calme)

rendre + nom

rendre l'âme (mourir), rendre compte (faire un rapport pour raconter ce qu'on a fait), se rendre compte de (remarquer, comprendre), rendre service à (être utile à), rendre visite à qqn (aller voir quelqu'un)

Attention : faites bien la différence entre *visiter un lieu* et *rendre visite à une personne*.

tenir + nom

tenir tête à (s'opposer à), tenir compagnie à (s'occuper de), tenir compte de (accorder de l'importance à), tenir à cœur (quelque chose est important pour...), tenir le coup (familier; résister)

→ Quelques verbes polysémiques, II, 1, p. 164.

tenir + adjectif

tenir bon (tenir le coup)

tirer + nom

tirer parti de (utiliser, profiter), tirer profit de qqch. (prendre de quelque chose ce qui est favorable pour soi), tirer quelque chose au clair (éclaircir une affaire, résoudre une affaire obscure), tirer son épingle du jeu (se sortir adroitement d'une situation difficile)

tomber + adjectif

tomber malade (être, devenir malade), tomber amoureux de

trouver + adverbe

se trouver mal (s'évanouir)

Quelques comparaisons

Un seul mot vous manque et tout est changé !

Attention, observez et comparez : il ne faut pas confondre...

avoir raison et **avoir sa raison**

– Au cours de la discussion, j'ai été obligé de reconnaître que mon interlocuteur était dans le vrai, qu'il ***avait raison****.*

*– Le médecin a refusé de faire hospitaliser le jeune écrivain ; il avait constaté qu'il était un peu original mais qu'****il avait toute sa raison*** *: non, vraiment, il n'était pas fou.*

donner (son) congé et **donner un congé**

– Le directeur ***a donné (son) congé*** *à sa secrétaire ; il l'a renvoyée parce qu'il la trouvait vraiment trop paresseuse. Il doit en chercher une autre maintenant.*

– Le directeur, très satisfait de sa nouvelle secrétaire, lui ***a donné un congé*** *d'une semaine pour qu'elle se repose après le travail intense qu'elle avait fourni.*

donner raison et **donner la raison**

– Pourquoi es-tu mécontent, ***je t'ai donné raison****, tu as bien vu, j'ai bien dit que tu avais raison !*

– ***Quelle raison as-tu donnée*** *pour tes absences répétées ?*

faire l'affaire et **faire une affaire**

– Cet ordinateur est assez ancien, il n'a pas toutes les capacités d'un ordinateur plus moderne, mais il me convient parfaitement pour ce que je veux en faire. Il ***fera l'affaire****, je le prends.*

– Au marché aux puces, tout le monde est content : les acheteurs parce qu'ils croient avoir payé moins cher un objet et ***avoir fait une affaire****, et les vendeurs parce qu'ils* ***font des affaires*** *(ils ont généralement acheté beaucoup moins cher ce qu'ils revendent à un prix assez élevé).*

faire appel et **faire l'appel**

– *Dans cette situation difficile,* ***faites appel à*** *vos amis, ils vous aideront.*

– *Je me demande si, dans les classes d'aujourd'hui,* ***on fait l'appel*** *comme autrefois, si on appelle chaque élève par son nom pour savoir qui est présent, qui est absent.*

faire fête et **faire la fête**

– *Chaque soir, en voyant son maître rentrer après sa journée de travail, le chien court vers lui, et* ***lui fait fête****, remuant la queue, aboyant, lui donnant de grands coups de langue.*

– *« Tous les soirs, mes voisins m'empêchent de dormir, ils* ***font la fête*** *jusqu'au petit matin, ils dansent, ils chantent, ils mettent très fort leur musique, en tout cas, je ne peux pas dormir », dit la vieille dame au policier.*

faire feu et **faire du feu**

– *Le chasseur a pris son fusil, il a épaulé, a bien visé et* ***a fait feu*** *sur le cerf. Raté ! Bien fait !*

– *Les randonneurs, fatigués, morts de faim et de froid, se sont arrêtés, ont ramassé quelques branches et* ***ont fait du feu*** *pour se réchauffer.*

faire grand bruit et **faire du bruit**

– *La nouvelle de l'arrestation de ce patron très connu* ***a fait grand bruit****. Tous les journaux, toutes les chaînes de télévision en ont parlé.*

– *Chut, ne cours pas, ne saute pas,* ***ne fais pas de bruit****, ton petit frère vient de s'endormir.*

perdre la tête et **perdre sa tête**

– *Dès qu'il est devant une difficulté nouvelle, il ne sait plus quoi faire, il s'affole, il* ***perd la tête****.*

– *Le roi Louis XVI* ***a perdu sa tête*** *sur l'échafaud en 1793, lui et quelques autres.*

prendre place et **prendre la place**

– *Les spectateurs sont entrés, chacun* ***a pris place*** *où il voulait et le rideau s'est levé.*

– *Quelqu'un* ***a pris ma place*** *; j'avais pourtant laissé mon programme pour montrer que le siège était pris.*

tenir compte et **tenir les comptes**

– *Ce semestre,* ***je ne tiendrai pas compte*** *de vos absences pour la note finale, et vous serez noté seulement sur vos devoirs. Mais attention au prochain semestre !*

– *C'est le mari qui* ***tient les comptes*** *de la boutique de mode. C'est lui qui fait le calcul des dépenses et des bénéfices.*

tenir tête et **tenir la tête**

*– Tous les adolescents ont un jour ou l'autre refusé d'obéir à leurs parents et leur **ont tenu tête**. Cela fait partie des choses de la vie.*

*– Ce coureur est un des plus grands champions du monde. **Il a tenu la tête** pendant toute la course et il est arrivé premier sans avoir jamais été dépassé !!!*

Les locutions adverbiales

De même que les locutions verbales et tout mot composé, les locutions adverbiales sont formées de deux mots au moins.

■ Les doublets des adverbes en -ment

Les locutions adverbiales peuvent être **introduites par une préposition** comme *à*, *avec*, *en* ou *sans*. Elles sont souvent **des doublets** des adverbes de manière en -ment :

à grand-peine avec peine	péniblement	*Il avait beaucoup vieilli et il se déplaçait **avec peine/ à grand-peine**.* *Il avait beaucoup vieilli, et il se déplaçait **péniblement**.*
à merveille	merveilleusement	*Elle chante **à merveille**.* *Elle chante **merveilleusement**.*
à la folie	follement	*« Je t'aime **à la folie** », lui dit-il.* *« Je t'aime **follement** », lui répond-elle.*
avec ardeur	ardemment	*Il a défendu son point de vue **avec ardeur**.* *Il a défendu **ardemment** son point de vue.*
avec calme	calmement	*Elle a fait face **avec calme** à la situation.* *Elle a fait face **calmement** à la situation.*
avec gentillesse	gentiment	*Elle m'a répondu **avec gentillesse**.* *Elle m'a répondu **gentiment**.*
avec passion	passionnément	*Ils s'aimaient **avec passion**.* *Ils s'aimaient **passionnément**.*
avec patience	patiemment	*Il écoute ses élèves **avec patience**.* *Il écoute **patiemment** ses élèves.*
avec prudence	prudemment	*Ne vous inquiétez pas. Elle conduit **avec prudence**.* *Ne vous inquiétez pas. Elle conduit **prudemment**.*

en effet	effectivement	***En effet**, c'est bien moi l'auteur de cet article.* ***Effectivement**, c'est bien moi l'auteur !*
en général	généralement	***En général**, les Français prennent leurs vacances en août.* *Les Français prennent **généralement** leurs vacances en août.*
en paix	paisiblement	*Vivez **en paix**.* *Vivez **paisiblement**.*
en particulier	particulièrement	*J'aime tous les musiciens, **en particulier** Schubert.* *J'aime tous les musiciens, **particulièrement** Schubert.*
en partie	partiellement	*Le travail est **en partie** achevé, il le sera dans quelques jours.* *Le travail est **partiellement** achevé, il le sera tout à fait dans quelques jours.*
en secret	secrètement	*Les deux amants se sont vus **en secret**.* *Les deux amants se sont vus **secrètement**.*
en silence	silencieusement	*Tout le monde travaillait **en silence**.* *Tout le monde travaillait **silencieusement**.*
en vain	vainement	*J'ai cherché ce livre **en vain** ; je ne l'ai pas trouvé.* *J'ai **vainement** cherché ce livre ; je ne l'ai pas trouvé.*
sans pitié	impitoyablement	*Il traitait ses employés **sans pitié** ; c'était un homme dur.* *Il traitait **impitoyablement** ses employés ; c'était un homme dur.*
sans aucun doute	indubitablement	*C'est lui, **sans aucun doute**, le coupable.* *C'est lui, le coupable, **indubitablement**.*
petit à petit peu à peu	progressivement	*Le monde évolue **peu à peu**.* *Le monde évolue **progressivement**.*

Remarque 1 Attention à la place des expressions dans la phrase ! À la forme composée du verbe, on peut dire :

Elle a répondu gentiment à mes questions.
ou Elle a gentiment répondu à mes questions.
ou même Elle a répondu à mes questions gentiment.

On peut dire : Elle a répondu avec gentillesse à mes questions.
ou Elle a répondu à mes questions avec gentillesse.
Mais on évitera : *Elle a avec gentillesse répondu à mes questions.

Remarque 2 Ces expressions sont des doublets et non de parfaits synonymes. On pourrait ajouter que l'adverbe en -ment est plus lourd et qu'il est plus étroitement associé au verbe, alors que la locution porte plutôt sur l'ensemble de la phrase.

■ Les locutions non associées à un adverbe en -ment

Une locution adverbiale peut également être plus complexe. Elle existe souvent indépendamment de tout autre adverbe. Nous allons passer en revue quelques-unes de ces expressions et en étudier le sens à travers une présentation thématique et des phrases d'illustration. On pourrait ajouter que ces expressions sont très imagées et qu'elles ont donc ainsi une certaine force.

La manière

à bon escient — *Ne regrette rien ; ce que tu as fait, tu l'as fait* ***à bon escient****, au bon moment, en sachant clairement ce que tu faisais.*

à bout de souffle / hors d'haleine — *Chaque fois qu'il montait les six étages à pied, il arrivait chez lui* ***à bout de souffle / hors d'haleine****, et il lui fallait cinq bonnes minutes pour retrouver sa respiration.*

à cor et à cri — *Les employés qui avaient perdu leur emploi réclamaient* ***à cor et à cri*** *des indemnités de licenciement.*

à gorge déployée — *Tous les spectateurs riaient* ***à gorge déployée*** *en écoutant les blagues du comédien.*

à juste titre — *Il a été condamné* ***à juste titre****, il avait commis un crime atroce.*

à pieds joints — *Les enfants adorent sauter* ***à pieds joints*** *dans les flaques d'eau.*

à tête reposée — *Je ne peux pas répondre à ta question maintenant, je suis trop occupé, j'y réfléchirai* ***à tête reposée****.*

à tort — *C'est* ***à tort****, injustement, qu'on l'a condamné ; heureusement, on a fini par découvrir le vrai coupable.*

à tort ou à raison — ***À tort ou à raison*** *(en effet certains pensent que c'est à tort, d'autres que c'est à raison), on dit que les aliments transgéniques sont mauvais pour la santé des hommes, pour la planète.*

à tort et à travers — *Moi, je ne lui dis plus rien ; elle parle* ***à tort et à travers****, raconte n'importe quoi à n'importe qui.*

à tue-tête
Les enfants de la chorale scolaire chantaient ***à tue-tête****; les parents avaient mal aux oreilles mais ils supportaient ce bruit avec courage.*

à voix haute
Répétez ***à voix haute*** *ce que vous venez de dire tout bas, si vous l'osez, dit le professeur à l'élève qui l'avait injurié.*

à volonté
— Dans ce restaurant, on sert le vin ***à volonté****.*
— Vraiment ? Je ne peux pas le croire.

à l'écart
Elle n'aimait pas les fêtes ; et quand elle était obligée d'y aller, elle se tenait ***à l'écart****, préférant rester seule dans son coin.*

à l'endroit
à l'envers
Mon ami est si distrait que le matin, sans faire attention, il enfile son pull ***à l'envers****, montrant ainsi la marque et les conseils d'utilisation ; quand on le lui fait remarquer, tout honteux, confus, il remet ses vêtements* ***à l'endroit****.*

à l'œil (fam.)
Les enfants, se baissant pour passer sous la caisse, ont pu entrer dans la salle de cinéma sans payer et ainsi ils ont pu voir le film ***à l'œil****. Ils n'avaient pas assez d'argent pour le billet de cinéma.*

à l'unanimité
La jeune fille était très populaire dans sa classe, elle a été élue chef de classe ***à l'unanimité****. Tout le monde a voté pour elle.*

de bric et de broc
Cet appartement est bizarre, sans harmonie, il est meublé ***de bric et de broc****.*
→ Les onomatopées, II, 2, p. 202.

de vive voix
Non, je ne lui écrirai pas, j'irai lui dire ***de vive voix*** *ce que je pense de lui.*

du coup
J'allais sortir pour rejoindre mes amis au cinéma, quand le téléphone a sonné : c'était Marie qui voulait me raconter ses peines de cœur. Je n'ai pas pu arrêter la conversation et, ***du coup****, j'ai raté le film.*

en fait / en réalité
Il croyait qu'on jouait du Beethoven mais ***en fait/en réalité****, c'était du Schubert.*

en long et en large
Il m'a expliqué ***en long et en large****, sans rien oublier, ce qu'il voulait faire.*

en vrac
Aux sorties de métro, on trouve souvent des baraques où des marchands vendent toutes sortes de bonbons, ***en vrac****, dans de grandes corbeilles où les enfants plongent parfois leurs petites mains sales avec délices.*

par cœur
Vous apprendrez la poésie ***par cœur****, vous la réciterez demain sans regarder le texte.*

pêle-mêle
Dans sa valise, elle avait mis ***pêle-mêle*** *des sous-vêtements, des chaussures, des vêtements, des affaires de toilette, des documents. Tout était mélangé, sans aucun ordre.*

sans peine
Beaucoup d'écoles de langues promettent : « Venez chez nous et vous apprendrez le français, l'anglais, le chinois, le japonais, le finnois... ***sans peine****. » Méfiez-vous, il faut se fatiguer un peu pour apprendre une langue ou autre chose. Ce n'est pas si facile.*

La rapidité

à bride abattue	*Le cavalier a fouetté son cheval et il est parti* ***à bride abattue****.*
à perdre haleine	*Elle était pressée, elle a couru* ***à perdre haleine****.*
à toute allure	*Les spectateurs encourageaient les cyclistes qui passaient* ***à toute allure****; c'était le Tour de France.*
à toute vitesse	*Les voitures tournaient* ***à toute vitesse*** *sur le circuit.*
en peu de mots	*Je termine mon discours, je vais conclure* ***en peu de mots****.*
en toute hâte	*Après avoir reçu ce coup de téléphone, il est parti* ***en toute hâte****; c'était sûrement urgent.*
en un clin d'œil	*Elle est imprévisible. Très vite,* ***en un clin d'œil****, elle peut passer du rire aux larmes.*
en un rien de temps	*Ne vous inquiétez pas, il vous fera la réparation de votre machine* ***en un rien de temps****. Il travaille très rapidement.*
quatre à quatre	*Il a descendu l'escalier* ***quatre à quatre****.*

Le temps

à la longue	*On s'habitue à tout* ***à la longue****/avec le temps.*
à l'avenir	*Tu as fait une erreur, ça peut arriver, mais* ***à l'avenir****, fais attention.*
à l'instant	*J'arrive* ***à l'instant****, je n'ai même pas encore enlevé mon manteau.*
à présent	***À présent****, dites-moi ce qui ne va pas.*
après coup	*Je me suis rappelé* ***après coup*** *ce que je voulais dire à mon amie; c'était trop tard, elle était déjà partie.*
avec le temps	***Avec le temps****, à la longue, on s'habitue à tout.*
de bonne heure	*Le train part à 6 heures du matin, je dois me réveiller* ***de bonne heure****.*
de jour, de nuit	*Voyagerez-vous* ***de jour*** *ou* ***de nuit****?*
d'un moment à l'autre	*Le train entrera en gare* ***d'un moment à l'autre****, dégagez les quais!*
en retard, en avance, à l'heure	*Je n'aime pas être* ***en retard****, ni* ***en avance*** *à un rendez-vous, j'aime être* ***à l'heure****; si le rendez-vous est à trois heures, je n'arriverai ni à deux heures et demie, ni à trois heures et demie, j'y serai à trois heures pile.*
pour l'instant en ce moment	*Laissez-moi,* ***pour l'instant / en ce moment****, je me repose, je ne veux rien faire d'autre.*
sur-le-champ	*Il faut partir* ***sur-le-champ****, abandonner immédiatement la maison, le feu est tout près, l'incendie est là.*
sur le moment	***Sur le moment****, je n'ai pas compris que celui qui me parlait était l'homme politique que je critiquais.*
tôt ou tard	*Crois-moi,* ***tôt ou tard*** *je connaîtrai la vérité. Je chercherai et je finirai par savoir.*
tout de suite	*Attends-moi, je reviens* ***tout de suite****.*

La répétition

à tous les coups	*Je suis très naïve et on peut me faire croire n'importe quoi ; j'ai beau faire attention, **à tous les coups**, je tombe dans le piège. C'est chaque fois la même chose et tout le monde se moque de moi.*
à tous moments à tout moment à tout bout de champ	***À tous moments / À tout moment / À tout bout de champ**, on voyait des gens entrer et sortir de ce restaurant à la mode.*
coup sur coup	***Coup sur coup**, elle a appris qu'elle avait échoué à son examen, que son ami la quittait et que l'appartement qu'elle voulait louer avait déjà été loué à quelqu'un d'autre. La pauvre... !*
de temps en temps	***De temps en temps**, un passant lisait le menu et, voyant les prix, remuait la tête et continuait son chemin.*
par moments de temps à autre	***Par moments/De temps à autre**, un musicien venait jouer pour les dîneurs et puis repartait.*
sans cesse	*Ce professeur nous ennuie, il nous donne **sans cesse** les mêmes conseils.*

Le sentiment

à bras ouverts	*Sois tranquille, mes amis sont des gens très aimables et, même s'ils ne te connaissent pas, ils t'accueilleront très gentiment, **à bras ouverts**.*
à cœur ouvert	*Vous voyez, je vous parle **à cœur ouvert**, je ne vous cache rien.*
à contrecœur	*Elle a obéi, mais on voyait bien qu'elle le faisait **à contrecœur**. Elle aurait préféré dire non.*
de bon cœur	*Non, non, ne me remerciez pas, si je vous prête ma voiture et ma maison, c'est **de bon cœur**, vraiment.*
de tout cœur	*Dans les moments difficiles que vous vivez, croyez que je suis **de tout cœur** avec vous.*
de tout mon cœur	*Je vous aime **de tout mon cœur**.*
du fond du cœur	*Alors, je vous dis merci **du fond du cœur**.*
en toute sincérité	***En toute sincérité**, je vous dis que vous avez tort et que vous avez mal agi.*

La surprise

à l'improviste	*Personne ne l'attendait, il n'avait annoncé sa venue à personne, il est arrivé **à l'improviste**.*
en sursaut	*Toutes les nuits elle faisait le même cauchemar qui la réveillait **en sursaut**. Elle avait besoin de quelques minutes pour retrouver son calme.*
tout à coup	*La nuit était calme, chacun dormait. **Tout à coup** une explosion a retenti et a réveillé les habitants du quartier.*

La situation dans l'espace

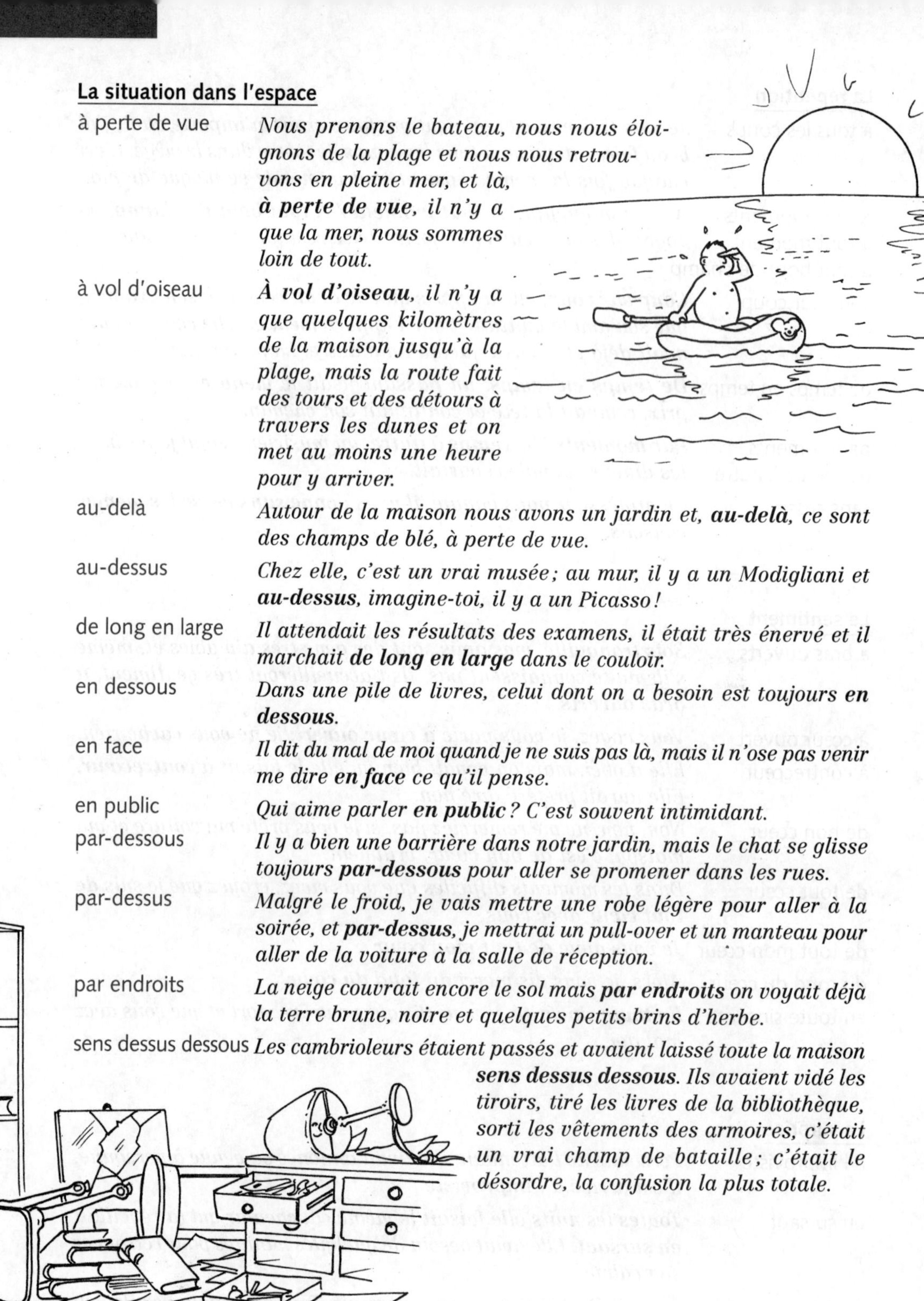

à perte de vue — *Nous prenons le bateau, nous nous éloignons de la plage et nous nous retrouvons en pleine mer, et là, **à perte de vue**, il n'y a que la mer, nous sommes loin de tout.*

à vol d'oiseau — ***À vol d'oiseau**, il n'y a que quelques kilomètres de la maison jusqu'à la plage, mais la route fait des tours et des détours à travers les dunes et on met au moins une heure pour y arriver.*

au-delà — *Autour de la maison nous avons un jardin et, **au-delà**, ce sont des champs de blé, à perte de vue.*

au-dessus — *Chez elle, c'est un vrai musée ; au mur, il y a un Modigliani et **au-dessus**, imagine-toi, il y a un Picasso !*

de long en large — *Il attendait les résultats des examens, il était très énervé et il marchait **de long en large** dans le couloir.*

en dessous — *Dans une pile de livres, celui dont on a besoin est toujours **en dessous**.*

en face — *Il dit du mal de moi quand je ne suis pas là, mais il n'ose pas venir me dire **en face** ce qu'il pense.*

en public — *Qui aime parler **en public** ? C'est souvent intimidant.*

par-dessous — *Il y a bien une barrière dans notre jardin, mais le chat se glisse toujours **par-dessous** pour aller se promener dans les rues.*

par-dessus — *Malgré le froid, je vais mettre une robe légère pour aller à la soirée, et **par-dessus**, je mettrai un pull-over et un manteau pour aller de la voiture à la salle de réception.*

par endroits — *La neige couvrait encore le sol mais **par endroits** on voyait déjà la terre brune, noire et quelques petits brins d'herbe.*

sens dessus dessous — *Les cambrioleurs étaient passés et avaient laissé toute la maison **sens dessus dessous**. Ils avaient vidé les tiroirs, tiré les livres de la bibliothèque, sorti les vêtements des armoires, c'était un vrai champ de bataille ; c'était le désordre, la confusion la plus totale.*

Le doute, le hasard, la probabilité

par hasard	*Est-ce que vous sauriez,* ***par hasard****, où je peux trouver M. Niepa ?*
peut-être	*— Viendras-tu demain à la fête ?* *— Je ne sais pas encore,* ***peut-être****.*
sans doute	*— Qui a pris mon livre ?* *— C'est* ***sans doute*** *ton frère, il me semble qu'il voulait le lire.*

La progression

goutte à goutte	*Il y avait une fuite d'eau chez mes voisins du dessus et, avec désespoir, je voyais l'eau tomber du plafond,* ***goutte à goutte****, dans mon salon.*
petit à petit	*Il a commencé à faire des économies et,* ***petit à petit****, il a fini, au bout de quelques années, par amasser une somme assez importante pour s'acheter un studio.*
peu à peu	*Nous avons acheté une maison de campagne, en très mauvais état. Nous l'avons restaurée nous-mêmes et* ***peu à peu*** *nous avons vu cette ruine se transformer en une charmante maison.*

Le secret

à la dérobée	*Personne ne les a vus sortir ; ils avaient quitté la salle* ***à la dérobée****.*
à pas de loup	*Elle s'approcha, sans bruit,* ***à pas de loup****, de son frère qui travaillait et lui mit les mains sur les yeux en lui murmurant : « Devine qui c'est ? »*
à voix basse	*Les deux amies parlaient* ***à voix basse****, elles se racontaient des secrets sans doute.*
en cachette	*Ils ont interdit à leur fils de fumer ; mais celui-ci fume* ***en cachette****.*
ni vu nu connu	*Il est entré dans la boutique et,* ***ni vu ni connu****, il a pris une bague ancienne qu'il a glissée dans sa poche. Personne ne s'en ai rendu compte.*

Le renforcement

à la folie	*«Je t'aime **à la folie**», c'est ce que se disent tous les amoureux du monde.*
à la perfection	*Elle parle l'anglais **à la perfection**.*
à tout prix	*Je sais que tu n'as pas le temps, mais tu dois absolument, **à tout prix**, aller voir ce film, il est génial!!!*
au large, à l'aise	*J'habite seule dans un appartement de quatre pièces, je suis vraiment **au large**, je suis vraiment **à l'aise**; et parfois je me sens mal quand je pense qu'il y a des familles nombreuses qui vivent dans un deux-pièces.*
bel et bien	*Après avoir regardé autour de nous, nous nous sommes rendu compte que nous étions vraiment perdus, **bel et bien** perdus: nous ne retrouvions plus notre chemin.*
contre vents et marées	***Contre vents et marées**, malgré tous les obstacles, il a fini par obtenir ce qu'il voulait.*
d'arrache-pied	*Les candidats au baccalauréat travaillaient **d'arrache-pied**; ils voulaient absolument réussir.*
de gré ou de force	*«Tu te marieras avec l'homme que je t'ai choisi, **de gré ou de force**!» hurlait le père à sa fille en larmes.*
de plus belle	*L'enfant, qu'on croyait calmé, s'est remis à crier de plus en plus fort, et à pleurer **de plus belle**.*
en entier	*Quelle surprise! Pour la première fois de sa vie, il a lu un livre **en entier**.*
en outre	*Cet enfant n'est pas doué pour la musique; **en outre**, il n'a pas le temps de travailler.*
en vérité	***En vérité**, je le confirme, cet enfant n'est pas doué pour la musique.*
tout à fait	*C'est bizarre, mais regardez cette paire de chaussures: les deux chaussures n'ont pas **tout à fait** la même couleur.*

2 LE SENS DES MOTS

Parler de la vie des mots, c'est, bien sûr, parler de leurs formes. Mais c'est aussi parler de leurs sens.
Pour bien comprendre, nous allons établir une comparaison entre « les mots » et « les êtres humains ».
Ce qu'on découvre d'une personne, c'est d'abord son aspect physique ; on voit immédiatement si cette personne est petite ou grande, grosse ou maigre, jeune, moins jeune, ou vieille, blonde, brune ou rousse... Et ensuite seulement, on va à la découverte de son être intime, de son caractère, de ses pensées, de sa vie intérieure, de son sens caché.
Il en va de même pour les mots.
– Pour nous, pour vous, le mot n'est d'abord qu'une forme ; il est long, court, facile ou difficile à prononcer, il est mystérieux, il sonne d'une façon comique, poétique, mélodieuse.
– En allant un peu plus loin, on découvre le radical, le préfixe, le suffixe, la composition.
– Puis on cherche à comprendre la signification, les nuances, les ressemblances, les différences, le sens caché ou trompeur. Tout ce qui fait qu'à travers les mots, nous découvrons une langue, une pensée, des gens, un pays.
C'est tout cela que vous allez maintenant aborder dans ce chapitre qui va vous introduire à l'étude de la ressemblance, celle des synonymes. Vous découvrirez ensuite les antonymes (mots opposés) puis les paronymes (mots sans aucun lien entre eux et qui pourtant se ressemblent).

2 • 1 Les synonymes et les séries synonymiques

On appelle synonymes des mots de même sens ou de sens proche.

une bicyclette, un vélo, une bécane

Mais l'utilisation de l'un ou de l'autre terme va dépendre d'un contexte, d'un environnement social, professionnel, économique, affectif, d'un interlocuteur, de la force plus ou moins grande qu'on veut donner à l'expression.

En principe, deux mots synonymes :
– sont de même nature (deux noms, deux adjectifs, deux verbes, deux adverbes...),
– ont la même fonction grammaticale (mais ils peuvent ne pas avoir la même construction)

Je me rappelle la maison de mon enfance.
mais : Je me souviens **de** la maison de mon enfance.

– occupent la même place dans la phrase.

Si je dis : *On m'a volé ma bicyclette*, je pourrai dire également, sans changer de sens, de place ou de fonction : *On m'a volé mon vélo, on m'a volé ma bécane*.
Et tout le monde comprendra qu'on m'a volé un véhicule avec un guidon, deux roues et qui me permet de me déplacer plus ou moins vite. Donc nous avons bien affaire à des synonymes.

Attention :
• Il n'y a pas de ressemblance parfaite entre deux mots. **Toute synonymie, à quelques exceptions près, est approximative, imparfaite.**
– Si vous êtes un(e) adolescent(e) et que vous vous adressiez à un copain, vous pourrez lui demander, si vous avez faim : *On va bouffer ? / On bouffe ensemble ?*
Mais si vous voulez inviter une personne que vous connaissez moins bien ou une personne qui, dans le cadre de la vie sociale, occupe une place au-dessus de la vôtre, vous direz plus conventionnellement : *Pourrions-nous déjeuner ensemble ?*
Nous ne sommes pas dans le même **registre de langue.**
→ Les registres de langue, II, 1, p. 169.
– Voici un autre exemple. On pourra dire : *Je suis heureux, je suis content de votre réussite*. Les deux termes content et heureux sont interchangeables ici. Mais observez la phrase suivante : *Cette histoire a connu une fin heureuse*. On ne pourra pas dire : **Cette histoire a connu une fin contente*. Dans ce contexte, les deux termes ne sont pas interchangeables.

Mais les synonymes, quand ils existent, sont fort utiles, car ils nous permettent d'abord d'être **plus précis** dans notre façon de parler, de choisir, parmi quelques mots « de même sens », celui qui convient le mieux au texte, à la situation, à l'interlocuteur que l'on a en face de nous, à ce que nous voulons dire, aux nuances que nous voulons donner à notre pensée.
Et ils nous permettent aussi d'être **variés**, et d'éviter ainsi les répétitions.

Vous donner la possibilité de vous exprimer avec la plus grande précision, de traduire avec certitude la complexité de votre pensée, c'est vous donner l'occasion de supprimer toute ambiguïté, d'établir entre vous et votre interlocuteur un échange clair, juste, sans équivoque, et ainsi peut-être une meilleure compréhension.

• Dans notre étude, nous intégrerons parfois ce que nous appellerons des **séries synonymiques**. Il s'agit de séries de mots qui ne sont pas de véritables synonymes, mais qui appartiennent à une même famille de sens.
Par exemple, *rue* n'est pas synonyme de *route*, ni de *boulevard*, ni de *avenue*, ni de *sentier*, mais, pour des étudiants non francophones, il peut être utile d'étudier les nuances qu'il pourrait y avoir entre ces différents mots.

• Nous ne pouvons pas traiter ici tous les synonymes de la langue française (certains dictionnaires en recensent 24 000). Cependant, nous allons en passer quelques-uns en revue, grâce à quelques thèmes de la vie courante.

• Certains mots n'ont pas de synonyme. Ce sont des mots qui désignent des notions abstraites. Ainsi, quel synonyme donner à *civilisation*, à *mémoire*… ?

• Un synonyme peut varier :
– **en précision :** appartement, villa, chalet
– **en intensité** et **en affectivité :** petit, minuscule, microscopique – une dame, une femme, une bonne femme (gradation péjorative) – un type, un individu, un homme, un monsieur (gradation méliorative)
– **en structure :** faire part de, annoncer à

Les synonymes varient en précision

Découvrons les thèmes qui vont nous permettre de **préciser** le sens de certains mots et, d'abord, le thème de la route.

■ Chemin faisant !

Un beau jour, j'ai voulu voir le monde. Alors j'ai pris la ***route****. Je suis parti, mains dans les poches, et j'ai marché.*
J'ai marché sur toutes les ***routes****, sur tous les* ***chemins****, sur tous les* ***sentiers****. Sur les* ***routes****, j'ai vu passer des voitures rapides. Et les gens enfermés dans les voitures ne voyaient rien de la beauté du monde. Sur les* ***chemins****, j'ai entendu les oiseaux, j'ai senti l'odeur des roses sauvages.*
Sur les ***sentiers****, j'ai cueilli des fraises des bois, des fruits rouges qui ont calmé ma soif et ma faim.*
Et puis un jour, un joli ***chemin****, tout simple, tout droit m'a ramené chez moi, dans ma ville, sur ses* ***boulevards****, sur ses* ***avenues****, dans ma* ***rue****, et le monde s'est arrêté à ma porte.*

La route appartient à un thème riche en termes, chacun ayant sa fonction propre. Ainsi, si on veut aller d'un point à un autre, quel mot utiliser pour désigner le lieu sur lequel on marchera, on roulera, la voie qui nous conduira quelque part ?
Faut-il dire *route*, *rue*, *avenue*, *boulevard*, *allée*, *chemin*, *sentier* ? Tous ces termes désignent précisément ce lieu où l'on se déplace.

On dira rue dans une ville, dans un lieu bordé de maisons.

L'artère est une rue importante.
L'avenue (mot formé sur le verbe *venir*) était la voie qui faisait venir les gens vers un château, vers un lieu d'habitation, et ce lieu était bordé d'arbres.

Le boulevard signifiait à l'origine un rempart, le mur de protection d'une ville et, par la suite, un lieu public de promenade.

Ces deux mots, *avenue* et *boulevard*, ont évolué et désignent aujourd'hui de larges rues avec ou sans arbres.

L'impasse est une petite rue fermée à un bout, la ruelle est une petite rue.

J'aime marcher dans les ***rues*** *d'une grande ville, il y a tant de choses, tant de choses à voir !!*
Les soirs d'été, on voit une foule colorée et gaie flâner sur les ***avenues*** *et les* ***boulevards.***

L'avenue, le boulevard, l'impasse, la rue, la ruelle peuvent former un quartier (une partie de la ville).

L'allée (mot où l'on reconnaît le participe passé du verbe *aller*) désigne une voie bordée d'arbres. Normalement, les allées se trouvent dans des jardins.

*— Regarde entre les arbres là-bas, oui, dans l'****allée****, c'est Jean-Paul.*
— Tu rêves ! Jean-Paul est parti il y a plus de trois ans !!
— C'est vrai ? Mais regarde, le voilà, non, il est caché par un arbre, le voilà, non, il est caché de nouveau. Mais on dirait vraiment Jean-Paul !!

La route, le chemin, le sentier sont des voies de campagne.

La route est la voie qui relie deux villes, deux villages, deux lieux d'habitation entre eux.

L'autoroute est une voie à sens unique réservée aux véhicules à moteur.

Pour aller de Paris à Versailles, est-ce que nous prendrons ***l'autoroute*** *ou* ***la route*** *qui traverse la forêt ?*

Le chemin est une voie tracée par l'homme pour aller d'un lieu à un autre à la campagne.

Le sentier est un chemin plus étroit tracé par le passage des hommes ou des animaux à la campagne ou dans la montagne.

— Quelle belle balade à bicyclette ! Quel joli ***chemin****, et comme ce* ***sentier*** *sent bon ! Il est plein de fleurs et de cailloux !*

Le mot *chemin* est un peu particulier aussi, parce qu'il désigne également **la distance, l'espace** à parcourir pour aller d'un lieu à un autre.

Tous les après-midi, je vais chercher mon enfant à l'école, et ***en chemin****, je m'arrête à la boulangerie pour lui acheter un petit pain au chocolat.*

Ce mot *chemin* entre d'ailleurs dans la composition de plusieurs locutions qui indiquent un déplacement.

Être en chemin, se mettre en chemin, suivre son chemin... Quel est le chemin pour aller de cette rue à cette rue ? Indiquez-moi le chemin pour aller à la poste centrale... Faire du chemin (*aller loin*, au sens propre et au sens figuré de « réussir »)

Et il donne un nom composé : un chemin de fer, moyen de transport utilisant la voie ferrée.

➔ Les expressions imagées, II, 2, p. 216.

Petite remarque On dit « marcher **dans** une rue », parce que la rue comprend la chaussée (sur laquelle les voitures roulent), les trottoirs (sur lesquels les piétons marchent) et aussi les maisons. Cet ensemble donne l'idée d'un lieu fermé. D'où les termes : **dans** la rue. Alors que *la route* est un lieu complètement ouvert sans maisons ; c'est pourquoi on marche / on roule **sur** une route.

Pour *l'avenue* et *le boulevard*, étant donné le changement de sens de ces deux mots, l'usage est fluctuant et on peut employer indifféremment les deux prépositions : marcher **dans** / **sur** l'avenue / le boulevard.

Chemin faisant ! En mouvement ! Je traverse l'espace !

*Il est 8 heures du matin. Les rues sont pleines de gens qui **marchent**. Pourquoi **marchent-ils** ? Est-ce que nous sommes dimanche, est-ce qu'ils ont le temps de **se promener**, de **flâner** devant les vitrines des magasins, est-ce qu'ils sont en route pour **se balader** dans un bois, dans une forêt ? Non, **ils marchent** parce que les métros et les bus sont en grève. **Ils avancent** vers leur destination en **arpentant** les rues et les boulevards. Parfois, **ils errent** dans des rues mystérieuses ; ils ne connaissent pas le trajet à pied, ils ne le connaissent qu'en métro ou en bus. Et le soir, quand ils rentreront chez eux, dans le froid, dans le noir, ils rencontreront peut-être des gens qui **rôdent**, et **ils presseront le pas**, **ils courront** même pour retrouver la tranquillité de la maison.*

Marcher, c'est mettre en mouvement ses jambes, se déplacer physiquement parce qu'on en a la capacité. Il peut y avoir plusieurs façons de marcher.
On peut marcher en prenant son temps, et même en perdant son temps. Alors, on flâne.
On se promène quand on marche sans se presser, généralement pour prendre l'air ou pour faire un exercice physique.
On se balade comme on se promène. On fait des *balades*, dans les rues, dans les jardins, dans les forêts.
Arpenter, c'est marcher à grandes enjambées, à grands pas.

*Le père qui attend la naissance de son enfant a refusé d'entrer dans la salle d'accouchement ; il est dehors et il **arpente** le couloir.*

Errer, c'est aussi marcher sans but, comme *flâner*, mais avec une nuance particulière : *errer* signifie qu'on est perdu, qu'on ne sait pas on l'on est.

*J'**erre** dans une ville que je ne connais pas.*

Rôder, c'est aussi marcher sans but, sans vraiment savoir où l'on est ; mais en plus, dans l'action de rôder, il y a l'idée que celui qui rôde a de mauvaises intentions, qu'il peut être dangereux. Pas du tout comme l'enfant qui marche à petits pas près de sa mère, qui trottine.

À bicyclette, à moto, en voiture, en train !

Si marcher vous fatigue, eh bien, prenez donc **un moyen de locomotion, un véhicule** qui vous transportera plus ou moins vite d'un lieu à un autre. Et par exemple, si vous êtes sportif, prenez un véhicule à deux roues.

Une cliente — *Bonjour monsieur, j'aimerais acheter **une bicyclette** ; je la voudrais solide et pratique mais aussi élégante.*

Sa fille — *Mais pourquoi as-tu besoin d'un* ***vélo****? Il y a ma* ***bécane****, tu peux la prendre si tu veux, moi je vais m'acheter* ***un V.T.T.*** *pour aller en Corse cet été, avec les copains... Tiens, vous avez aussi des* ***vélomoteurs****? C'est pas mal pour rouler en ville. Oh, le beau* ***scooter****! Est-ce que je pourrais voir vos* ***motos****? J'aimerais une* ***moto****, pas trop puissante, mais avec laquelle je pourrais rouler aussi sur une route et...*
La cliente — *Une moto? Allez, ma fille, on s'en va! Au revoir monsieur!*
Le vendeur — *... Mais votre* ***bicyclette****?*
La cliente — *Non, non, merci, je n'en veux pas, on s'en va! Au revoir monsieur!*

Si vous voulez faire de l'exercice, prenez une bicyclette, un vélo (familier mais courant) ou une bécane (familier) ; vous pouvez prendre aussi un V.T.T., un vélo tout terrain (niveau de langue normal ou soutenu) qui vous permet d'entrer dans les bois, de prendre des pistes, de monter, de descendre.
Si vous voulez faire semblant d'être sportif, vous pouvez grimper sur un cyclomoteur, un vélomoteur (des bicyclettes à moteur), un scooter (véhicule à moteur sur lequel le conducteur est assis, les pieds posés sur une plate-forme), une motocyclette ou une moto (la moto peut avoir un moteur très puissant).

— Salut, où vas-tu?
— Je vais à la gare prendre un billet de ***train****. Je pars demain pour Marseille.*
— Super, tu vas prendre ***le T.G.V.****?*
— Bien sûr, tu imagines! Paris-Marseille en trois heures! C'est mieux que ***l'avion*** *ou* ***la voiture****. On a à peine le temps d'ouvrir un journal, de boire un café dans la voiture-bar, et on est déjà arrivé. Remarque, ça va plus vite, c'est plus pratique, mais je trouve qu'on a perdu un peu de la poésie des voyages, ces longs voyages qui vous laissaient le temps de rêver.*

→ Les sigles, II, 1, p. 181.

La voiture, l'automobile, ou l'auto, la bagnole (familier) sont des moyens de locomotion rapides, ainsi que le chemin de fer, le train, le T.G.V. (le train à grande vitesse), ou le train autos-couchettes (train où vous pouvez dormir et où vous pouvez faire transporter votre voiture). Si vous faites le trajet de nuit, peut-être réserverez-vous un wagon-lit.

→ Les mots composés, I, 1, p. 59.

Si vous voulez aller très loin, pensez au Transsibérien, qui vous mènera de Paris à Vladivostok.

■ Que d'eau, que d'eau !

Il y a d'autres routes possibles, il y a les routes des **eaux**, sur lesquelles on navigue, on flotte !

Les cours d'eau : les eaux qui coulent, qui courent

Quel enfant n'a pas envoyé sur ***un ruisseau****, sur* ***un torrent*** *ou sur* ***un canal*** *un petit bateau de papier ou de bois? Et il l'a regardé suivre* ***le*** *__courant__ en se disant que ce bateau irait peut-être jusqu'à __la rivière__, jusqu'__au fleuve__, jusqu'à __la mer__. Et il l'a regardé s'éloigner en rêvant qu'il était le capitaine de ce bateau et qu'il partait loin, bien loin, au bout du monde.*

le canal : un cours d'eau artificiel
le fleuve : un cours d'eau qui va jusqu'à la mer
la rivière : un cours d'eau qui se jette dans un fleuve, dans une autre rivière ou dans un lac
le ruisseau : un tout petit cours d'eau, étroit
le torrent : un cours d'eau de montagne, qui descend avec une certaine force et coule sur de gros rochers

Les eaux dormantes : les eaux qui ne coulent pas, les eaux immobiles

Quel plaisir, quelle joie, ces fortes, ces puissantes pluies d'été ! Elles laissent au sol de larges __flaques__ brillantes qui servent de terrain de jeu. Et on saute par-dessus, et on saute dedans, on donne de grands coups de pied et l'eau monte, retombe et mouille et on crie de bonheur. Quel plaisir, quelle joie, ces pluies d'été qui agrandissent la __mare__. Et on nage et on barbote, et on trempe le bec et on fait coin-coin. Quel plaisir, quelle joie, ces pluies d'été qui remplissent les __étangs__, les __lacs__ et les __marais__. Et on plonge, et on rase l'eau et toute la nature est satisfaite. Grenouilles, canards, oiseaux, rats d'eau, tout vit, tout revit.

le bassin : espace construit pour recevoir de l'eau

Dans les jardins publics, il y a souvent des __bassins__, dans lesquels les enfants s'amusent à faire flotter des bateaux ou des voiliers.

la flaque : très petite étendue d'eau qui reste au sol après la pluie et puis qui disparaît
la mare : petite étendue d'eau dormante plus grande que la flaque, dans laquelle le fermier fait boire ses animaux
l'étang : étendue d'eau dormante, entourée de plantes, de roseaux, de joncs où vivent des oiseaux, des canards sauvages
le lac : grande étendue d'eau dormante
le marais : nappe d'eau stagnante, recouvrant un terrain particulièrement envahi par la végétation

Les jolis bateaux qui vont sur l'eau !

Sur quel __bateau__, quel __navire__ aimeriez-vous partir ? Aimez-vous les promenades calmes, sans danger, alors prenez une __barque__ et ramez !
Préférez-vous descendre lentement les fleuves et les rivières en découvrant les berges et les quais, c'est une __péniche__ qu'il vous faut.
Appréciez-vous le luxe, les longues traversées, la sieste sur une chaise longue, les repas à la table du capitaine, les bals dans de magnifiques salons, embarquez sur un __paquebot__, mais pas sur le Titanic *!!*

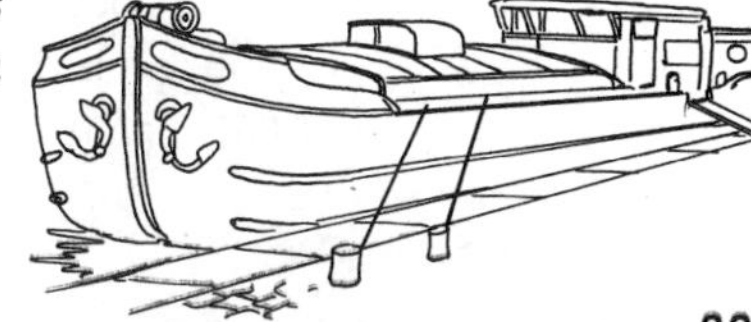

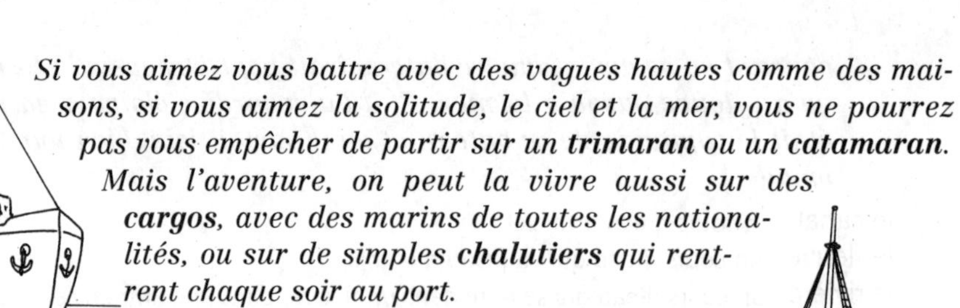

Si vous aimez vous battre avec des vagues hautes comme des maisons, si vous aimez la solitude, le ciel et la mer, vous ne pourrez pas vous empêcher de partir sur un ***trimaran*** *ou un* ***catamaran****. Mais l'aventure, on peut la vivre aussi sur des* ***cargos****, avec des marins de toutes les nationalités, ou sur de simples* ***chalutiers*** *qui rentrent chaque soir au port.*

De nombreux mots désignent le bâtiment qui va sur l'eau.
Le terme général est bateau, ou navire qui est moins courant.
Pour naviguer sur un étang ou sur un lac, on prend une barque, qu'on fait avancer avec des rames.
Sur un fleuve ou sur une rivière, on peut embarquer dans un canot à moteur, et aller beaucoup plus vite, parfois même très vite. Sur ce fleuve, on pourra croiser des péniches, ces bateaux à fond plat qui transportent des matières premières, du charbon, du bois, etc., et sur lesquels vivent parfois des familles entières.
Si vous habitez un port, vous pourrez aller admirer les grands paquebots qui traversent les océans en transportant des passagers, les élégants voiliers de promenade ou ces étranges voiliers de course, trimarans, catamarans, avec lesquels des marins expérimentés et courageux font parfois le tour du monde. Vous pourrez aussi rêver devant les cargos parce qu'ils vont sur toutes les mers en transportant toutes sortes de marchandises, ou bien vous observerez le va-et-vient des chalutiers, ces bateaux de pêche qui rapportent le soir leur pêche de la journée et jettent sur le port des tonnes de poissons.

Les eaux qui viennent du ciel… avec le vent

Première passante — *Quel vent ! Quelle* ***tempête*** *!*
Deuxième passante — *Quoi ? Comment ? Je ne vous entends pas !*
Première passante — *Je disais : quelle* ***tempête*** *!*
Deuxième passante — *Mon Dieu ! Mon parapluie ! Mon parapluie ! Regardez, il s'envole ! Quelle tempête !*
Première passante — *Comment ? Qu'est-ce que vous dites ?*

Pendant que ces deux passantes tentent de marcher contre le vent pour rentrer chez elles, une ***averse*** *brutale inonde en un instant les rues, les jardins. Cette* ***pluie****, qui n'est ni une* ***ondée*** *ni de la* ***bruine****, est si violente qu'elle arrache les feuilles des arbres. Puis on voit les arbres eux-mêmes se coucher sur la chaussée, coupés net à la base. Le vent se met à souffler en* ***rafales****, les volets des fenêtres volent et les cheminées s'écrasent au sol. Quelle* ***tempête*** *!*

la pluie : eau qui tombe du ciel en gouttes
une averse : pluie violente de courte durée, grosse ondée
une ondée : grosse pluie subite et de faible durée
la bruine : petite pluie continue, fine et pénétrante = le crachin (dans l'ouest de la France)
la grêle : pluie de grains de glace plus ou moins gros
la neige : pluie gelée tombant en hiver sous la forme de flocons blancs et légers

Ces eaux sont souvent accompagnées de **vent**, plus ou moins violent, plus ou moins fort.

le vent, un coup de vent, une rafale : mouvement de l'air plus ou moins violent

un orage : trouble atmosphérique caractérisé par des phénomènes particuliers (bruit : le tonnerre ; lumière : les éclairs) accompagné de pluie, de vent

une tempête : violent orage

■ À la maison

Quand la tempête souffle, on reste chez soi.

Il fait froid dehors, il fait nuit, mais je suis ***chez moi****. Qu'est-ce que c'est mon* ***chez-moi****? C'est, sous les toits d'un bel* ***immeuble****, un petit* ***logement*** *modeste, mais un* ***intérieur*** *agréable que j'ai arrangé à ma façon. C'est un tout petit* ***appartement*** *de deux* ***pièces****, deux anciennes* ***chambres de bonne*** *réunies. Dans un coin, une douche. Dans un placard, un petit bloc cuisine.*

Parfois, je passe la tête à ma petite fenêtre et, du haut de mes sept étages, je regarde les autres immeubles. Je vois de beaux ***appartements*** *de cinq ou six* ***pièces****, richement meublées. Un grand* ***salon****, une* ***salle à manger****, trois ou quatre* ***chambres*** *(il y a des enfants, et chaque enfant a sa chambre). Et je rêve ! Un jour peut-être... moi aussi j'aurai un grand* ***appartement****, ou une* ***villa*** *au bord de la mer, ou un* ***chalet*** *à la montagne. Mais pour le moment je suis heureuse dans mon petit* ***logement****, je suis libre, j'ai des amis, la vie est devant moi... et le monde est ma* ***maison****...*

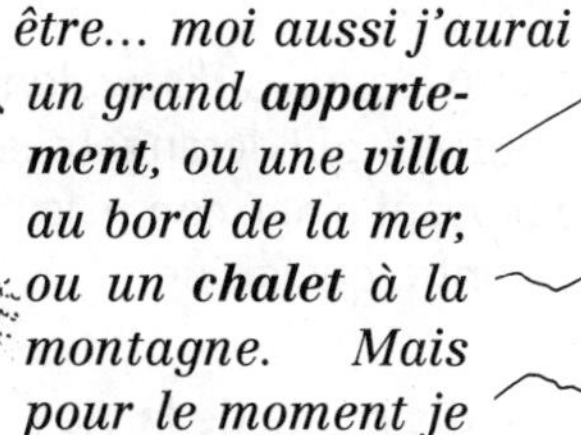

Attention : ne confondez pas *la pièce*, *la salle* et *la chambre*.

Dans un appartement, dans une maison, on appelle pièce chaque partie entourée de murs, séparée du reste (la salle de bains, la cuisine, le couloir ne sont pas comptés comme des pièces).

Quand la pièce est meublée, quand on sait à quoi elle va servir, quand on sait si on va y dormir, y manger ou y recevoir des amis, la pièce alors prend un autre nom.

Elle devient chambre, si on y dort, salle à manger, si on y mange, salon, salle de séjour, ou living, si on y reçoit ses amis.

→ Les emprunts, II, 1, p. 193.

Une salle, c'est aussi un grand local : salle de classe, salle d'études, salle d'attente, salle de restaurant, salle d'opération.

Chut, il y a des gens qui dorment !

Dans cette maison, on travaille, mais on vit aussi. Et donc, on parle, on crie, on chante, on bouge, on danse, on fait du **bruit**.

> Dans un commissariat de police, un vieux couple
> Le mari — *Monsieur le commissaire, ça ne va pas !*
> La femme — *Alors, là, ça ne va pas du tout !*
> Le mari — *Nous portons plainte.*
> La femme — *Oui, oui, nous portons plainte. C'est ça, c'est bien ça.*
> Le mari — *Plusieurs fois par semaine, nos voisins reçoivent des amis, et toute la nuit c'est un* ***tapage*** *infernal, un* ***boucan*** *qui nous empêche de dormir. Quelle époque ! Nous sommes obligés d'entendre leur musique techno, comme ils disent ; enfin pour nous, c'est plutôt du* ***tintamarre***, *du* ***vacarme***. *Et au milieu de la nuit, ils ont tellement bu qu'ils cassent tout, ils brisent tout. Et c'est ce* ***fracas*** *qui nous réveille. Quelle époque !*
> La femme — *Et quand nous frappons à leur porte pour nous plaindre, ils nous ouvrent en faisant un* ***chahut*** *terrible. Quelle époque ! Oui, oui, nous portons plainte.*

Lorsque les enfants reçoivent leurs amis, ils écoutent de la musique, ils remuent des verres, des assiettes, ils ouvrent le réfrigérateur, ils font du vacarme, du boucan (familier).
Parfois, ils cassent des bouteilles ou des verres, et on entend le fracas de cette vaisselle cassée.
Parfois, c'est le tapage, le tintamarre de leurs discussions animées, de leurs rires, de leurs cris, des bruits des chaises poussées qui dérangent les voisins.
Le chahut (familier) est le désordre bruyant dirigé contre le maître dans une classe, ou une manifestation bruyante et hostile contre quelqu'un.

Le calme revient ! Et avec lui, les petits bruits de la vie !

> *Quel silence ! Le collège voisin est bien calme. Tous les enfants sont loin. Ils sont en vacances. Pas un* ***bruit***, *pas un* ***son***... *Plus de* ***cris aigus***, *plus de* ***hurlements stridents***, *plus de* ***voix criardes***, *de portes qui* ***claquent***. *Et comme c'est bizarre, ce silence nous laisse entendre tous les petits bruits de la vie. On entend le feu qui* ***crépite*** *dans la cheminée, l'huile qui* ***grésille*** *dans la poêle, l'eau qui* ***pétille*** *dans nos verres. On peut même entendre de temps en temps le bois du parquet* ***craquer*** *sous nos pas, et la porte qu'on n'a pas encore huilée* ***grincer*** *quand on la pousse. On entend aussi des voix qui* ***murmurent***, *des voix qui* ***chuchotent***, *voix de la douceur, voix de la tendresse. Ce sont les petits bruits de la vie !*

Plusieurs adjectifs traduisent la qualité **désagréable** d'un son.

- aigu, aiguë : son élevé
- criard(e) : désagréable, discordant(e)
- strident(e) : bruit, son aigu, intense

Plusieurs verbes signifient : **produire un bruit sec**.

- claquer : produire un bruit sec et sonore ; une porte claque, un coup de feu claque
- craquer : produire un bruit sec comme le fait le feu, le bois

Plusieurs verbes signifient : **produire une succession de bruits secs**.

crépiter : le feu crépite, la pluie crépite sur le trottoir, une mitraillette crépite

grésiller : l'huile grésille, la radio grésille, le téléphone grésille

pétiller : le champagne pétille, l'eau gazeuse pétille, le feu pétille

Autres notions

grincer : produire un son désagréable ; une porte non huilée grince

murmurer : parler à mi-voix en remuant à peine les lèvres

chuchoter : même sens que *murmurer*, mais il a aussi la valeur de l'onomatopée

→ Les onomatopées, II, 2, p. 203.

■ On vend, on achète, on mange, on boit !

La vie, c'est aussi le monde extérieur, le monde du commerce, du travail, des vacances !
Au début de l'été, les **magasins** vendent moins cher leurs marchandises. Ce sont **les soldes**.

> *Jours de folie ! Jours de* ***soldes*** *! Tout est moins cher ! La rue du Commerce est pleine de gens qui courent de* ***boutique*** *en* ***boutique****, de* ***magasin*** *en* ***magasin*** *!*
> *Suivons cette femme ! Comme une fourmi, elle va et vient. La voilà dans une* ***boutique****, et puis la voilà dans une autre, et la voilà de nouveau dans la première, pourquoi ? Mystère !*
> *Midi ! Ira-t-elle dans un* ***café****, dans un* ***bistrot****, dans un* ***restaurant****, dans une* ***brasserie*** *? Non, elle n'a pas le temps. Elle s'arrête pour s'acheter une crêpe dans une* ***baraque****.*
> *Elle a les épaules, les bras, les mains de plus en plus chargés de paquets. Toute la rue lui appartient. Six heures du soir ! Elle va passer devant le* ***kiosque*** *à journaux sans pouvoir s'arrêter, sans pouvoir déposer ses paquets pour acheter le journal du soir. Elle rentre ! Et puis, voilà qu'elle a faim ! Seulement, il n'y a rien à manger, elle a tout simplement oublié de s'arrêter au* ***marché****, elle a oublié le rayon alimentation du* ***supermarché****.*

Le magasin est un lieu, un local où on conserve, où on vend des marchandises, généralement des marchandises d'une seule sorte (vêtements, chaussures, maroquinerie, objets en cuir...).
Les grands magasins sont des endroits très spacieux où on trouve des marchandises de toutes sortes. (En France, à Paris, les grands magasins datent du XIXe siècle ; ce sont le Printemps, les Galeries Lafayette, le Bon Marché, la Samaritaine, le Bazar de l'Hôtel de Ville...)
La boutique est un local, plus petit.
Les supermarchés, en France, sont des magasins assez grands qui vendent de tout, depuis les vêtements jusqu'aux légumes, en passant par la papeterie, les produits laitiers, les produits de beauté...
Les kiosques sont de petites constructions légères, posées sur des trottoirs, où l'on vend principalement des journaux ou des billets de théâtre.
La baraque est une petite construction en bois, où l'on vend des frites, des crêpes, des gaufres.
La brasserie est un lieu où on peut boire et manger comme dans un café. Mais la brasserie est plus grande, on y mange comme dans un restaurant, avec de jolies nappes sur la table, on y prend le thé à cinq heures.

Dans le bistrot, on peut boire comme dans un café (on boit surtout du vin), on mange généralement des sandwichs. Le lieu important du bistrot, c'est le comptoir qui est souvent couvert d'un métal dur, blanc gris, qu'on appelle le zinc ; *le zinc*, c'est aussi le nom qu'on donne à ce comptoir, devant lequel les clients s'installent pour boire, manger, bavarder.

■ Allez, au travail, au boulot !

Il est six heures du matin.
L'enfant — *C'est l'heure ? Il faut déjà se lever pour aller à l'école ?*
La mère *(qui a un* ***poste*** *de professeur dans un lycée) — Eh oui, encore une journée de* ***travail****! Allez, debout, paresseux ! Tu vas retrouver tes camarades et moi mes* ***collègues****.*
L'enfant— *Je ne suis pas paresseux, je fais des* ***devoirs*** *chaque soir et je suis fatigué...*
Le père *(qui est médecin, a rendez-vous avec un* ***confrère*** *pour parler d'un* ***patient****) — Allez, debout ! Au* ***boulot****, au* ***travail****! C'est à l'école que tu prépares ton avenir, ton* ***métier****, ta* ***profession****. Et pour ça, il faut se lever tôt. Debout, debout, mon fils !*
(Le fils aîné est étudiant mais il a un ***emploi*** *à mi-temps dans une banque.)*
La fille *(qui remplit une* ***fonction*** *de secrétaire de direction dans une administration, sort de sa chambre en bâillant) — Pourquoi tout ce bruit, pourquoi toute cette agitation un dimanche ?*
La mère — *Un dimanche ? Ma petite, tu as trop dansé hier soir, nous sommes lundi, une nouvelle semaine commence, une nouvelle journée, une journée ordinaire, une journée de* ***travail****.*

Dans cet appartement, il y a des gens, des gens qui travaillent. Ils vont tous les jours au travail. Ils passent leur journée à faire quelque chose. Ils font des efforts chaque jour pour gagner leur vie, pour leur plaisir. L'occupation, l'effort des gens, c'est leur travail, leur boulot (familier).
Les gens peuvent être employés dans un bureau, ouvriers dans une usine, professeurs dans un lycée, fonctionnaires dans une administration, médecins dans un hôpital, dans un cabinet médical...

l'emploi : l'activité d'une personne qui est sous les ordres de quelqu'un
*Pierre est au chômage. Tous les jours, il consulte les offres d'****emploi*** *qui paraissent dans son journal.*

la fonction : une profession qui contribue à la vie de la société et qui dépend d'une autorité publique

le métier : une profession, le plus souvent manuelle ou technique
Mon fils a un bon ***métier****, il est plombier.*

le poste : un emploi dans une hiérarchie et par rapport à un lieu
L'ambassadeur a rejoint son ***poste*** *à Londres.*

la profession : l'occupation qui permet de gagner sa vie
Quelle est votre ***profession*** *?*

les collègues : des personnes qui exercent la même fonction et appartiennent à la même entreprise, à la même administration ; des professeurs sont des *collègues*.
les confrères : des personnes exerçant la même profession libérale, comme les médecins. les avocats, les architectes

*Mon cher **confrère**, je vous adresse un de mes patients (un de mes malades), M. X., qui a besoin de l'avis d'un spécialiste.*

Mais si on travaille à l'extérieur, on travaille aussi dans la maison. Et là, tout le monde met la main à l'ouvrage, tout le monde met la main à la pâte (familier), tout le monde travaille.
Chacun a une tâche ménagère bien précise. La mère fait la cuisine, les enfants font leur lit et leur chambre, ils mettent la table, et le père, quelle est la tâche du père ? Lui aussi travaille à la maison. Il fait la vaisselle, par exemple, ou il aide la mère à la cuisine.

→ Quelques verbes polysémiques, II, 1, p. 148.

Les enfants ont aussi des devoirs à faire pour l'école, le collège et le lycée : devoirs de mathématiques, de science, d'histoire, de langue ; malheureusement, certains enfants n'aiment pas faire leurs devoirs, pour eux ce sont des corvées (quelque chose d'ennuyeux et d'inutile) ; parfois aussi pour la mère, la cuisine et le ménage sont des corvées.

■ Enfin, on se repose !

La mère de famille nombreuse rêve – ***Vacances, congés, R.T.T., loisirs, vacances, congés, R.T.T., loisirs**, mots étranges, mots inconnus ! Ma vie, c'est repas, courses, lessive, ménage, repassage. Les vacances, repas, courses, lessive, ménage, repassage. Les congés, repas, courses, lessive, ménage, repassage. **R.T.T.**, mais qu'est-ce que c'est, ces trois lettres mystérieuses ? C'est une formule magique pour certains, c'est une formule incompréhensible pour d'autres.*

→ Les sigles, II, 1, p. 180.

Les écoliers, les lycéens et les étudiants se reposent, ils ont des vacances en été. Deux mois de loisirs où ils ne travaillent pas, et qui sont parfois des mois d'oisiveté, de désœuvrement, où ils ne font rien.
Les fonctionnaires, les employés, les ouvriers peuvent prendre des congés pendant l'année. Ils ont des congés à Noël, à Pâques, et quelques jours de congés au mois de mai. Ils ont aussi quelques jours de R.T.T. (réduction du temps de travail). Normalement, aujourd'hui, la journée de travail est de 7 heures, la semaine de travail de 35 heures. Mais de nombreuses personnes ont gardé le rythme d'une journée de travail de 8 heures. Donc de temps en temps, pour récupérer les heures faites en trop, elles prennent quelques jours de congés qu'on appelle *R.T.T.*

Attention : ne confondez pas *le chômage* et *les vacances*. Ces deux états indiquent une interruption dans le travail. Mais le chômage, malheureusement, est un état imposé et non pas choisi ; imposé par une situation économique ou autre.

■ On quitte tout et on bouge

***Partir, partir** loin, là où les oiseaux sont de toutes les couleurs, là où les poissons **volent**, là où d'énormes fleurs **montent, grimpent** le long des arbres pour **aller** chercher le soleil et s'épanouir sous ses rayons. **Partir** là où des singes **bondissent** de branche en branche, là où des kangourous **sautent** dans les prairies. Là où des animaux paresseux **gravissent** avec effort le tronc des arbres, là où des enfants libres **se hissent** sur des branches pour rejoindre les animaux, là où ils **vont** et **viennent** heureux, sans contrainte, **escaladant** des roches, **dévalant** des pentes, sans **trébucher** ni **vaciller**, ni **chanceler**, ni **tituber**. Là où **tombent** des pluies violentes qui noient le paysage, là où **s'abattent** des tempêtes jamais vues ailleurs, là où parfois le ciel semble **s'écrouler, s'effondrer** sur la terre. Là où le monde n'est plus pareil.*

- **Aller, partir**

Aller indique **un but, une destination.**

*Je **vais** au bureau, je vais à l'opéra, au collège, au restaurant.*

Et d'ailleurs, petit fait sémantique et grammatical à la fois, je vais + à… est toujours suivi d'un nom de lieu accompagné de l'article défini. Parce que, en principe, on sait où on va.
Et si le nom de lieu est accompagné d'un adjectif, ce qui lui donne une valeur particulière et demande alors l'utilisation d'un article indéfini, on dira : aller dans…

*Je **suis allé dans** un excellent restaurant.*
*Nous **sommes allés** hier **dans** un cinéma d'art et d'essai.*

Partir, c'est quitter un lieu pour un autre lieu. Et généralement, *partir* c'est se mettre en route pour une destination lointaine. Ce qui est important avec ce verbe, ce n'est pas la destination finale comme avec *aller*, mais **le mouvement vers**…

*Je **pars** ————→ pour l'Angleterre.*

- **Aller, venir**

En principe, ces deux verbes montrent deux mouvements inverses.

Je vais ————→
Je viens ←————

Observez :

*— **Veux-tu venir chez moi demain, je reçois quelques amis ?*** (Tu n'es pas chez moi, tu viendras d'un lieu où tu es, pour te rendre dans un lieu où tu n'es pas.)

*— **Oui, je veux bien aller chez toi.*** (La réponse correcte est donnée avec le verbe *aller*, parce que de mon point de vue, je quitte un lieu pour une destination différente.)

Aujourd'hui, dans la langue courante, on fait souvent la confusion entre ces deux verbes.

- **S'élever verticalement**

  sauter : quitter le sol, franchir un espace, s'élancer d'un lieu élevé

  *L'enfant **saute** de joie.*

  bondir : en parlant d'une personne ou d'un animal, s'élever brusquement en l'air par un saut

  *Le lion **bondit** sur la gazelle.*

- **Monter en faisant un effort**

  escalader : franchir, faire l'ascension

  *Les alpinistes **escaladent** les montagnes.*

  gravir : monter avec effort en s'aidant des mains et des pieds

  *Le petit groupe **gravissait** les pentes du mont Blanc.*

  grimper : monter en s'aidant des mains et des pieds, monter avec effort

  *L'enfant aime **grimper** aux arbres.*

  se hisser : s'élever avec effort

  *Le prisonnier **s'est hissé** sur le mur et l'a franchi.*

- **Faire un mouvement vers le bas, une chute**

  dévaler : descendre à toute allure

  *Il était pressé, il **a dévalé** l'escalier à toute allure.*

  tomber : être entraîné de haut en bas

  s'abattre : tomber d'un coup, se laisser tomber brusquement

  *Les sauterelles **se sont abattues** sur les champs.*

  s'écrouler : tomber de toute sa masse, tomber lourdement en se brisant

  *Le vieux mur **s'est écroulé**.*

  s'effondrer : tomber sous un poids

  *Le toit de la maison **s'est effondré** sous le poids de 4 mètres de neige.*

- **Faire un mouvement maladroit, perdre l'équilibre (chute possible)**

  chanceler : pencher comme si on allait tomber

  *Elle **a chancelé** en apprenant brutalement la mort de son petit chien.*

  tituber : aller de droite et de gauche en marchant

  *L'ivrogne **titube**.*

  trébucher : faire un faux pas, perdre soudain l'équilibre

  *On **trébuche** sur une pierre.*

  vaciller : aller de droite et de gauche et risquer de tomber

  *Après trois semaines de maladie, elle s'est enfin levée, mais elle **vacillait** sur ses jambes.*

■ Le monde des perceptions

Le monde autour de moi : je le vois, je l'entends, je le touche, je le goûte, je le sens !

*L'enfant qui vient de naître **ouvre les yeux** et **regarde**, et qu'est-ce qu'il **voit** ? D'abord, une lumière vive, aveuglante. Puis, il **perçoit** des formes étranges. Il **écoute**, et qu'est-ce qu'il **entend** ? Des bruits bizarres. Parfois, quelque chose se penche vers lui. Et l'enfant **regarde, fixe, observe**,*

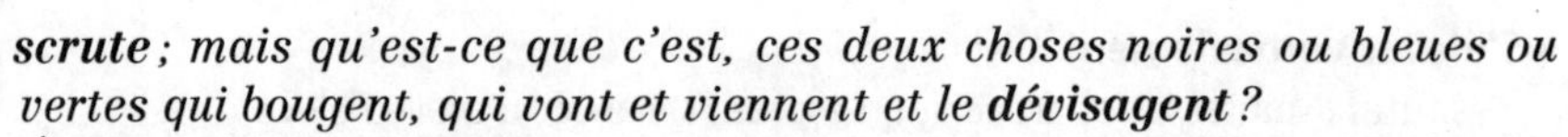

***scrute**; mais qu'est-ce que c'est, ces deux choses noires ou bleues ou vertes qui bougent, qui vont et viennent et le **dévisagent**?*
*À côté de lui, il **distingue** une présence douce qui le **surveille, prête l'oreille** la nuit à tous ses petits bruits, le **regarde**, le **contemple** (comme il est beau!); qui le **touche**, le **caresse**, l'**effleure**. Parfois, on le **frotte**, on le **frictionne**, on le **masse**, c'est agréable et désagréable; parfois quelqu'un le **palpe**, le **tâte**, le **chatouille**, mais lui aimerait mieux se sentir serré contre le sein maternel qui lui apporte ce lait tiède et sucré, qu'il **goûte, savoure, déguste** avant de s'endormir en **respirant l'odeur** fraîche de ce monde nouveau.*

On découvre le monde par ses cinq sens: la vue, l'ouïe, le toucher, le goût, l'odorat

• VOIR

Attention à la différence entre voir et regarder

Je vois et j'entends parce que j'ai des yeux et des oreilles.
Je regarde et j'écoute parce que j'applique ma volonté à l'action de *voir* et d'*entendre*.

*Je **regarde** un tableau au musée, mais en même temps je peux **voir** les gens près de moi.*
*Je **regarde** le professeur dans la classe, mais en même temps je peux **voir** les murs de la classe.*
*Je **regarde** le ciel, mais en même temps je peux **voir** les maisons, les arbres.*

Mais **attention**, on dira:

*Je **regarde** un film, une émission à la télévision.*

Mais: *La semaine dernière, **j'ai vu** un film, une émission à la télévision.* (Il ne reste plus que l'action. La volonté n'agit plus, puisque c'est du passé.)
***J'ai vu** mes amis hier soir.* (J'ai rencontré mes amis.)

apercevoir: voir rapidement, brièvement
*J'ai **aperçu** la vedette malgré la centaine d'admirateurs qui l'entouraient.*

percevoir: avoir conscience d'une sensation
*Même dans mon sommeil, je **perçois** les bruits du dehors.*

observer: regarder attentivement pour connaître
*Les astronomes du monde entier **ont observé** l'apparition d'objets mystérieux dans le ciel.*

examiner: regarder très attentivement
*Sherlock Holmes **examine** les indices trouvés sur les lieux d'un crime.*
*Le douanier **examine** le contenu de la valise.*

distinguer: voir d'une manière distincte, sans confusion
*Le brouillard commence à disparaître et on **distingue** enfin les arbres, les formes, les montagnes.*

fixer: regarder attentivement, ne pas détacher son regard de quelqu'un ou de quelque chose

surveiller: avoir l'œil sur, observer pour contrôler
*Le gardien de prison **surveille** les prisonniers.*
*La mère **surveille** les enfants qui jouent au bord de l'eau.*

scruter : observer attentivement pour découvrir quelque chose

*La femme du marin **scrute** l'horizon pour apercevoir le bateau de son mari.*

épier : regarder en se cachant

*Derrière ses rideaux, ma voisine **épie** les gens qui entrent et sortent de notre immeuble.*

dévisager : regarder le visage de quelqu'un avec une attention indiscrète

*Les gens qui sont dans le métro se **dévisagent** mutuellement pour passer le temps.*

contempler : regarder avec admiration

*Je **contemple** le ciel, les montagnes, la mer.*

- **ENTENDRE**

Attention à la différence entre entendre et écouter

*J'**écoute** de la musique, mais en même temps je peux **entendre** les bruits de la rue.*

*J'**écoute** le conférencier, mais en même temps j'**entends** le monsieur qui tousse à côté de moi.*

*J'**écoute** le professeur, mais en même temps je peux **entendre** des élèves qui bavardent.*

Attention, on dira :

*J'**écoute** en ce moment une sonate de Schubert, mais il y a quelques années, **j'ai entendu** la même sonate jouée par un autre pianiste.*

prêter l'oreille

*Elle est très curieuse : elle **prête l'oreille** à tout ce qui se dit autour d'elle.*

- **TOUCHER**

caresser : effleurer à plusieurs reprises

*Mon chat adore se faire **caresser**.*

chatouiller : provoquer, en touchant légèrement des parties du corps, une sensation agréable ou pénible accompagnée d'un rire nerveux

*Les enfants aiment qu'on les **chatouille** ; mais en riant et en criant, ils demandent qu'on arrête ; et quand on arrête, ils demandent qu'on recommence.*

effleurer : toucher légèrement

*La maman **effleure** avec tendresse les cheveux de sa fille.*

palper : toucher de la main avec une grande attention et à plusieurs reprises

*Le médecin **palpe** le ventre douloureux du malade.*

tâter : toucher avec la main pour reconnaître

*Je **tâte** mes poches pour savoir si j'ai mes clés sur moi.*

frotter : passer une chose sur une autre en pressant

*La ménagère **frotte** ses meubles pour les faire briller.*

frictionner : passer vigoureusement la main sur une partie du corps

*Après la douche, il aime se **frictionner** le corps avec une eau de Cologne.*

masser : presser plus ou moins fort avec les mains les muscles, les articulations pour les rendre plus souples

Mon kinésithérapeute ***masse*** *merveilleusement ; on sort de chez lui complètement détendu.*

• **GOÛTER**

déguster : goûter pour connaître la qualité de ce que l'on goûte

Nous allons ***déguster*** *un coq au vin.*

savourer : goûter avec attention et lenteur pour prolonger le plaisir

Le critique gastronomique a pris une cuillerée de tarte Tatin tiède accompagnée de crème fraîche, l'a portée à sa bouche et, fermant les yeux, ***a savouré*** *le délicieux mélange.*

• **SENTIR**

respirer : attirer l'air dans sa poitrine

Respire *cet air iodé, c'est l'air vivifiant de la mer !*

Les synonymes varient en intensité

Les nuances exprimées par les différents synonymes vont du sens faible au sens fort, du sens neutre au sens péjoratif, ou, inversement, du sens neutre au sens mélioratif.

aimer, adorer

*J'****aime****, non, j'****adore*** *le cinéma de Woody Allen.*

analogue, comparable, semblable, pareil(le), identique

– Ces symptômes sont très curieux, dit le médecin. J'ai rencontré un cas ***analogue****, il y a quelques années.*

– Les effets de l'explosion de gaz étaient ***comparables*** *à ceux d'un bombardement.*

– Chaque homme est ***semblable*** *à moi, même si nous ne sommes pas* ***pareils****, même si nous sommes différents.*

– Ces jumeaux sont ***identiques****. Personne ne peut les distinguer l'un de l'autre. Tout le monde se trompe, même leurs parents.*

briller, luire, étinceler, scintiller, rayonner, resplendir

– Le soleil ***brille*** *dans un ciel sans nuages.*

– Il faisait chaud, et son visage ***luisait*** *de sueur.*

– Un énorme diamant ***étincelait*** *à son doigt.*

– Les étoiles ***scintillaient*** *dans le ciel.*

– Son visage ***rayonne*** *de bonheur.*

– La couronne ornée de centaines de pierres précieuses ***resplendissait****.*

calme, tranquille, paisible, serein(e)

Il est minuit, tout est ***calme****. L'enfant dort,* ***tranquille****, dans son lit ; le temps est redevenu* ***serein*** *après la pluie violente de la soirée ; bref, chacun apprécie cette atmosphère* ***paisible****.*

capable, apte, compétent(e), génial(e)

— Que pensez-vous du nouvel ingénieur ?

*— C'est un homme **capable** ; je le crois vraiment **apte** au travail que nous lui avons donné, il a de nombreuses connaissances et, en tant que physicien, il est tout à fait **compétent**. Il va vous étonner. Il est **génial**. Il apportera beaucoup à l'entreprise.*

charmant(e), séduisant(e), attirant(e), captivant(e), fascinant(e), ensorcelant(e)

*Quelle **charmante** jeune fille ! Elle n'est pas vraiment belle, mais elle a ce quelque chose d'inexplicable, d'irrésistible, de **séduisant** qui attire les jeunes gens. Quand elle parle avec sa voix si douce, quand elle vous regarde avec ses yeux si profonds, elle devient attachante, **captivante**, et, sans savoir pourquoi, les gens la trouvent très **attirante**, **fascinante** et même **ensorcelante**.*

continuer, persévérer, persister, s'obstiner, s'entêter

*– Il se sentait fatigué, mais il **continuait** à taper son texte sur l'ordinateur.*

*– Malgré les obstacles, il **persévérait**, il savait qu'il réussirait.*

*– La police le croyait coupable, mais lui **persistait** à dire qu'il était innocent.*

*– Je ne supporte plus de discuter avec lui ; même quand il sait qu'il a tort, il **s'obstine** à soutenir des opinions complètement absurdes. Et on ne peut pas le convaincre, il **s'entête** à dire qu'il a raison.*

cran (m, familier), courage (m), bravoure (f), vaillance (f), héroïsme (m)

*– Cet enfant a du **cran**. Il ne s'est pas laissé intimider par la taille de son adversaire.*

*– Il faut du **courage** pour admettre qu'on a peur.*

*– Il a été décoré pour avoir montré de la **bravoure** au combat.*

*– Cette jeune veuve a montré de la **vaillance** et même de l'**héroïsme** en élevant seule ses six enfants après la mort de son mari.*

critiquer, désapprouver, blâmer, condamner

*Après le spectacle, chacun donnait son opinion : les uns avaient apprécié, les autres non. Ils **critiquaient** le sujet ; certains **désapprouvaient** qu'un tel sujet ait pu faire l'objet d'un spectacle ; quelques-uns allaient même plus loin, ils **blâmaient** et **condamnaient** les pouvoirs publics d'avoir autorisé cette soirée.*

détester, haïr

*Je n'aime pas, je **déteste**, et je pourrais même dire que je **hais** la pensée de cet homme politique.*

éclairer, illuminer

*– Une seule ampoule **éclairait** la pièce d'une lumière un peu triste.*

*– Tous les monuments des grandes villes **sont illuminés** le soir, pour la plus grande joie des touristes.*

grand(e), immense, vaste

*Ils possèdent une **grande** maison. Mais ce qu'il y a de plus beau, c'est le jardin qui est **immense**, on peut s'y perdre. Et le tout se trouve dans une **vaste** plaine dans l'est de la France.*

inquiet (-ète), anxieux (-euse), angoissé(e)

*Il est **inquiet** pour son emploi, son entreprise va mal ; il est **anxieux**, on prévoit des licenciements ; il a de nombreuses dettes, il est **angoissé** à l'idée d'être licencié ! Comment pourra-t-il payer ses dettes ?*

pâle, blême, blafard(e), livide

*La jeune fille était **pâle** comme si elle avait vu un fantôme, mais qu'est-ce que je dis, elle était **blême, blafarde, livide**. Son visage avait perdu toute couleur.*

passager (-ère), provisoire, temporaire, momentané(e), éphémère

*– Ce n'est qu'une pluie **passagère**, attendons un peu et nous pourrons reprendre notre promenade.*
*– L'installation du jeune couple chez leurs parents n'est que **provisoire** ; quand leur appartement sera prêt, ils partiront.*
*– Il a trouvé un travail de gardien dans une entreprise ; malheureusement, ce n'est qu'un travail **temporaire**. Il sera obligé d'en chercher un autre.*
*– « Nous nous excusons de cette interruption **momentanée** de l'image », dit la journaliste.*
*– Rien ne dure. Tout bonheur est **éphémère** dit le philosophe.*

petit(e), exigu(ë), minuscule, microscopique

*J'habite un **petit** appartement. Ma chambre est **exiguë**, il n'y a de place que pour un lit, la salle de bains est **minuscule**, c'est un placard, et la cuisine est **microscopique**.*

peur (f), crainte (f), appréhension (f), frayeur (f), panique (f), effroi (m), terreur (f), épouvante (f)

*– L'enfant a **peur** de l'obscurité.*
*– Une mère ressent une certaine **crainte** en pensant à l'avenir de ses enfants ; cette crainte peut se transformer en **appréhension** quand elle découvre leurs mauvaises notes.*
*– Quelle **frayeur**, quand j'ai vu son énorme chien se précipiter sur moi, la gueule ouverte !*
*– On peut comprendre la **panique**, **l'effroi**, **la terreur**, **l'épouvante** des gens qui sont pris dans un tremblement de terre.*

prudent(e), raisonnable, sage

*– Sois **prudent**, ne nage pas si loin, il y a des courants dangereux.*
*– N'ayez pas peur, votre enfant est **raisonnable**, il ne se laissera pas entraîner par les mauvais élèves du lycée.*
*– Je vais demander l'avis de mon vieux professeur : c'est un homme **sage**, il saura me conseiller.*

satisfait(e), content(e), gai(e), joyeux (-euse), heureux (-euse), ravi(e)

*– Elle est **satisfaite**, elle a fini son travail.*
*– Je suis très **content** de revoir mes camarades de lycée.*
*– Quand je bois un verre de champagne, je deviens très **gaie**.*
*– Tout le monde était **joyeux**, on fêtait l'anniversaire du petit dernier.*
*– Nous sommes très **heureux** du mariage de notre fils.*
*– Elle est **ravie** à l'idée d'être grand-mère.*

surpris(e), étonné(e), ébahi(e), éberlué(e), stupéfait(e), ahuri(e)

*– Non seulement nous avons été **surpris** par l'annonce du mariage de notre ami qui se disait contre le mariage, mais nous avons été **étonnés** par la fête grandiose qu'il a donnée à cette occasion. Nous sommes restés immobiles, **stupéfaits**, les yeux grands ouverts, **ébahis** devant le luxe de la fête et devant les trois orchestres, **éberlués** à la vue de la variété des plats, **ahuris** en découvrant le feu d'artifice et en voyant les mariés partir dans un hélicoptère.*

triste, chagriné(e), peiné(e), désolé(e), navré(e), affligé(e), consterné(e)

*– La petite fille était **triste** de voir ses parents sortir, et toute **chagrinée** de devoir rester avec sa baby-sitter.*

*– Ton refus de nous accompagner en vacances cette année nous a beaucoup **peinés** ta mère et moi.*

*– Les jeunes gens ont été **affligés** d'apprendre l'accident de leur copain.*

*– Je suis **navré, désolé** de vous faire savoir que vous allez être licencié.*

*– Les agriculteurs étaient **consternés** en découvrant l'étendue des dégâts laissés par la tempête.*

Les synonymes varient en construction

abandonner qqch. / renoncer **à** qqch.

*– Il est souvent difficile pour un homme politique d'**abandonner** le pouvoir.*

*– Il est souvent difficile pour un homme politique de **renoncer au** pouvoir.*

accepter **de** faire qqch. / consentir **à** faire qqch.

*– Le metteur en scène **a accepté de** donner le premier rôle de la pièce à un acteur inconnu.*

*– Le metteur en scène **a consenti à** donner le premier rôle de la pièce à un acteur inconnu.*

aimer mieux qqch. **que** qqch. / préférer qqch. **à** qqch.

*– J'**aime mieux** la mer **que** la montagne*

*– Je **préfère** la mer **à** la montagne.*

arriver **à** qqch. / atteindre qqch.

*– Les alpinistes vont **arriver au** sommet dans quelques heures.*

*– Les alpinistes vont **atteindre** le sommet dans quelques heures.*

autoriser qqn **à** faire qqch. / permettre à qqn **de** faire qqch.

*– On n'**autorise** plus les passagers **à** fumer dans les avions.*

*– On ne **permet** plus **aux** passagers **de** fumer dans les avions.*

confier qqch. **à** qqn / charger qqn **de** qqch.

*– Le ministre **a confié** cette mission difficile **à** son secrétaire de cabinet.*

*– Le ministre **a chargé** son chef de cabinet **de** cette mission difficile.*

désirer qqch. / aspirer **à** qqch.

– *Il **désire** être un grand danseur.*

– *Il **aspire à** être un grand danseur.*

s'engager **à** qqch. / promettre **de** faire qqch.

*Le président **s'est engagé à** réduire le chômage.*

*Le président **a promis de** réduire le chômage.*

épouser qqn / se marier **avec** qqn

– *Il **a épousé** son amie d'enfance.*

– *Il **s'est marié avec** son amie d'enfance*

essayer **de** faire qqch. / chercher **à** faire qqch.

– *Le bébé **essayait de** saisir les objets placés au-dessus de son lit.*

– *Le bébé **cherchait à** saisir les objets placés au-dessus de son lit.*

annoncer qqch. **à** qqn / faire part **à** qqn **de** qqch.

– *Ils **ont annoncé** leur mariage **à** leurs copains.*

– *Ils **ont fait part de** leur mariage **à** toutes leurs connaissances.*

informer qqn **de** qqch. / annoncer qqch. **à** qqn

– *Le maire **a informé** les habitants **de** la création d'une zone piétonne.*

– *Le maire **a annoncé aux** habitants la création d'une zone piétonne.*

montrer qqch. / faire preuve **de** qqch.

– *L'éducateur **a montré** une grande patience avec cet enfant difficile.*

– *L'éducateur **a fait preuve d'**une grande patience avec cet enfant difficile.*

se rappeler qqch. / se souvenir **de** qqch.

– *Je **me rappelle** les vacances de mon enfance.* (Le souvenir est immédiat.)

– *Je **me souviens des** vacances de mon enfance.* (Le souvenir implique un effort.)

utiliser qqch. / se servir **de** qqch.

– *J'**utilise** mon couteau suisse pour couper le saucisson.*

– *Je **me sers de** mon couteau suisse pour couper le saucisson.*

2 • 2 Les antonymes

Les antonymes sont deux mots de sens contraire, opposé.

L'antonymie est une des façons les plus simples d'enrichir le vocabulaire. Chaque fois que vous cherchez un mot dans un dictionnaire, regardez l'antonyme. Cela permet d'abord de mieux comprendre le mot cherché et, ensuite, il est plus facile d'apprendre par paires, par groupes de deux.

Comme les synonymes, les antonymes appartiennent à la même classe grammaticale.

le synonyme / *l'antonyme* (deux noms)
grand / *petit* (deux adjectifs)
entrer / *sortir* (deux verbes)
devant / *derrière* (deux prépositions)

• Les antonymes peuvent être des mots de racine différente.

la ressemblance / *la différence*

• Mais ils peuvent avoir la même racine et, dans ce cas, l'antonymie peut se faire à partir d'un préfixe à valeur souvent négative.

faire / *défaire* possible / *impossible*

• Un même mot peut avoir des antonymes différents selon le contexte.

un *vieux* manteau / un manteau *neuf*
Mais : une *vieille* grand-mère / une *jeune* grand-mère

• Il faut être attentif au fait que certaines expressions sont des expressions figées qui n'acceptent pas d'antonymes. Par exemple, quel serait l'antonyme de *bon* dans l'expression : « *J'ai pris un bon bain* » ? Est-ce que cela peut être : « *J'ai pris un *mauvais bain* » ? – Impossible.

• Dans le système antonymique, il faut noter la présence de petits mots qui renforcent l'idée du contraire, du contraste :
– des conjonctions : et, ou, mais ;
– des adverbes : au contraire, en revanche, par contre ;
– des conjonctions de subordination : alors que, tandis que ;
– des pronoms : l'un, l'autre.

➔ Vous opposez des faits, des idées, III, 1, p. 262.

• L'antonymie peut se traduire aussi par la simple négation, ou la négation renforcée par un adverbe. C'est une façon atténuée de dire des choses fortes.
Ainsi, normalement dans la phrase : « *Ce plat est bon* », bon a pour antonyme mauvais et on peut dire : « *Ce plat est mauvais* », ce qui peut sembler sincère mais brutal. On atténuera donc l'expression en prenant des précautions, et on dira : « *Ce plat n'est pas très bon.* »

• On distingue habituellement trois types d'antonymes :
– les antonymes contradictoires : l'un exclut l'autre, l'un dit « non » à l'autre. L'un n'existe que par la négation de l'autre.

vivre / *mourir*
Si je **vis**, je ne suis pas **mort(e)** et, si je suis **mort(e)**, je ne **vis** pas.

– les antonymes contraires : ils comportent deux termes avec en plus un terme intermédiaire. C'est le groupe le plus nombreux.

chaud / *froid* → tiède
petit / *grand* → moyen
bon / *mauvais* → médiocre

– les antonymes réciproques : ils impliquent deux faits complémentaires mais inversés.

vendre / *acheter*

Nous citons ces catégories pour mémoire et pour montrer une autre division possible. Mais nous avons préféré **organiser les antonymes en nous appuyant davantage sur le sens**. Cela nous a semblé plus concret et donc plus facile, peut-être, à retenir.

Les antonymes de racines différentes

■ Les antonymes liés au genre

Ces antonymes que nous présentons comme liés au genre montrent deux notions qui ne sont pas exactement le contraire l'une de l'autre : peut-on dire que la mère est le contraire du père, ou que la fille est le contraire du garçon ?
Ces notions sont exclusives l'une de l'autre, elles sont contradictoires. On pourrait dire que l'homme n'est pas le contraire de la femme, mais que l'homme n'est pas la femme, comme le père n'est pas la mère, mais qu'on peut les mettre entre eux dans un rapport vraisemblable. Le mot père appelle automatiquement le mot mère, comme le mot femme fait penser aussitôt à homme.

> *Il était une fois un jeune* ***homme****, qui avait une jeune* ***femme*** *pour voisine. Il était* ***célibataire****, elle n'était pas* ***mariée****. Il avait une* ***chatte****, elle, avait* ***un chien****. La* ***chatte*** *adorait le* ***chien*** *et le* ***chien*** *regardait la* ***chatte*** *avec amour. Tout cela a rapproché les maîtres, et un beau jour, on a vu le gentil* ***monsieur*** *et la gentille* ***dame*** *se regarder comme leurs animaux. Ils ont fait des projets.*
> *« Nous aurons, disaient-ils, un* ***garçon*** *et une* ***fille****, et nous aurons une ferme et dans cette ferme, des animaux,* ***mâles et femelles*** *: des* ***poules*** *et des* ***coqs****, des* ***moutons*** *et des* ***brebis****, des* ***vaches*** *et des* ***taureaux*** *; nous serons tous complémentaires, nous serons tous heureux et nous irons par deux... »*

le masculin	*le féminin*	le mâle	*la femelle*
l'homme	*la femme*	le chien	*la chienne*
le monsieur	*la dame*	le chat	*la chatte*
le père, le papa	*la mère, la maman*	le cheval	*la jument*
le grand-père	*la grand-mère*	le coq	*la poule*
le garçon	*la fille*	le mouton	*la brebis*
le fils	*la fille*	le taureau...	*la vache...*
le petit-fils	*la petite-fille*		
l'oncle	*la tante*		
le neveu	*la nièce*		

■ Les antonymes réciproques

> Petites maximes
> *Il faut savoir* ***donner****,* ***offrir****, mais il faut aussi apprendre à* ***recevoir****.*
> ***Parler*** *c'est facile,* ***écouter*** *est plus difficile.*
> *Certaines personnes qui* ***empruntent****, confondent souvent* ***prêter*** *et* ***donner****.*
> *Tout n'est pas à* ***vendre****, tout n'est pas à* ***acheter****.*
> ***Interrogez*** *et on vous* ***répondra****.*

Ce sont généralement des verbes qui ne sont pas véritablement le contraire l'un de l'autre, mais qui présentent des actions qui sont comme la réponse de l'une à l'autre. Ils supposent la présence de deux personnes au moins.

donner, offrir	*recevoir*
donner	*prendre*
enseigner	*apprendre**
envoyer	*recevoir*
interroger, demander	*répondre*
parler*, dire	*écouter*
prêter	*emprunter*
vendre	*acheter*

*Voir également ci-dessous.

Attention : le verbe louer est un verbe un peu particulier ; il est l'antonyme de lui-même.

*Je n'ai pas d'appartement, alors je **loue** un appartement : chaque mois, je paye un loyer au propriétaire, qui, lui-même, me **loue** l'appartement dont je suis alors locataire.*

Il en est de même du verbe apprendre, du verbe échanger, et des verbes épouser / se marier.

*J'**apprends** à lire aux enfants, les enfants **apprennent** à lire.*

*Mes amis et moi **avons échangé** nos impressions de vacances.*

*Jean **s'est marié avec** Marie. / Il **a épousé** Marie ; Marie **s'est mariée avec** Jean. / Elle **a épousé** Jean.*

■ La vie quotidienne ou des mots de tous les jours

*Comment appelez-vous quelqu'un qui dit toujours « non » ? « Non » quand on l'invite ; il n'**accepte** aucune invitation, il **refuse** de sortir de chez lui. « Non » quand on lui demande l'**autorisation** de traverser son jardin ; il l'**interdit** à tout le monde. « Non » quand on frappe à sa porte ; sa porte est toujours **fermée**, il ne l'**ouvre** à personne. Quelqu'un qui **se tait** quand on **lui parle**, qui **part** quand vous **arrivez**, qui **rit** quand vous **pleurez**. Cet homme, je l'appelle un misanthrope, quelqu'un qui n'aime pas les autres, quelqu'un qui n'a pas **réussi** à être tout simplement un homme.*

accepter, dire oui	*refuser, dire non*
aller	*revenir, rester*
apprendre*	*oublier*
autoriser	*interdire*
avoir raison	*avoir tort*
chercher	*trouver*
commencer	*finir*
construire	*détruire*
défendre	{ *attaquer* / *permettre* }
fermer	*ouvrir*
parler*	*se taire*
punir	*récompenser*
réussir	*échouer*
rire	*pleurer*
savoir	*ignorer*
tirer	*pousser*

*Voir également ci-dessous.

La description physique et morale

La première – *Elle a un visage parfait, un corps mince et agile, elle rit, elle est de bonne humeur, elle est agréable avec les autres, elle rend service, elle écoute, elle supporte toutes les difficultés de la vie, elle ne se plaint pas, elle donne son temps, son argent aux autres, on peut compter sur elle, elle n'a peur de rien, elle est prête à tout.*
En résumé, elle est ***belle, gaie, gentille, forte, généreuse, solide, courageuse****.*

La seconde – *Parfois, quand elle pleure, quand elle est de mauvaise humeur, son visage semble se déformer. Elle n'aime pas les autres, elle les évite, elle ne les écoute pas, elle reste chez elle, ne s'occupe que de ses propres difficultés, elle se sent si petite, elle a peur de tout.*
Bref, elle est parfois, ***laide, triste, méchante, faible, égoïste, fragile, lâche****.*

Qui est la première, qui est la seconde ? C'est la même.

Il faut noter que les antonymes vont généralement par deux, mais il y a souvent un entre-deux, un terme intermédiaire.

chaud / *froid* → tiède
grand / *petit* → moyen
gros / *maigre* → mince
bon / *mauvais* → médiocre

— Décris-moi ton amie. Est-elle ***petite*** *ou* ***grande*** *?* ***grosse*** *ou* ***maigre*** *?*
— Oh, elle n'est ni ***petite*** *ni* ***grande****, elle est* ***moyenne****. Elle n'est ni* ***grosse*** *ni* ***maigre****, elle est* ***mince****. Elle est comme tout le monde.*
— Ta description n'est pas très précise. Elle n'est ni ***bonne*** *ni* ***mauvaise****, elle est plutôt* ***médiocre****.*

Noms	Adjectifs	Verbes
l'amour / *la haine*	amoureux (-euse) / *indifférent(e)*	aimer / *détester, haïr*
la beauté / *la laideur*	beau, belle / *laid(e)*	embellir / *enlaidir*
le bon / *le mauvais*	bon(ne) / *mauvais(e)*	
la bonté / *la méchanceté*	/ *méchant(e)*	
le bruit / *le silence*	bruyant(e) / *silencieux (-euse)*	
la chaleur / *le froid*	chaud(e) / *froid(e)*	(ré)chauffer / *refroidir*
le courage / *la lâcheté*	courageux (-euse) / *lâche*	
le cru / *le cuit*	cru(e) / *cuit(e)*	
la douceur / *l'amertume*	doux (douce), sucré(e)* / *amer (-ère)*	adoucir, sucrer / *rendre amer*
la force / *la faiblesse*	fort(e) / *faible*	renforcer / *(af)faiblir*
la gaieté / *la tristesse*	gai(e) / *triste*	égayer, (s')amuser / *(s')attrister*
la générosité / *l'avarice*	généreux(-euse) / *avare*	
la gentillesse / *la méchanceté*	gentil(le) / *méchant(e)*	
	*Voir également ci-après, p. 112.	

Noms	Adjectifs	Verbes
la grandeur / *la petitesse* (peu usité)	grand(e) / *petit(e)*	(a)grandir / *rapetisser*
la jeunesse / *la vieillesse*	jeune / *vieux (vieille)*	rajeunir / *vieillir*
la légèreté / *la lourdeur, le poids*	léger (-ère) / *lourd(e)*	alléger / *alourdir*
la lenteur / *la vitesse* ou *la rapidité*	lent(e) / *rapide* (**attention**: *vite* est un adverbe)	ralentir / *accélérer*
la majorité / *la minorité*	majeur(e) / *mineur(e)*	
la maladie / *la santé*	malade / *bien portant*	
la mort / *la vie*	mort(e) / *vivant(e)*	mourir / *vivre*
l'obésité / *la maigreur*	obèse, gros / *maigre*	grossir / *maigrir*
l'obscurité / *la clarté*	obscur(e), sombre / *clair(e)*	(s')obscurcir, (s')assombrir / *éclaircir*
la pâleur / *la rougeur*	pâle / *rouge*	pâlir / *rougir*
la propreté / *la saleté*	propre / *sale*	nettoyer, laver / *salir*
la ressemblance / *la différence*	semblable / *différent(e)*	ressembler / *différer*
la richesse / *la pauvreté*	riche / *pauvre*	(s')enrichir / *(s')appauvrir*
la solidité / *la fragilité*	solide / *fragile*	solidifier / *fragiliser*
la supériorité / *l'infériorité*	supérieur(e) / *inférieur(e)*	
la vérité / *la contre-vérité, le mensonge, l'erreur*	sincère / *menteur (-euse), mensonger (-gère)*	dire la vérité / *mentir*
le vrai / *le faux*	vrai(e) / *faux (fausse)*	

Attention: certains des adjectifs cités plus haut n'ont pas d'antonyme lorsqu'ils sont utilisés dans un certain contexte: *une grande école* (par exemple, l'ENA), *une grande surface, un petit ami*...

Les notions spatiales

*Où aller? À **droite** ou à **gauche**? Est-ce que je dois **avancer** ou **reculer**? **Sortir** ou **entrer**? Aller vers le **haut, monter, grimper**? Vers où aller, vers **le bas, descendre**? **Se diriger** vers **le nord** ou bien vers **le sud**?*
*Que faire, soupirait la petite fourmi qui n'osait pas sortir de son trou, et qui avait mis son petit pull **à l'envers**.*

Noms	Adjectifs	Verbes	Prépositions et adverbes
la gauche / *la droite*	gauche / *droit(e)*		
le haut / *le bas*	haut(e) / *bas(se)*	hausser, lever / *baisser*	
la longueur	long(ue) / *court(e)*	allonger / *raccourcir*	
la largeur / *l'étroitesse*	large / *étroit(e)*	élargir / *rétrécir*	
le sud / *le nord*			
le départ / *l'arrivée*		partir / *arriver*	

Noms	Adjectifs	Verbes	Prépositions et adverbes
l'entrée / *la sortie*		entrer / *sortir*	dedans / *dehors*
la montée / *la descente*		monter / *descendre*	sur / *sous* au-dessus / *au-dessous*
la venue (littéraire) / *l'aller*		venir / *aller*	
l'éloignement / *la proximité*	lointain (-aine) / *proche*	(s')éloigner / *(s')approcher, (se) rapprocher*	loin / *près*
		tomber / *se lever, (se) relever*	
l'avancée / *le recul*		avancer / *reculer*	devant / *derrière* en avant / *en arrière*
l'envers / *l'endroit*			

■ Les notions religieuses, sociales et politiques

*Qui préfère l'**enfer** au **paradis**, la **terre** au **ciel**, la **guerre** à la **paix**, le **mariage** au **célibat**? C'est l'homme. Qui veut la **justice** et non pas l'**injustice**, la richesse pour tous et non pas la pauvreté, la **paix** et non pas la **guerre**, le **célibat** et non pas le **mariage**? C'est l'homme.*

Noms	Adjectifs
le bien / *le mal*	bon(ne) / *mauvais(e), méchant(e)*
le ciel / *la terre*	céleste / *terrestre*
Dieu / *le diable*	divin(e) / *diabolique*
la droite / *la gauche* (en politique)	
la guerre / *la paix*	belliciste / *pacifiste*
la justice / *l'injustice*	juste / *injuste*
le malheur / *le bonheur*	malheureux (-euse) / *heureux (-euse)*
le mariage / *le célibat*	marié(e) / *célibataire*
le paradis / *l'enfer*	paradisiaque / *infernal(e)*
la révolte / *la soumission*	révolté(e) / *soumi(e)*
la ville / *la banlieue*	citadin(e) / *banlieusard(e)*
la ville / *la campagne*	citadin(e) / *rural(e), paysan(ne), campagnard(e)*

■ Le temps

*Qu'est-ce qu'il y a dans le mot «**aujourd'hui**»? Il y a bien sûr le **présent**, mais il y a aussi le **passé**, il y a le passé **proche**, **hier**, **avant-hier**, **l'année dernière**, et il y a le passé plus **lointain**. Il y a **jadis**, **autrefois**, **il y a longtemps**, il y a le **souvenir** et l'**oubli**, les gens, les endroits, les livres que nous avons connus ou oubliés dans le **passé**.*

*Mais il y a aussi le **futur** dans « aujourd'hui », dans le présent. Il y a les projets à venir, il y a l'attente de **demain**, il y a le doute d'**après-demain**, l'espoir de l'**année prochaine**.*

l'aube, l'aurore	*le crépuscule*
le jour	*la nuit*
le matin	*le soir*
midi	*minuit*
le sommeil	*l'insomnie*
le présent	*le passé*
le présent, le passé	*le futur*
aujourd'hui	*hier*
aujourd'hui, hier	*demain*
aujourd'hui	*autrefois, jadis*
avant	*après*
avant-hier	*après-demain*
souvent	*rarement*
toujours	*jamais*
longtemps	*un instant, un moment, peu de temps*
il y a longtemps	*récemment*
la semaine dernière	*la semaine prochaine*
se rappeler, se souvenir	*oublier*
le souvenir	*l'oubli*

La quantité et le nombre

*« Un » est **singulier**, un est **impair**, un et un font deux,*
*« Deux » est **pluriel**, deux est un chiffre **pair**.*
*Deux, est-ce que c'est **peu** ?*
*Non, mais ce n'est pas **beaucoup**.*
*Est-ce que c'est **rien** ?*
*Non, mais ce n'est pas **tout**.*

moins	*plus*	rare	*nombreux*
pair(e)	*impair(e)*	rien	*tout*
(le) particulier	*(le) général*	(le) singulier	*(le) pluriel*
peu	*beaucoup*		

Les expressions liées à des faits de culture

Ce sont les antonymes créés par la vie, par les circonstances de la vie. Ainsi, on ne peut pas dire que vert soit le contraire de rouge. Mais tout piéton, tout automobiliste, tout citadin, toute personne qui circule opposera automatiquement le vert au rouge en pensant au feu vert et au feu rouge.

Et nous avons ainsi quelques expressions **antonymes par le contexte**.

le feu vert	*le feu rouge*
le bois vert (le bois fraîchement coupé)	*le bois sec*
du pain frais	*du pain sec*
le pain blanc	*le pain noir, le pain complet*
le vin blanc	*le vin rouge*
un vin sucré*	*un vin sec*
une (note) blanche	*une (note) noire*
une arme blanche (un poignard...)	*une arme à feu* (un pistolet, un fusil)
une viande blanche	*une viande rouge*
le sucré*	*le salé*

*Voir également ci-dessus, p. 108.

➔ Les expressions culturelles, II, 2, p. 220.

Les antonymes formés à partir de préfixes

■ À partir d'un préfixe négatif

Il existe plusieurs préfixes négatifs qui permettent de former des antonymes. Les préfixes négatifs énumérés ci-dessous sont traités en détail dans le chapitre précédent, auquel le lecteur devra se reporter. Seuls sont indiqués ici certains aspects complémentaires spécifiques.

➔ Les préfixes de verbes, I, 1 p. 9.

dé-, dés-, dis-, dif-

Portrait d'une coquette – *Elle doit* ***plaire*** *à tout prix.* ***Paraître*** *et montrer qu'elle est la plus séduisante. Mais pour cela, quel travail !*
S'habiller *puis* ***se déshabiller*** *deux ou trois fois par jour,* ***se coiffer****, attention à ne pas* ***se décoiffer****, à ne pas* ***déplacer****, à ne pas* ***défaire*** *les jolies mèches arrangées dans un* ***désordre*** *artistique.*
Approuver *toujours celui qui parle, ah oui, surtout ne jamais le* ***désapprouver*** *! Le* ***persuader*** *qu'il est le plus beau, le plus intelligent, et ne jamais le* ***dissuader*** *de cela. Faire semblant d'être* ***désintéressée, désarmée*** *devant les difficultés de la vie et* ***désespérée****, oh si* ***désespérée****... et prête à* ***disparaître*** *!!*

défavorable	*favorable*
défavoriser	*favoriser*
dépeuplement (m)	*peuplement* (m)
déplaisir (m)	*plaisir* (m)
désagréable	*agréable*
désespérer	*espérer*
désespoir (m)	*espoir* (m)
désobéissance (f)	*obéissance* (f)
désorganiser	*organiser*
désorganisation (f)	*organisation* (f)

difficile — *facile*
difficulté (f) — *facilité* (f)

disparition (f) — *apparition* (f)
dissuader — *persuader*

Attention : observez les couples suivants, vous remarquerez que le préfixe **dé-** ne marque pas l'opposition.

céder, décéder

*– Les parents, fatigués des demandes répétées de leur fils, ont fini par **céder** et lui ont acheté une mobylette.*

*– Le président **est décédé** la semaine dernière. Cette mort était prévisible, il était très malade.*

finir, définir

*– J'ai **fini** mon devoir ; il fallait **définir** les mots « antonyme », « synonyme », « paronyme », « homonyme », il fallait dire ce que signifient tous ces mots bizarres.*

fendre, défendre

*– Il a coupé, il **a fendu** du bois pour l'hiver.*

*– « Tu **me fends** le cœur, tu me fais de la peine », dit un personnage dans une pièce célèbre de Marcel Pagnol.*

*– **J'ai défendu**, j'ai interdit aux enfants d'aller jouer près de la rivière.*

passer, dépasser

*En **passant** devant la boulangerie, j'ai senti la délicieuse odeur du pain frais, et comme je suis au régime, j'ai accéléré le pas pour **dépasser** cet endroit dangereux.*

pendre, dépendre de

*– Un fil électrique **pendait** du plafond, mais il n'y avait pas d'ampoule et la pièce était plongée dans l'obscurité.*

*– Pendant de longues années, les enfants **dépendent de** leurs parents.*

penser, dépenser

*— À quoi **penses-tu** ? À ton avenir, à tes projets, à tes amours, à quoi ?*

*— À rien ! Après une folle journée de soldes, **j'ai dépensé** toutes mes économies.*

poser, déposer

*– **Pose** ton livre et viens dîner.*

*– Est-ce que tu **as déposé** le chèque à la banque ?*

tenir, détenir

*– **Tiens** bien la rampe dans le métro, sinon tu risques de tomber.*

*– Il m'agace, il parle toujours comme si tout ce qu'il disait était vrai, comme s'il **détenait** la vérité.*

venir, devenir

*– Peux-tu **venir** un instant ? J'ai besoin de toi pour faire mes exercices.*

*– C'est bien, tu **es devenu** studieux.*

in-, il-, im-, ir- ; mal-, mé-

Deux enfants jouent – *La petite fille dit au petit garçon :*
— Nous allons jouer. Je serai la maîtresse et tu seras l'élève.
Alors mon petit Jules, tu as fait tes devoirs ? Montre-les-moi. Mais, ce n'est pas ***possible****, ta poésie est* ***incomplète****. Tu n'as pas eu le temps de la recopier ? Et puis qu'est-ce que c'est que cette écriture, je ne peux pas la lire, elle est* ***illisible*** *; tes lettres sont toutes* ***irrégulières****. Je suis très* ***mécontente****. Sois* ***poli****, regarde-moi quand je te parle. C'est* ***impoli*** *de tourner la tête. On ne t'a pas appris la* ***politesse****? Voyons maintenant le calcul. 2+2=5, mais c'est* ***inexact****, mon pauvre garçon ! Qu'est-ce que c'est que ce travail ? Non, non, c'est* ***impossible****, je vais convoquer tes parents. Ils ne vont pas être* ***contents****. Mais voyons, Jules, ne pleure pas, ne prends pas cet air* ***malheureux****, c'est pour rire, on joue... Oh là là, mais arrête à la fin !*

inamical	*amical*
incomplet (-ète)	*complet (-ète)*
inconnu(e) (qui n'est pas connu[e])	*connu(e)*
illettré(e) (qui ne sait ni lire ni écrire)	*lettré(e)* (savant, qui aime les livres)
illisible (qu'on ne peut pas lire)	*lisible* (qu'on peut lire)
impoli(e), malpoli(e)	*poli(e)*
impolitesse (f)	*politesse* (f)
irrationnel	*rationnel*
irresponsable	*responsable*
maladroit(e)	*adroit(e)* (capable, habile)
malhabile	*habile* (capable, adroit)
malheureux (-euse)	*heureux (-euse)*
malhonnête	*honnête*
méconnu(e) (qui est mal connu[e])	*connu(e)*
mécontent(e)	*content(e)*

Dans certains cas, le préfixe in- est devenu enn-.

ennemi(e)	*ami(e)*

Attention : tous les mots préfixés en in-, il-, im-, ir-, ne sont pas obligatoirement des antonymes d'un mot sans préfixe.

Mot préfixé	**Contraire**
un bruit *insolite* (inhabituel)	un bruit habituel
un ballon *increvable*	un ballon qui peut se crever
une personne *insouciante*	une personne qui se fait du souci, soucieuse
une explication *interminable*	une explication brève, concise, succincte
une preuve *indubitable*	une preuve douteuse, incertaine
des efforts *inexistants*	des efforts réels
un désir *irrésistible*	un désir auquel on peut résister
une homme *indifférent*	un homme sensible, curieux, intéressé
une mère *inquiète*	une mère calme, tranquille, insouciante
une fille *ingrate*	une fille reconnaissante

une personne *indécise*	une personne décidée, déterminée
un homme *impitoyable*	un homme bon, bienveillant, indulgent
une faute *impardonnable*	une faute excusable
une personne *impassible* (calme)	une personne émue, troublée
un homme *implacable*	un homme doux, indulgent

a-, anti-, contre-, non-

Moral, antiracisme, non-agression, non-conformisme, non-violence, *ces mots dessinent un monde.*
Amoral, racisme, agression, conformisme, violence, non-sens, *ces mots dessinent un tout autre monde !*

amoral(e)	*moral(e)*
antiracisme	*racisme*
contre-indication	*indication*
contre-indiqué(e)	*indiqué(e)*
non-agression	*agression*
non-conformiste, anticonformiste	*conformiste*
non-sens	*sens*
non-violent(e)	*violent(e)*

■ À partir de deux préfixes opposés

en-/em-	et **dé-**	forment des verbes qui marquent deux mouvements opposés : « dans » et « *hors de* »
a-	et **en-/em-**	marquent deux mouvements inverses : « vers » et « *loin de* »
é-	et **im-**	signifient respectivement « hors de » et « *dans* »
sym-	et **anti-**	signifient respectivement « avec » et « *contre* ».

Attention : ne confondez pas le préfixe en-/em- = **dans** et le préfixe e- = **hors de**.

→ Les préfixes de verbes, I, 1, p. 11.

Dans cette mare ***surpeuplée****, les grenouilles vertes n'acceptaient plus les grenouilles qui venaient de* ***débarquer*** *chez elles. Elles disaient à ces* ***immigrantes*** *: « Il n'y a pas de place pour vous ici, allez,* ***dégagez*** *! »*
Les autres répondaient : « Pourquoi cette ***antipathie*** *envers nous ? Nous pensions que vous étiez nos amies, que vous étiez des grenouilles amicales,* ***bienveillantes*** *! »*

*Les grenouilles vertes, **embarrassées**, affirmaient: « Nous ne sommes pas inamicales, nous ne sommes pas vos ennemies, nous ne vous voulons aucun mal, nous ne sommes pas **malveillantes**, nous sommes **non violentes**, nous avons de la **sympathie** pour vous, mais dans la mare à côté... Allons, **déménagez** de chez nous, **emmenez** vos têtards et allez **emménager** ailleurs. Nous vous y **encourageons** vivement!!! Et ne vous **découragez** pas, vous trouverez sûrement de la place plus loin. ».*

embarquer	*débarquer*	émigrer	*immigrer*
embarrasser	*débarrasser*	surestimer	*sous-estimer*
emménager	*déménager*	surpeuplé	*sous-peuplé*
encourager	*décourager*	sympathie	*antipathie*
engager	*dégager*	bienveillant(e)	*malveillant(e)*
amener	*emmener*		
apporter	*emporter*		

Attention : enchaîner (mettre dans les chaînes) n'est plus le contraire de déchaîner (libérer une force).

L'antonymie partielle

Ici, « partielle » s'oppose à « absolue ». Nous voulons montrer que très souvent un même mot peut avoir plusieurs antonymes, selon le contexte. En voici quelques exemples :

délicat(e)

*– Elle avait un visage **délicat** comme une porcelaine; à côté tous les autres visages paraissaient **laids, grossiers**.*
*– Je ne sais pas comment agir; c'est une situation **délicate**, oui vraiment, cette situation n'est pas **simple**, elle n'est pas **facile**.*
*– Méfie-toi de lui, il n'est pas très **délicat** en affaires, il est même franchement **indélicat, malhonnête**.*

doux (douce)

*– Les enfants préfèrent le cidre **doux** au cidre **sec**.*
*– Je me sens beaucoup plus légère quand je nage dans l'eau **salée** de la mer que lorsque je nage dans l'eau **douce** des lacs.*
*– La voix **douce** de leur père contraste avec la voix **forte, criarde** de leur mère.*
*– Ils ont cligné des yeux, agressés par les lumières **violentes** de la piste de danse, et ils ont préféré se réfugier dans un coin où la lumière était plus **douce**.*
*– Certains plats demandent une cuisson à feu **doux**, d'autres exigent un feu **vif**.*
*– Autant son père était **doux**, autant sa mère était **sévère, dure**.*
*– Comme il fait **doux** aujourd'hui, il ne fait ni **chaud** ni **froid**.*

droit(e)

– On peut aimer les routes ***droites*** *pour le confort qu'elles donnent, mais on peut leur préférer les routes* ***sinueuses, courbes,*** *pour le pittoresque du point de vue.*

– Malgré son grand âge, il se tenait ***droit*** *comme un « i », alors que tant de jeunes gens marchent* ***courbés*** *comme des vieillards.*

– Vous le croyiez ***hypocrite, menteur,*** *vous avez tort, c'est un homme* ***droit.***

– Depuis son accident cérébral, elle a gardé le côté ***droit*** *du visage très mobile, alors que le côté* ***gauche*** *est inexpressif.*

fragile

– Le verre est ***fragile,*** *le métal est* ***solide.***

– Elle a toujours eu une ***bonne santé,*** *mais depuis quelques années elle a une* ***santé fragile.***

– On dit que le bonheur est ***fragile*** *alors qu'on voudrait qu'il soit* ***éternel.***

frais (fraîche)

– Il fait ***frais*** *aujourd'hui, pas vraiment froid, mais on a quand même besoin d'un vêtement* ***chaud.***

– Je préfère acheter peu de pain, pour avoir toujours du pain ***frais,*** *encore chaud, que je préfère au pain* ***sec.***

– Je choisis mes marchands de poisson. Je sais où je peux toujours trouver du poisson ***frais.*** *Certains poissonniers vendent du poisson qui* ***n'est pas frais.***

juste

– Cette addition n'est pas ***juste*** *: elle est* ***fausse/inexacte.***

– Elle ***chante juste*** *et j'ai toujours honte de chanter avec elle, moi qui* ***chante faux.***

– Il a été renvoyé du lycée parce qu'il avait insulté et frappé son professeur. Cette décision est ***juste.*** *Elle a été renvoyée parce qu'elle était arrivée avec trois minutes de retard. La punition est un peu exagérée et je la trouve* ***injuste.***

– Dans toutes les situations, il sait toujours trouver le mot ***juste,*** *quand les autres hésitent et ne trouvent que des mots* ***approximatifs.***

léger

– Moi, je voudrais du thé ***léger,*** *toi tu préfères le thé bien* ***fort,*** *je crois ?*

– Je peux porter cette valise, elle est ***légère,*** *mais je te laisse la malle, elle est plutôt* ***lourde.***

– Tu te crois déjà en été ? Pourquoi as-tu mis cette robe ***légère*** *? Tout le monde autour de toi porte des vêtements* ***épais, chauds.***

*– Oublier l'accent aigu sur le mot « *leger », c'est ennuyeux mais c'est une faute* ***légère*** *; par contre, oublier l'accent grave sur la préposition « a », ça, c'est une faute* ***grave.***

– Ma voisine a eu un accident et elle a été blessée. Heureusement, la blessure n'est pas ***grave,*** *elle est* ***légère*** *; d'ailleurs, elle quitte l'hôpital aujourd'hui même.*

*– Dans ce restaurant, on sert toujours des plats bien **riches**, bien **copieux**, vous en sortez vraiment rassasié. Dans le restaurant voisin, on a droit à une cuisine **légère** : vous ne grossirez sûrement pas si vous y mangez souvent.*

mauvais

*– Ce gâteau est très **bon**, mais si vous ne le mangez pas le jour même, il n'est plus très bon et même il devient franchement **mauvais**.*
*– Quel **mauvais** temps aujourd'hui ! Alors qu'hier, il faisait si **beau** !*
*– Ce sirop est vraiment **bon** pour la toux. Non, ne prends pas celui-là, il est tout à fait **inefficace**.*

---

2 • 3 Les homonymes

Les homonymes sont des mots qui se prononcent ou s'écrivent de la même façon mais qui n'ont pas le même sens. Ils présentent des difficultés pour les étudiants parce qu'ils sont source de confusion possible.

Celui qui écoute doit être très attentif, et celui qui parle doit être très précis et très clair pour éviter ces confusions qui portent parfois sur un mot, ou même sur toute une phrase.

l'amie	la mie
je l'apprends	je la prends
il est tout fait	il étouffait

S'il peut y avoir confusion et donc difficulté pour les étudiants, il peut y avoir aussi jeu de mots, plaisir de jouer avec les sons, les sens, et certains auteurs en ont fait un principe d'écriture.

Parmi ces homonymes, il faut distinguer entre les **homographes** et les **homophones**.

– Les homographes se prononcent de la même façon et ont la même orthographe.

vers (préposition), vers (nom masculin, élément d'une poésie)
je suis (présent du verbe *être*), je suis (présent du verbe *suivre*)
la veine (vaisseau qui conduit le sang au cœur), la veine (la chance)
mentons (1re personne du présent de l'indicatif du verbe *mentir*), mentons (pluriel de *menton*, nom masculin : partie basse du visage arrondie ou pointue)

Mais là aussi, comme pour toutes les autres catégories étudiées, le contexte éclaire le sens, le contexte explique. Et il est vrai qu'il n'y a pas de confusion possible entre :

Je suis comédienne. et En nageant, je suis le courant de la rivière.

– Les homophones se prononcent de la même façon mais s'écrivent différemment.

court (contraire de long) ; (le) court (de tennis) ; (le) cours (de français) ; (la) cour (de l'école)

(la) voix (son produit par le larynx de l'être humain, son qui sort de sa gorge) ; (la) voie (espace tracé qui conduit quelque part)
vingt (20) ; (le) vin (boisson obtenue à partir du raisin) ; vins, vint (passé simple du verbe *venir*)

Remarque 1 Les homonymes peuvent appartenir à la même catégorie grammaticale ou à des catégories différentes.
court (adjectif), court (nom), cours (nom), cours (1re ou 2e personne du présent du verbe *courir*)
Remarque 2 Les homographes peuvent se distinguer par le genre.
le vase (récipient à fleurs), la vase (la terre au fond des eaux dormantes, stagnantes)

Nous allons passer en revue quelques-uns de ces homonymes.

Les homographes

Les homographes se prononcent et s'écrivent de la même façon mais n'ont aucun rapport entre eux et n'ont pas le même sens. Parfois, ils ne sont pas du même genre : l'un est masculin, l'autre féminin. Parfois également, ils n'appartiennent pas à la même catégorie grammaticale.

capital(e) *La question de la paix et de la guerre est une question essentielle, une question* ***capitale****.*
capital (m) *Dans le système capitaliste, les uns apportent l'argent, le* ***capital****, les autres le travail.*
capitale (f) *Depuis 1991, Berlin est redevenue la* ***capitale*** *de l'Allemagne.*

critique (m) *Tous les acteurs attendaient avec angoisse les impressions de ce* ***critique*** *très sévère.*
critique (f) *Mais ils ont été très heureux de lire la* ***critique*** *favorable qu'il avait écrite sur leur spectacle.*

livre (f) (500 grammes) *Bonjour madame, donnez-moi une* ***livre*** *de fraises, une* ***livre*** *de cerises et un kilo de pommes, s'il vous plaît.*
livre (m) *Bonjour monsieur, j'ai entendu parler d'un* ***livre*** *très intéressant dont j'ai oublié le titre, l'auteur et dont je ne connais pas l'éditeur. Est-ce que vous l'avez en librairie ?*

manche (f) *Malgré la chaleur, elle portait une robe à* ***manches*** *longues.*
manche (m) *Elle a acheté six couteaux à lame d'acier et à* ***manche*** *de bois.*

mémoire (f) *Elle se souvient de tout, elle n'oublie rien, elle a une* ***mémoire*** *extraordinaire.*
mémoire (m) *J'ai commencé à écrire mon* ***mémoire*** *de maîtrise.*

mode (f) *On considère Paris et Milan comme les capitales de la* ***mode****.*

mode (m) *Lis bien le* ***mode*** *d'emploi de l'appareil avant de l'utiliser.*

mode (m) *L'indicatif, le subjonctif, l'infinitif... sont des* ***modes****.*

mode (m) *Depuis qu'elle a épousé un homme très riche, elle a un* ***mode*** *de vie très différent, elle passe son temps à voyager, à vivre sur des yachts luxueux, à assister à des soirées mondaines...*

moral (m) *Elle connaît de nombreuses difficultés en ce moment et pourtant elle garde le* ***moral****.*

morale (f) *La* ***morale*** *n'admet ni le vol ni le mensonge, et encore moins le crime.*

moule (m) *Pour l'anniversaire de sa petite fille, elle a préparé un gâteau qu'elle a fait cuire dans un* ***moule*** *en forme de cœur.*

moule (f) *J'ai passé la journée au bord de la mer, et à midi, j'ai mangé des* ***moules*** *marinières.*

mousse (f) *Au pied des arbres, dans les forêts, on voit souvent pousser de la* ***mousse****, cette sorte de petite herbe verte toute douce.*

mousse (f) *On lui a servi un grand verre de bière et il a aussitôt plongé son nez dans la* ***mousse*** *blanche, fraîche et légère.*

physique (m) *Tout le monde lui dit : « Avec votre* ***physique****, avec votre beauté, vous devriez faire du cinéma. »*

physique (f) *La* ***physique*** *constitue avec la chimie et les mathématiques les principales matières de l'étude des sciences.*

physique *Pour garder la forme, vous devez pratiquer des exercices* ***physiques*** *au moins trois fois par semaine.*

poste (f) *Je vais à la* ***poste*** *chercher une lettre recommandée. Je n'étais pas chez moi quand le facteur l'a apportée.*

poste (m) *Elle occupe un* ***poste*** *important au ministère de la Santé. Elle a un bon salaire.*

tour (m) *Le* ***Tour*** *de France, cette course cycliste qui traverse toute la France,*
tour (f) *est parti cette année de la* ***tour*** *Eiffel.*

voile (m) *La mariée a soulevé le* ***voile*** *blanc qui couvrait son visage avant de dire « oui ».*

voile (f) *Le voilier filait sur l'eau, toutes ses* ***voiles*** *gonflées par le vent.*

Les homophones

Rappelons que les homophones se prononcent de la même façon mais s'écrivent différemment. Ils sont nettement plus nombreux que les homographes. La liste suivante commence par un mot très français, qui est une onomatopée associée à un autre mot très français aussi, parce que souvent utilisé dans la cuisine française.

A

aïe !
Aïe ! ne me marchez pas sur les pieds, s'il vous plaît ! Aïe, ***aïe****, ne me donnez pas de coups de coude !* ***Aïe, aïe, aïe****, ne me poussez pas ! Je descends moi aussi à la prochaine station de métro.*

➔ Les onomatopées, II, 2, p. 202.

ail (m)
On filmait la dernière scène ; les deux acteurs devaient se donner un baiser passionné ; le jeune homme prit la jeune fille dans ses bras et allait l'embrasser, quand celle-ci s'éloigna en criant : « Beurk ! Tu as mangé de ***l'ail*** *! Beurk ! Beurk ! »*

air (m)
C'est le printemps, et malgré la pollution de ***l'air****, on a plaisir à respirer cet* ***air*** *plus doux.*

ère (f)
Nous sommes en 3000, un nouveau millénaire commence, nous allons vivre une période, une ***ère*** *nouvelle.*

allaite(s)
Ton bébé est mignon, il est adorable. Ah tu ***l'allaites*** *? Bravo ! il paraît que le lait de la mère est très bon pour l'enfant. Mais dans un restaurant, devant tout le monde ? C'est bien, tu crois ?*

allaitement (m)
L'allaitement *est recommandé par les pédiatres.*

halète(s)
Tu as besoin de faire de l'exercice. Nous avons fait à peine dix kilomètres en courant et tu ***halètes*** *déjà, tu respires difficilement, tu es proche de l'asphyxie.*

halètement (m)
On entendait le ***halètement*** *des chiens de chasse.*

allée (f)
Les ***allées*** *des jardins étaient couvertes de feuilles.*

aller (allé, allée)
Elle est ***allée*** *en Grèce l'année dernière.*

hâlé(e)
Elle est revenue de ce voyage toute bronzée, toute brunie, toute ***hâlée****.*

amande (f)
Sur la table, il y avait des bouteilles, des gâteaux, des fruits frais, des fruits secs : dattes, noix, raisins secs, ***amandes****. La fête pouvait commencer.*

amende (f)
Bonjour monsieur, vos papiers, s'il vous plaît ! Pourquoi ? Vous savez que vous rouliez à 180 kilomètres à l'heure. Bien, vous allez payer une ***amende*** *de100 euros.*

ancre (f)
Le bateau est entré au port, il a jeté ***l'ancre*** *qui s'est enfoncée dans l'eau.*

encre (f)
Elle n'écrit qu'avec un stylo à plume et il lui faut de ***l'encre*** *bleue, et pas une autre.*

B

balade (f)
Allez, assez travaillé, on sort ! On va faire une petite ***balade*** *du côté de la plage ?*

ballade (f)
L'acteur récitait avec passion et émotion le poème célèbre de François Villon «La ***ballade*** *des pendus».*

barre (f)
La danseuse faisait ses exercices à la ***barre*** *: une main sur la barre de bois, elle levait, baissait la jambe en pensant avec tristesse aux barres de chocolat qu'elle ne pouvait plus manger.*

bar (m)
Il est entré dans le ***bar****, s'est assis avec difficulté sur le haut tabouret et a commandé au grand étonnement du barman... un verre de lait et une barre de chocolat.*

bon (au masculin)
Mmm, quel ***bon*** *gâteau, encore, encore ! disait la petite Marie, qui avait la bouche, les mains et la robe salies, barbouillées de chocolat. Bon courage pour sa maman !*

bond (m)
En voyant la petite Marie se diriger vers le canapé en coton blanc, la mère a sauté, a fait un ***bond*** *pour arriver avant elle, et l'empêcher de s'essuyer les mains sur le canapé.*

boue (f)
Il avait plu, la terre mouillée des chemins collait aux pieds. Il fallait de bonnes chaussures pour marcher dans cette ***boue*** *épaisse.*

bout (m)
– L'Arc de triomphe se trouve au ***bout*** *de l'avenue des Champs-Elysées.*
– Le clochard ramassait de temps en temps des ***bouts*** *de cigarette.*
– Lis le texte jusqu'au ***bout****, jusqu'à la fin !*

but (m)
Tout le stade debout hurlait sa joie. L'équipe de football avait marqué le ***but*** *de la victoire.*

butte (f)
Le Sacré-Cœur est sur une hauteur, sur la ***butte*** *Montmartre. Et de là, on voit tout Paris à ses pieds.*

C

cahot (m)
La voiture roulait sur une route mal entretenue, pleine de trous. Elle sautait et ses ***cahots*** *rendaient malades les voyageurs.*

chaos (m)
Ma mère avait l'habitude de dire, en voyant le désordre de ma chambre : «Tout est sens dessus, dessous, quel ***chaos*** *!»*

censé(e) + infinitif
Tout le monde pensait qu'elle était dans une salle d'examen. Elle était ***censée*** *passer un examen, or je l'ai rencontrée assise à une table de café, lisant un journal, essayant de bronzer au soleil.*

sensé(e)
— Est-ce que vous croyez que c'est raisonnable, que c'est ***sensé*** *de traîner dans un café au lieu de passer ses examens ?*
— Non, ce n'est pas ***sensé****, ce n'est pas raisonnable, mais c'est bien agréable.*

cent
Je t'ai répété dix fois, ***cent*** *fois, mille fois, qu'il ne fallait pas enlever ton pull, mais voilà, tu n'écoutes pas et maintenant, tu tousses !*

sans
Je ne supporte plus ma voisine, elle se plaint ***sans*** *cesse.*

sang
Comment peut-elle être infirmière ? Elle a peur quand elle voit le ***sang*** *couler.*

chaîne (f)
– Les Alpes, les Andes, l'Himalaya sont des ***chaînes*** *de montagnes.*
– Elle portait autour du cou une ***chaîne*** *en or.*
– Assis devant la télé, la télécommande à la main, il passait son temps à changer de ***chaîne****.*

chêne (m)
– Le ***chêne*** *est un arbre. C'est l'arbre dans lequel Panoramix cueille la plante sacrée des Gaulois, le gui.*
– J'ai acheté au marché aux puces cette belle armoire en ***chêne****, qui doit être très ancienne.*

chair (f)
Elle était si maigre, qu'elle n'avait plus de ***chair****, elle n'avait que la peau sur les os.*

cher(s), chère(s)
– ***Cher*** *ami, je vous souhaite une bonne année, une bonne santé, et à vous aussi,* ***chère*** *amie !*
– 100 euros, pour une paire de chaussures, c'est ***cher****, tu ne trouves pas ?*

champ (m)
Dans les tableaux des impressionnistes, on voit souvent des ***champs*** *de blé où fleurissent des coquelicots rouges.*

chant (m)
– Votre fille a une belle voix, elle devrait étudier le ***chant****.*
– C'est le ***chant*** *des oiseaux qui me réveille le matin.*

cœur (m)
– Sur l'arbre, quelqu'un avait dessiné un ***cœur*** *et, dans le cœur, on avait écrit deux noms.*
– Ne mange pas tous les chocolats, tous les gâteaux, tu auras mal au ***cœur*** *si tu continues.*

chœur (m)
Jusqu'à l'âge de douze ans, il a chanté dans un ***chœur*** *d'enfants ; aujourd'hui, il est adulte, et il chante dans les* ***chœurs*** *de l'Opéra.*

col (m)
Elle portait une robe noire très simple ; un grand **col** *blanc, loin du cou, donnait un peu de gaieté à l'ensemble.*

colle (f)
J'ai perdu le talon de ma chaussure ; je l'ai recollé avec une **colle** *forte en attendant de m'acheter une nouvelle paire de chaussures.*

compte (m)
6 + 4 + 10 = 18 !!! C'est faux. Recommence. 6 + 4 + 10 = 20. Bravo, maintenant le **compte** *est bon.*

conte (m)
Quand j'étais petite, j'adorais les histoires, les **contes***, en particulier « La Belle au bois dormant » et « Cendrillon ».*

coq (m)
Cocorico ! Cocorico ! chantait le **coq***. C'était le réveil du monde. C'étaient mes vacances d'enfance.*

➔ Les cris d'animaux, II, 2, p. 205.

coque (f)

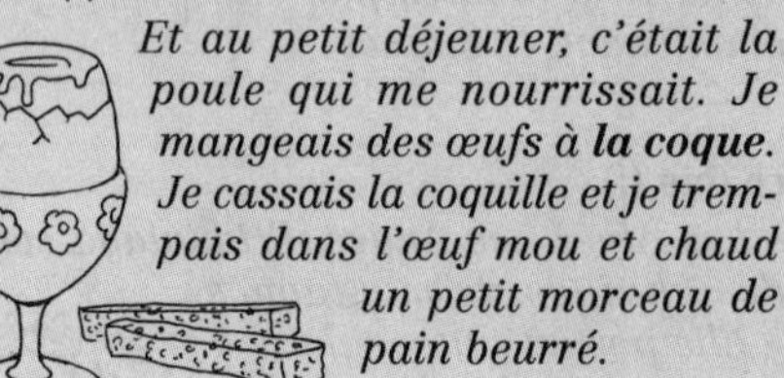

Et au petit déjeuner, c'était la poule qui me nourrissait. Je mangeais des œufs à **la coque***. Je cassais la coquille et je trempais dans l'œuf mou et chaud un petit morceau de pain beurré.*

cou (m)
– La girafe a un long **cou***.*
– Lise ne retire jamais la chaîne qu'elle porte autour du **cou***.*

coup (m)
Le boxeur américain Mike Tyson donnait des **coups** *de poing terribles à son adversaire.*

coût (m)
C'est extraordinaire. Tout est bon marché maintenant. Le **coût** *de la vie a baissé.*

cour (f)
Les enfants avaient quitté la classe et jouaient dans la **cour** *de l'école.*

cours (m)
Je n'aime pas aller au **cours** *de maths, parce que je n'aime pas le professeur.*

court (au masculin)
L'enfant a grandi. Tous ses vêtements sont devenus trop **courts** *pour lui.*

court (m)
Les gradins étaient pleins ; on attendait la finale du tournoi de tennis sur le **court** *central.*

cuir (m)
Ce cartable en cuir m'a accompagné pendant mes années d'enseignement

cuire
Faites **cuire** *la viande à feu doux.*

D

danse (f)
Elle adore la **danse** *; elle a un abonnement pour tous les spectacles de ballets à l'Opéra.*

dense
Une foule **dense***, nombreuse, circulait avec difficulté dans les salles de l'exposition « Picasso ».*

date (f)
— Quelle est votre **date** *de naissance ?*
— Le 1er janvier 1990.

datte (f)
Le palmier, arbre des pays méditerranéens, porte des fruits très sucrés, les **dattes***.*

E

eau (f)
*Quand on a soif, rien ne vaut un verre d'**eau** bien fraîche.*

haut(e)
*On vient de construire dans mon quartier un immeuble de 40 étages, un immeuble très **haut**.*

F

faim (f)
*J'ai une **faim** de loup, je pourrais manger un poulet entier.*
→ Les expressions imagées, II, 2, p. 214.

fin (f)
*Le film était triste. Quand le mot «**fin**» est apparu sur l'écran, tout le monde pleurait.*

fin (au masculin)
*Je vais acheter du gros sel pour la cuisine et du sel **fin** pour la table.*

fait (m)
*«Racontez-moi les **faits**, et seulement les **faits**, n'inventez rien», dit le policier au témoin de l'accident.*

fée (f)
*Dans beaucoup de contes, il y a toujours une bonne **fée**, un personnage extraordinaire qui vient aider l'héroïne ou le héros.*

fard (m)
*Elle adorait se maquiller. Elle mettait du **fard** sur ses paupières, sur ses joues. Parfois, elle ressemblait à une poupée.*

phare (m)
*Je n'aime pas voyager de nuit. J'ai souvent mal aux yeux. Je suis aveuglé par les **phares** des voitures.*

fil (m)
*Je dois recoudre un bouton à mon manteau. J'ai besoin de **fil** bleu marine.*

file (f)
*Il y avait une longue **file** à la poste. Les gens, les uns derrière les autres, attendaient.*

foi (f)
*Elle croit en Dieu, elle a une **foi** profonde.*

foie (m)
*— Le chocolat est mauvais pour le **foie**?*
— Non, heureusement.

fois (f)
*Il était une **fois**, un roi et une reine qui vivaient dans un beau château....*

frais (m pluriel)
*Je ne peux pas acheter de voiture cette année. J'ai fait beaucoup de dépenses pour aménager mon studio, j'ai eu beaucoup de **frais**.*

frais (au masculin)
*Brr...! Il ne fait pas très chaud, il fait même un peu **frais**. J'aurais dû prendre un gilet.*

G

glaciaire
*Le pôle Nord et le pôle Sud sont-ils les restes de l'époque **glaciaire**, époque où les glaces couvraient de grands espaces?*

glacière (f)
*N'oubliez pas d'emporter une **glacière** pour notre pique-nique. Il faut boire la bière bien fraîche.*

golf (m)
*Il aime jouer au **golf**. C'est un sport reposant, qui vous oblige à marcher.*

golfe (m)
*Le fleuve Mississippi se jette dans le **golfe** du Mexique.*

goûter
*— Qu'est-ce que c'est ? Un coq au vin ? Je vais y **goûter** pour te dire ce que j'en pense.*

goûter (m)
*À 16 h 30, il prend un **goûter**, un petit pain au lait.*

goutter
Flic, floc, flic, floc, flic, floc !

*Qu'est-ce qu'il y a de plus insupportable que d'entendre **goutter** un robinet ?*

L

lac (m)
*Le **lac** de Genève est un des plus grands lacs d'Europe.*

laque (f)
*Le plafond était peint d'une **laque** si brillante qu'on aurait dit un miroir.*

laid (au masculin)
*Dans le conte « La Belle et la Bête », un animal très **laid** devient un beau prince grâce à l'amour d'une jeune fille.*

lait (m)
*On dit qu'un bébé nourri au **lait** maternel pendant les six premiers mois sera en meilleure santé.*

M

mal (m)
*Je dois aller voir l'ophtalmo, j'ai **mal** aux yeux.*

malle (f)
*Sous le toit de la maison, il y avait une pièce, le grenier, remplie de grandes **malles** où on avait rangé des vêtements d'autrefois.*

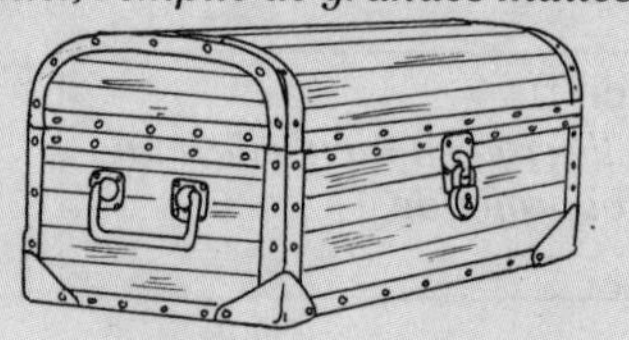

mère (f)
*Cette **mère** de six enfants est…*

maire (m)
*… **maire** d'un village, au bord…*

mer (f)
*… de la **mer** Méditerranée.*

mètre (m)
La hauteur de la tour Eiffel est de 320 ***mètres****.*

maître (m)
J'aime aller à l'école, mon ***maître*** *est gentil.*

moi
Tu es anglais ? ***Moi****, je suis français.*

mois (m)
En France, on passe le bac au ***mois*** *de juin.*

mot (m)
– « Être ou ne pas être », ces quatre ***mots*** *d'une pièce de Shakespeare sont très célèbres.*
– J'ai écrit un petit ***mot*** *à mon amie pour la remercier de m'avoir invité à dîner hier.*

maux (m pluriel)
Elle avait mal à la tête, elle souffrait de ***maux*** *de tête terribles, et elle devait passer parfois des journées entières allongée sur son lit, dans l'obscurité la plus totale.*

mur (m)
Les ***murs*** *de la chambre étaient recouverts d'un papier à fleurs.*

mûr (au masculin)
Ce fruit n'est pas bon à manger : il n'est pas encore ***mûr****.*

N

né(e)
Victor Hugo est ***né*** *en 1802 à Besançon ; il est mort à Paris en 1885.*

nez (m)
Elle a le petit ***nez*** *de sa mère, et les yeux bleus de son père.*

nom (m)
Écrivez votre ***nom*** *en majuscules et votre prénom en minuscules : HUGO Victor.*

non
— Veux-tu te marier avec moi ?
— ***Non*** *!*

P

pain (m)
Va chez le boulanger pour acheter du ***pain****. Tu prendras une baguette.*

pin (m)
Dans les Landes, au sud de Bordeaux, on trouve de nombreuses forêts de ***pins****.*

pair(e)
Deux, quatre, six, huit sont des nombres ***pairs****.*

paire (f)
Elle a offert une belle ***paire*** *de gants en cuir...*

père (m)
... à son ***père****, pour la Fête des* ***pères****.*

parti (m)
Je ne suis inscrit à aucun ***parti*** *politique.*

partie (f)
Veux-tu faire une ***partie*** *de cartes ?*

patte (f)
J'ai deux jambes, mon chat a quatre ***pattes****.*

pâte (f)
– Avant de mettre le pain au four, il faut laisser reposer la ***pâte*** *à pain reposer pendant une heure.*
– Aimez-vous les ***pâtes*** *à la sauce tomate ?*

paume (f)
— La ***paume****? Qu'est-ce que c'est? C'est un fruit?*
— Mais non, c'est l'intérieur de la main.

pomme (f)
La ***pomme****, quand elle est rouge, croquante et un peu acide est mon fruit préféré.*

pause (f)
Le cours dure trois heures. Je m'arrête toujours au bout d'une heure et je fais une ***pause*** *de dix minutes.*

pose (f)
«Ne bougez plus, gardez la ***pose****», dit le photographe au mannequin qui présentait la robe d'un grand couturier.*

peau (f)
Elle a la ***peau*** *aussi douce que celle d'un bébé.*

pot (m)
Elle a acheté un ***pot*** *de fleurs qu'elle a mis à sa fenêtre. Elle a aussi acheté un* ***pot*** *de miel.*

plaine (f)
La France est un pays de montagnes et de ***plaines****, c'est un pays de contrastes.*

pleine (féminin de *plein*)
Il y avait deux bouteilles de vin sur la table: l'une encore ***pleine****, l'autre déjà vide.*

poids (m)
Elle a grossi et elle ne veut plus connaître son ***poids****. 60 kilos? 65? Plus?*

pois (m)
Elle ne mangeait plus que des petits ***pois****, croyant qu'elle pourrait maigrir ainsi.*

poignée (f)
– Les deux chefs d'État se sont serré la main puis ils se sont séparés sur cette ***poignée*** *de main.*
– Elle a pris une ***poignée*** *de gros sel et l'a jetée dans la casserole.*
– On ne peut plus ouvrir la fenêtre, la ***poignée*** *de la fenêtre est tombée.*

poignet (m)
Elle avait des ***poignets*** *très fins, très minces; tous les bracelets-montres étaient trop grands pour elle.*

poing (m)
Les deux enfants jouaient jusqu'à ce que l'un d'entre eux, fermant sa main, donne à l'autre un coup de ***poing*** *et le jeu s'est terminé dans les pleurs.*

point (m)
Une phrase commence par une majuscule et se termine par un ***point****.*

porc (m)
Certaines religions interdisent la consommation de la viande de ***porc****.*

port (m)
J'aime aller sur le ***port*** *voir arriver les grands bateaux.*

pré (m)
Les vaches mangeaient l'herbe fraîche dans le ***pré****.*

près
Nous habitons ***près*** *d'une station de métro.*

prêt (au masculin)
Voilà, j'ai fini, je suis ***prêt****, nous pouvons partir.*

R

résonner
Minuit. Elle était seule dans la rue. Elle entendait le bruit de ses pas, elle entendait ses pas ***résonner*** *sur le trottoir.*

raisonner
Elle veut abandonner ses études. Elle a tort. Mais, même si tu lui parles pendant des heures, tu ne pourras pas la ***raisonner****. Elle n'écoute personne.*

roue (f)
La bicyclette a deux ***roues****, la voiture quatre* ***roues****, et... alors ? Alors, rien, c'est comme ça.*

roux (au masculin)
Regarde cet homme ! S'il avait les cheveux noirs, il serait brun, s'il avait les cheveux blonds, il serait blond, s'il avait les cheveux châtains, il serait châtain ; mais il n'est ni brun, ni blond, ni châtain ? Mais alors ? Qu'est-ce qu'il est ? Il est ***roux****, il a les cheveux* ***roux****,* ***roux*** *comme les arbres en automne.*

S

sain (au masculin)
On dit que le climat en montagne est bon, qu'il est plus ***sain*** *que dans les villes où la pollution rend les gens malades.*

saint (m)
Cet homme est bon, gentil avec tout le monde, il aide les autres, il donne tout ce qu'il a, il est comme un ***saint****.*

sein (m)
Les médecins déconseillent aux femmes de rester les ***seins*** *nus au soleil.*

saine (féminin de *sain*)
Elle a eu un accident de voiture, mais elle en est sortie ***saine*** *et sauve, sans aucune blessure.*

scène (f)
Tous les acteurs, tous les chanteurs ont peur, ont le trac, avant d'entrer en ***scène****.*

sale
Tu as les mains ***sales****, lave-toi les mains et...*

salle (f)
... tu iras dans la ***salle*** *à manger, le dîner est prêt.*

saut (m)
C'est un grand sportif, il pratique le ***saut*** *à la perche, le* ***saut*** *en hauteur et le triple* ***saut****.*

seau (m)
La maison était en feu. L'incendie s'étendait. Les pompiers n'étaient pas encore arrivés, les habitants remplissaient des ***seaux*** *d'eau qu'ils jetaient sur le feu sans pouvoir l'éteindre.*

sol (m)
Do, ré, mi, fa, ***sol****, la, si, do, do, si, la,* ***sol****, fa, mi, ré, do, interminablement, l'enfant faisait ses gammes.*

sol (m)
Sur le ***sol*** *de sa chambre, elle avait étalé un tapis indien aux couleurs éclatantes.*

sole (f)
Est-ce que la ***sole*** *est la femelle du sol ? Ah ! Ah ! Quelle plaisanterie stupide ! Jamais de la vie ! C'est un poisson plat et très cher.*

son (m)
Dans le soir tranquille, on n'entendait que le ***son*** *léger d'une cloche dans le lointain.*

son
Elle a mis ***son*** *manteau, a pris* ***son*** *parapluie, et a quitté* ***son*** *immeuble à 7 heures précises.*

son (m)
Depuis qu'elle a lu un article qui montrait les qualités du ***son*** *de blé, elle n'achète plus que du pain au* ***son****.*

sûr (au masculin)
Tu es certain, tu es ***sûr*** *de pouvoir voyager seul dans ces pays lointains ? Les routes sont dangereuses, elles ne sont pas* ***sûres****, tu sais !*

sur
Un petit chat se promenait ***sur*** *un mur.* ***Sur*** *une branche, un oiseau chantait. Le chat le regardait et se disait qu'il aimerait bien se jeter* ***sur*** *lui.*

T

tache (f)
Il n'y a rien de plus gênant, quand on est invité, que de verser du vin sur la nappe et de laisser à la place qu'on occupait une belle ***tache*** *rouge.*

tâche (f)
Je déteste passer l'aspirateur, laver les vitres, enlever la poussière sur les meubles, bref, je déteste toutes les ***tâches*** *ménagères.*

tant
Tout le monde la regarde tellement elle est belle, ***tant*** *elle est charmante.*

temps (m)
La pluie, le froid, le vent, quel mauvais ***temps*** *!*

tante (f)
Ma mère a une sœur beaucoup plus jeune qu'elle et je me sens très proche de cette ***tante*** *qui a presque mon âge.*

tente (f)
Chaque été, nous partons en camping. Nous installons notre ***tente*** *près d'une rivière et nous passons des vacances formidables, dans notre maison en toile.*

thon (m)
On fait de délicieux sandwichs avec le ***thon*** *en boîte.*

ton
N'oublie pas d'aller chercher ***ton*** *manteau et ton pantalon au pressing !*

ton (m)
Ne me parle pas sur ce ***ton****, c'est à ta mère que tu parles... !*

toi
Moi, j'aime le cinéma américain. Et ***toi*** *?*

toit (m)
La cheminée que le vent avait cassée à sa base reposait en équilibre au bord du ***toit****.*

V

vain (au masculin)
Il est inutile, il est ***vain*** *de vouloir changer le monde.*

vin (m)
— Que préférez-vous ? Le ***vin*** *blanc ou le* ***vin*** *rouge ? Le bordeaux ou le bourgogne ?*
— Ce que je préfère, c'est le champagne.

vaine (féminin de *vain*)
Attendre l'homme idéal ou la femme idéale risque d'être une attente inutile, ***vaine****.*

veine (f)
Pour faire une prise de sang, il faut chercher la ***veine*** *au milieu du bras et piquer sans trembler.*

verni(e)
La table ***vernie*** *brillait comme un miroir.*

vernis (m)
Autrefois, quand un tableau était fini, le peintre le recouvrait d'une couche de ***vernis*** *et pouvait enfin montrer l'œuvre achevée au public ; ce jour-là s'appelait le vernissage.*

verre (m)
Devant l'assiette, il y avait un ***verre*** *à eau et un* ***verre*** *à vin.*

vers (m)
Le sonnet est un poème qui comporte quatorze ***vers****.*

vers
L'enfant qui apprend à marcher va ***vers*** *sa mère, naturellement.*

vert (au masculin)
Feu ***vert****, feu orange, feu rouge, c'est le rythme de la circulation.*

voie (f)
La rue, la route, le sentier, le chemin sont des ***voies*** *de circulation.*

➔ Les synonymes varient en précision, I, 1, p 85.

voix (f)
Elle a une belle ***voix*** *de soprane et elle chantera peut-être un jour à l'Opéra.*

2 • *4* Les paronymes

On appelle paronymes deux mots :
– proches par le son ou par l'orthographe,
– mais éloignés par le sens.
Ils peuvent provoquer des confusions.

Parfois, les paronymes sont construits sur le même radical, et c'est le suffixe ou le préfixe qui entraîne un changement de sens.

amener, emmener ; astrologie, astronomie

Parfois, ils sont construits sur deux radicaux complètement différents et leur ressemblance n'est due qu'au hasard.

inculper, inculquer ; esquisser, esquiver

accès (m) possibilité d'entrer quelque part, endroit par lequel on peut entrer
*En cas d'incendie, il faut laisser impérativement libres tous les **accès** de l'immeuble.*

excès (m) trop grande quantité, qui va au-delà de la mesure normale
*Mangez peu, buvez modérément, ne fumez pas, évitez les **excès**, vous vivrez plus vieux. Vous vous ennuierez peut-être, mais vous vivrez !*

accident (m) ce qui arrive brusquement et entraîne des destructions, des blessures, des morts
*L'autoroute a été fermée à cause d'un **accident** survenu entre deux poids lourds. L'un d'eux s'était renversé sur la chaussée.*

incident (m) petite difficulté imprévue qui arrive
*Un **incident** a interrompu le décollage de l'avion. On a découvert à bord une valise qui n'appartenait à aucun voyageur de l'avion. Nous sommes donc revenus à notre point de départ pour débarquer ce colis suspect.*

adhérence (f) état d'une chose qui tient fortement à une autre

*« Des pneus qui adhèrent sont des pneus qui libèrent. » C'est le slogan publicitaire qui présente ces nouveaux pneus et leur parfaite **adhérence** sur la chaussée, même par temps de pluie.*

adhésion (f) action de s'inscrire à un parti, à un groupe, action de partager une idée
*J'ai retrouvé ma vieille carte d'**adhésion** à ce parti politique. Ah ! jeunesse, jeunesse, que d'illusions !*

affection (f) sentiment tendre qui relie une personne à une autre
*On dit que personne ne peut aimer comme une mère, que rien ne surpasse l'**affection** d'une mère.*

affectation (f) manque de naturel
*Le petit doigt en l'air, elle buvait son thé avec **affectation**. Elle se croyait distinguée, mais elle n'était que ridicule.*

affliger rendre très triste

*La mort de son chien **a affligé** la petite fille. Elle a pleuré toute la journée et a refusé même son goûter.*

infliger donner une peine, une punition
*Le professeur **a infligé** une punition à l'élève qui ne savait pas conjuguer ses verbes.*

allusion (f) un sous-entendu, quelques mots qui veulent faire comprendre quelque chose qu'on ne dit pas directement
*Il ignore nos projets, je n'y ai fait aucune **allusion**.*

illusion (f) impression de voir ou d'entendre quelque chose qui n'existe pas ; idée fausse
*Ne te fais pas d'**illusion**, tu ne réussiras pas à le convaincre, il est si têtu !*

alternance (f) retours successifs d'événements
*La vie des hommes est souvent rythmée par l'**alternance** des saisons.*

alternative (f) choix entre deux solutions possibles
*Je vous offre cette **alternative**: prendre l'avion ou voyager en T.G.V. À vous de décider.*

aménager arranger un lieu pour un usage particulier
*Il a **aménagé** son grenier en atelier de bricolage.*

emménager s'installer dans un nouveau logement
*Nos nouveaux voisins ont passé leur dimanche à **emménager** dans la maison qu'ils viennent d'acheter.*

amener faire venir une personne avec soi
*Tu **amèneras** ton petit garçon et ta petite fille à mon mariage.*

→ Les préfixes de verbes, I, 1, p. 17.

emmener mener avec soi hors d'un lieu
***Emmenez** ces enfants, ils fatiguent leur grand-père malade par leurs cris.*

amoral(e) qui ne distingue pas le bien du mal
*Un tout petit enfant est souvent un être **amoral**.*

→ Les antonymes formés à partir de préfixes, I, 2, p. 115.

immoral(e) qui est contraire à la morale
*Un tyran, un dictateur est quelqu'un d'**immoral**.*

apporter porter quelque chose là où on est
***Apporte**-moi mes lunettes, s'il te plaît, je les ai laissées sur ma table de nuit.*

→ Les préfixes de verbes, I, 1, p. 18-19.

emporter prendre avec soi quelque chose quand on s'en va
***Emporte** ton manteau de fourrure si tu pars pour le Canada, il y fait encore très froid.*

arrivage (m) arrivée des marchandises
*À cause de la neige, il n'y a pas eu d'**arrivage** de fruits aux Halles.*

arrivée (f) l'action d'arriver (personnes ou choses)
*On a annoncé l'**arrivée** de l'avion et l'**arrivée** des voyageurs.*

astrologie (f) étude de l'influence des étoiles sur la vie des hommes
*« Moi, dit-elle en ouvrant le journal et en jetant un regard rapide et intéressé sur les signes du zodiaque, je ne crois pas du tout à l'**astrologie**. »*

astronomie (f) science qui étudie le mouvement des planètes
*Depuis que j'avais acheté à mon fils une lunette astronomique, il passait son temps à observer le ciel et il ne rêvait plus que d'**astronomie**.*

attention (f) attitude de quelqu'un qui écoute, qui regarde sans se laisser distraire
*Fais **attention**, fixe bien la route, sinon c'est l'accident.*

intention (f) le fait de se donner un but
*J'espère que tu as l'**intention** de passer tes examens et de les réussir. Si tu fais attention, tu y arriveras.*

biographie (f) livre qui raconte la vie d'une personne
*« Je ne lis plus que des **biographies**, m'a dit ma tante. Biographies d'écrivains, de musiciens... »*

bibliographie (f) liste des ouvrages écrits sur un sujet particulier
*C'est en consultant la **bibliographie** à la fin d'un ouvrage qu'on découvre la quantité de travail, de lectures qu'il a fallu pour l'écrire.*

changer remplacer une chose par une autre ; (se) modifier
*— Elle a beaucoup **changé**, je ne l'ai pas reconnue.*
*— C'est parce qu'elle a **changé** sa façon de s'habiller et de se coiffer.*

échanger donner un objet pour en recevoir un autre qu'on juge d'égale valeur
*Dans la cour de l'école, les enfants passent leur temps à **échanger** leurs jeux vidéo.*

compréhensible qu'on peut comprendre, clair(e)
*Son petit chat est mort, son chagrin est **compréhensible**.*

compréhensif (-ive) qui peut comprendre
*Ses parents qui étaient très **compréhensifs** lui laissaient une totale liberté.*

confus(e) personne : désolé(e), honteux (-euse) ; chose : peu clair(e)
*Pardon, je suis vraiment **confus** d'être en retard. J'étais plongé dans la lecture d'un livre que je dois absolument lire pour ma thèse. Mais je n'y comprends rien, tellement il est **confus**.*

confondu(e) mélangé(e), pris(e) pour un(e) autre
*Il n'a rien compris ; préposition, proposition, adjectif, adverbe, il a tout mélangé, il a tout **confondu**.*

conjecture (f) hypothèse
*Quand je pense à mon avenir, je me perds en **conjectures**. Qu'est-ce que je vais devenir ?*

conjoncture (f) situation qui résulte de certaines circonstances
*L'industrie automobile a souffert de la **conjoncture** économique.*

consommer absorber des aliments
*Ne **consommez** pas d'huîtres ni de moules en été, vous risquez d'être malades.*

consumer brûler complètement
*Il allumait souvent une cigarette et la laissait parfois se **consumer** sans la fumer.*

démocratie (f) forme de gouvernement qui donne le pouvoir à des personnes élues par le peuple
*En **démocratie**, chacun est libre. Mais en **démocratie**, la liberté de chacun s'arrête là où commence la liberté de l'autre.*

démographie (f) étude de la population
*Connaître un pays, c'est connaître ses habitants, leur nombre, leur répartition dans le pays, les mariages, les naissances, c'est en étudier la **démographie**.*

désintéressé(e) qui ne recherche pas le profit
*Je n'ai rien à gagner dans cette affaire et c'est un conseil d'ami que je vous donne, c'est un conseil **désintéressé**.*

inintéressant(e) qui n'offre aucun intérêt
*Ce roman n'apporte rien : les personnages sont banals, l'intrigue est faible, la langue présente des incorrections ; c'est un roman **inintéressant**.*

désintérêt (m) absence d'intérêt pour une chose ou pour une personne ; indifférence
*La dépression se manifeste par un **désintérêt** pour la vie quotidienne, pour les autres.*

désintéressement (m) absence d'intérêt pour les choses matérielles, pour l'argent
*Il a montré un grand **désintéressement** en donnant toute sa fortune à des œuvres humanitaires.*

effraction (f) le fait de briser une porte
Je suis arrivée devant ma porte et j'ai vu ma serrure par terre ; pas de doute, quelqu'un était entré chez moi par ***effraction****.*

infraction (f) désobéissance à un règlement
Rouler à plus de 150 kilomètres à l'heure constitue une ***infraction****.*

émigré(e) qui a quitté son pays
Tout quitter, laisser derrière soi un pays, des gens qu'on aime, être un ***émigré****, ce n'est pas facile.*

immigré(e) qui est venu vivre dans un autre pays
Arriver dans un pays qu'on ne connaît pas, apprendre peut-être une langue nouvelle, être un ***immigré****, ce n'est pas facile.*

entrer passer de l'extérieur à l'intérieur
— Bonjour docteur.
— Bonjour, madame, c'est la première fois que vous venez consulter ? ***Entrez*** *donc, je vous prie.*

rentrer entrer de nouveau, revenir
Non, je n'irai pas au cinéma avec vous, je préfère ***rentrer*** *chez moi, j'ai à faire à la maison.*

esquisser dessiner rapidement, commencer à faire
J'ai dû raconter toutes sortes d'histoires drôles, j'ai dû faire le clown pour consoler l'enfant et le voir enfin ***esquisser*** *un sourire.*

esquiver éviter adroitement
Ce boxeur était très souple, très agile, très rapide et il pouvait ***esquiver*** *tous les coups de ses adversaires.*

essai (m) le fait d'utiliser un objet pour s'assurer de sa qualité
C'est un nouveau modèle. La voiture n'est pas au point. Nous en sommes à la période des ***essais****.*

essayage (m) le fait d'essayer un vêtement
*Vous devez attendre, toutes les cabines d'****essayage*** *sont occupées pour le moment.*

évoquer faire revenir des images du passé à la mémoire ; faire apparaître à l'esprit
– Ce grand poète ***évoque*** *souvent dans ses œuvres les paysages de son enfance.*
– Dans cet hebdomadaire, on ***évoque*** *toutes les grandes questions de notre temps.*

invoquer demander l'aide d'une puissance supérieure ; donner comme justification
Pour justifier la fermeture de son usine de voitures, le directeur ***a invoqué*** *une baisse importante des ventes.*

explicite très clair, évident(e)
Pour la demander en mariage, il n'a pas été très ***explicite*** *: il lui a dit seulement : « Tu n'as pas envie de changer d'appartement ? »*

implicite qui n'est pas exprimé clairement, mais qu'on peut deviner
Elle n'a pas dit « non », mais elle a fait une grimace qui disait « non » d'une manière ***implicite****.*

extrêmement très
Cette petite fille est très polie, elle est ***extrêmement*** *polie.*

excessivement trop
Ce plat est ***excessivement*** *épicé, je n'en reprendrai pas.*

inculper attribuer à quelqu'un un crime
C'est son ami qui a été ***inculpé*** *du meurtre de la jeune étudiante hollandaise.*

inculquer enseigner
*Les parents essayent d'****inculquer*** *à leurs enfants les règles de la politesse.*

(s')infecter (se) contaminer ; polluer
*Nettoyez soigneusement une blessure, de crainte qu'elle ne **s'infecte**.*

infester remplir d'êtres dangereux, nuisibles
*Ne vous baignez pas aujourd'hui, la mer est **infestée** de méduses. Leur simple contact provoque une décharge électrique très désagréable.*

intègre honnête, juste
*J'ai toute confiance en lui : c'est un homme **intègre**. Il ne ment pas, il ne trompe pas.*

intégral(e) complet (-ète), total(e)
*Il faut lire ce grand roman dans sa version **intégrale** et non dans sa version résumée.*

isolement (m) état de quelqu'un qui vit seul
*Depuis le départ de ses enfants et la mort de sa femme, cet homme vit dans un **isolement** total.*

isolation (f) action de protéger un lieu contre le bruit, la chaleur, le froid
*J'entends tout ce que disent mes voisins ; il faut revoir le système d'**isolation** de mon appartement.*

judiciaire qui concerne la justice, le tribunal
*Le commissaire Maigret, ce héros de romans policiers, appartient à la police **judiciaire**. En menant ses enquêtes, il essaie d'éviter les erreurs **judiciaires**.*

juridique qui concerne le droit
*Après avoir suivi des études de droit, mon frère a acquis une bonne formation **juridique** qui lui a permis d'entrer dans un important cabinet d'avocats.*

justesse (f) exactitude, précision
*– Tout le monde a admiré la **justesse** de votre raisonnement.*
*– Votre voix est belle mais elle manque de **justesse**.*

justice (f) respect du droit d'autrui
*– Le but d'un tribunal est de rendre la **justice**.*
*– Tout professeur doit montrer un esprit de **justice**.*

légal(e) fixé(e) par la loi
*Autrefois, la grève n'était pas **légale**. Ce droit n'a été accordé que sous Napoléon III.*

légitime reconnu(e) par la loi, juste
*Il a été injustement condamné, sa colère est **légitime**.*

loyal(e) fidèle, sincère, honnête
*Jean a toujours été un ami fidèle et **loyal**.*

mensonger (-ère) ce qui est contraire à la vérité
*Il a fait un récit **mensonger** de son voyage. Il nous a fait croire qu'il avait tué un ours en Afrique. Le mensonge était gros. Il n'y a pas d'ours en Afrique.*

menteur (-euse) personne qui ne dit pas la vérité
*Cet homme qui a voulu nous faire croire qu'il avait tué un ours en Afrique est un **menteur**.*

neuf (neuve) qui n'a pas encore servi, qui n'a pas encore été utilisé
*Les chaussures **neuves** ! Quelle torture parfois !*

nouveau (-velle) qui vient d'apparaître, qui vient d'arriver, autre, dernier (-ère)
*Il m'a fait faire un tour dans sa **nouvelle** voiture, une voiture d'occasion, mais en très bon état.*

oppresser gêner la respiration
*– 45° à l'ombre ! Nous avions du mal à respirer. Nous nous sentions **oppressés**.*
*– J'étais seule dans la rue ; il était une heure du matin, la peur m'**oppressait**.*

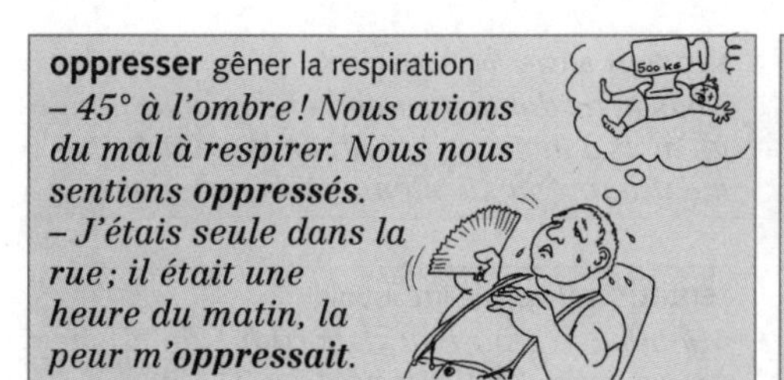

opprimer écraser sous un pouvoir tyrannique
*– Dans notre société, chacun se sent **opprimé** par celui à qui il doit obéir.*
*– Le peuple qu'on **opprime** n'a qu'une envie, se débarrasser de celui qui l'**opprime**.*

original(e) unique, qui ne ressemble à rien d'autre, personnel(le)
*Dans le monde de la publicité, on est toujours à la recherche d'idées **originales**. Il faut changer sans cesse, il faut être différent des concurrents.*

originel(le) qui vient de l'origine, du début
*Cette église date du XIIIe siècle ; mais elle a été en partie détruite pendant la guerre, puis elle a été souvent rénovée. Elle est loin d'avoir gardé son aspect **originel**.*

partial(e) qui prend parti, qui marque une préférence
*Un arbitre ne doit pas être **partial**. Il doit être juste.*

partiel(le) qui ne forme qu'une partie d'un ensemble
*Elle aimerait bien trouver un travail à temps **partiel** pour pouvoir s'occuper de son bébé.*

passager (-ère) qui est de courte durée, momentané(e)
*Ne t'inquiète pas, ce n'est qu'un malaise **passager**. Je vais déjà mieux.*

passant(e) fréquenté(e), en parlant d'une rue, où il y a beaucoup de gens
*J'aime bien les rues éclairées, animées, **passantes**.*

personnaliser donner un caractère personnel
*On aime bien **personnaliser** son lieu de travail en apportant ses photos de famille, en accrochant quelques reproductions.*

personnifier donner les traits d'une personne
*– Vous pouvez lui confier votre secret ; Jean est la discrétion **personnifiée**. Il ne dira rien à personne.*
*– Vénus **personnifie** la beauté.*

préposition (f) petit mot qui introduit un nom, un pronom ou un infinitif
*Les **prépositions** « à » et « de » sont les plus courantes de la langue française.*

proposition (f) partie d'une phrase qui contient un verbe ; suggestion, conseil, initiative
*– C'est le verbe qui caractérise la **proposition**. Autant de verbes, autant de **propositions**.*
*– J'ai une **proposition** à te faire : partons en week-end au bord de la mer.*

prolongation (f) action de prolonger dans le temps
*Les deux équipes de football étaient à égalité ; il fallait les départager ; on a donc joué les **prolongations**.*

prolongement (m) action de prolonger dans l'espace
*Les habitants des villages proches de l'aéroport ont manifesté contre le **prolongement** des pistes.*

racial(e) qui se rapporte à une espèce, à une race
*On peut espérer que plus personne ne pratiquera la ségrégation **raciale**.*

raciste partisan de la supériorité d'une race sur une autre
*On peut espérer que plus personne ne se dira **raciste**.*

respectable digne d'être respecté(e), honnête, bon, généreux (-euse)
*« Un vieillard **respectable** », c'est un cliché. Moi j'ai connu un vieillard qui n'était pas **respectable** du tout.*

respectueux (-euse) qui respecte les autres
*Les professeurs se plaignent qu'aujourd'hui les élèves leur parlent sur un ton qui n'est plus du tout **respectueux**.*

subvenir apporter le nécessaire, de quoi vivre *Le père **subvient** aux besoins de ses enfants jusqu'à ce que ceux-ci aient trouvé un emploi stable.*	**survenir** arriver brusquement *Nous nous donnons donc rendez-vous dans un mois à la même heure; mais si un événement imprévu **survient**, prévenez-moi.*
tentative (f) essai pour obtenir quelque chose *Je fais une dernière **tentative**, et si elle refuse encore une fois, je ne l'invite plus, j'abandonne.*	**tentation** (f) envie irrésistible *Mmmm... ce gâteau débordant de crème au chocolat, quelle **tentation**!!*
vénéneux (-euse) qui contient du poison *L'amanite phalloïde est le champignon le plus dangereux. C'est un champignon **vénéneux**, il peut être mortel.*	**venimeux (-euse)** qui contient du venin *La vipère est un serpent. C'est un serpent **venimeux** et les gens piqués par ce serpent peuvent mourir s'ils ne sont par rapidement secourus.*

RÉCAPITULONS

Synonymes: des mots de **même sens**, ou disons plutôt de sens voisin.
Antonymes: deux mots de **sens contraire**.
Homonymes: des mots de **sens différent**, mais qui ont la **même orthographe** et/ou la **même prononciation**.
Paronymes: deux mots de **sens très différent**, mais qui sont **proches par l'orthographe**.

Petite annexe sur la polysémie

Polysémie: **un même mot, un seul mot** peut prendre **des sens** complètement différents selon le contexte.

La polysémie, c'est cette possibilité qu'offre la langue de donner à un seul mot des sens complètement différents selon le contexte. La plupart des mots entrent dans cette catégorie polysémique. La richesse d'une langue vient de sa polysémie.

→ Quand les mots ont plusieurs sens, II, 1, p. 140.

Exemple:

Le blé est une céréale qui sert à faire le pain.
La galette est un gâteau rond et plat ou une crêpe salée.

Mais dans une langue familière, ces deux mots *blé* et *galette* signifient argent.
Et là, nous découvrons que **la polysémie peut conduire à la synonymie**, selon le contexte et le registre de langue: *blé* et *galette* peuvent devenir synonymes, parce que ces mots sont polysémiques.

> *Mmmm, quand je vois ces champs de **blé**, je peux déjà imaginer tout ce que notre boulanger-pâtissier pourra en faire. Avec la farine qu'on tire du **blé**, il préparera des gâteaux délicieux, des **galettes** appétissantes.*
>
> *Quand le boulanger aura vendu beaucoup de gâteaux, beaucoup de **galettes**, avec tout **l'argent**, avec tout le **blé** qu'il aura gagné, il se constituera une petite fortune, une petite **galette** qui lui permettra d'acheter un autre champ de **blé**.*

LES MOTS DANS LA VIE

1 Les mots et leur usage dans la vie

C'est dans la vie quotidienne (relations familiales, rapports professionnels) ou au grand jour par le biais des médias que la langue est en usage. Les mots sont en perpétuel mouvement, ils sont liés à la réalité du monde et de la société, au cours du temps.
Leur sens varie en fonction du contexte ; ils s'adaptent à la situation et aux personnes qui les utilisent au cours de l'échange ; ils vivent et évoluent en fonction des tendances et des besoins de la vie sociale.
Ce sont ces mots – en usage dans la vie de tous les jours – que nous allons aborder dans ce chapitre.

1 • *1* Quand les mots ont plusieurs sens

La plupart des mots usuels ont plusieurs sens : ils sont **polysémiques.** Devant ce constat, il paraît important d'initier le locuteur étranger à la **polysémie** du langage.

Les mots polysémiques peuvent être une source de confusion, car ils changent de sens selon leur **contexte** d'emploi. À travers l'analyse de deux textes, vous découvrirez que seul le contexte peut effacer cette ambiguïté.

Au cours du temps, certains mots subissent des **glissements de sens** qui produisent chaque fois de nombreuses expressions (exemples de l'**air** et du **feu**).

Les mots polysémiques sont souvent des mots très fréquents qui, par leur usage, se chargent de valeurs particulières, comme certains verbes tels que **faire**, **mettre**, **passer** et **tenir**.

→ Les paronymes, I, 2, p. 138.

Quelques définitions

On parle de **polysémie** lorsqu'un seul mot comporte plusieurs sens différents. Le contexte joue un rôle primordial pour cerner et interpréter ces sens.

- Les différents sens du mot sont reliés entre eux, ils s'ajoutent, se complètent et enrichissent le mot. Prenons par exemple le mot **maison** :

  un pâté de maisons : un ensemble d'habitations
  rentrer à la maison : le logement où l'on habite
  une maison de retraite, une maison de repos : un bâtiment public à usage spécifique
  la maison des vins : une entreprise commerciale
  le plus petit de la maison, c'est Jules : l'ensemble des membres de la famille

- La polysémie résulte en partie du pouvoir évocateur des mots, de l'image qui s'en dégage. Il y a dans ce cas un **glissement de sens**, du sens **propre** au sens **figuré**. Le sens figuré est le sens qu'un mot a pris à la suite d'une comparaison avec l'idée exprimée dans le sens propre.

  « Tu veux un canard ? » demande Valérie à son amie qui n'a pas le temps de commander un café pendant la pause.

Le **canard** en question n'a rien à voir avec l'animal, vous vous en doutez ! Il fait référence au morceau de sucre que l'on trempe dans son café ou dans celui de ses amis. Imaginez l'animal en train de plonger sa tête dans l'eau ! Par analogie avec le cri de l'oiseau, on appelle aussi un canard une fausse note, et dans le langage familier, un canard est une fausse nouvelle et un journal (cf. *un cancan*). → Les cris d'animaux, II, 2, p. 204.

  Votre chambre est un véritable chantier ! Rangez-la tout de suite !

Un **chantier** est un lieu où se déroulent des travaux de construction, de réparation ou d'exploitation *(un chantier forestier, naval...)*. En comparaison avec ce lieu, un chantier est un endroit où règne le désordre, en langue familière.

  Le succès des comédies musicales *Notre-Dame de Paris* ou *Roméo et Juliette* a dopé le marché du disque en France.

Doper signifie « administrer un stimulant ». Par analogie, il prend également le sens d'augmenter le rendement, donner un nouvel élan, un regain de dynamisme à quelque chose.

  Quelle girouette, celle-là !

Une **girouette** est une plaque de métal qui, en tournant autour d'un axe vertical, indique la direction du vent. Par comparaison, une girouette est une personne qui change sans arrêt d'opinion. → Les expressions imagées, II, 2, p. 212.

- Les mots qui ont plusieurs sens appartiennent souvent à deux registres différents ou bien ils sont liés à des variations régionales ou francophones (*le pochon, brave...*).
→ La variété régionale, II, 2 p. 225.

La **bise** (vent froid et sec du nord-est) est également un baiser en langue familière.
Le **caillou** (petite pierre) désigne aussi la tête (familier).
La **caisse** (grande boîte ou coffre) désigne également une voiture (familier).

Le **pain** (aliment) désigne aussi un coup de poing en langage familier (= *un pain*).
La **veste** (vêtement) peut également évoquer un échec ou un revirement de situation dans la langue familière.

– Jean a pris une veste (familier), quand il a demandé à Lucie de l'accompagner à la soirée ! (Elle a refusé catégoriquement.)
– Je ne sais pas ce qu'il pense des derniers sondages : à chaque élection, il retourne sa veste. (Il change radicalement d'opinion.)

À l'inverse, le sens figuré peut ouvrir la porte à la poésie :
une **rivière** de diamants, un **torrent** d'injures, une **pluie** de récompense, une **cascade** de critiques…

• Enfin, lorsqu'un mot déjà existant prend un sens nouveau, on parle de **néologisme sémantique** → Les néologismes de formation récente, II, 1, p. 186.

Une **souris** désigne l'animal ; mais la souris est aussi un petit boîtier connecté à l'ordinateur dans le langage informatique.
Une **toile** est un tissu, une pièce servant de support à une peinture ; mais la toile désigne aussi le système permettant d'accéder au réseau Internet (le Web).
Un **virus** est un microbe qui peut provoquer une maladie ; mais un virus est aussi un programme destiné à provoquer des troubles de fonctionnement des autres systèmes informatiques. → Les expressions liées à l'air du temps, II, 2, p. 236.

Devant l'immensité du lexique, nous avons fait le choix d'illustrer cette partie de quelques exemples significatifs, afin de vous donner un petit aperçu de l'étendue de la polysémie de la langue. Partons maintenant à la découverte de quelques mots courants (noms, adjectifs, verbes) qui enrichissent les conversations, au quotidien.

Les mots en contexte

La **polysémie** est une source de richesse lexicale ; elle donne une grande souplesse à la langue et ouvre la porte à la poésie et aux jeux de langage.
Nous allons essayer de jouer avec les mots en composant deux textes différents tout en utilisant les mêmes mots (en gras dans les textes ci-dessous).

TEXTE 1

*C'était un très **bon**[1] musicien ; il **jouait**[2] du **violon**[3], étudiait la **direction**[4] d'orchestre et **composait**[5] aussi : des sonates, des **études**[6], des suites. Chaque jour, il se mettait à sa table, dessinait les **clefs**[7], clef de* sol, *clef de* fa, *et les **notes**[8] naissaient sur la **portée**[9]. Il donnait des concerts dans toutes les capitales du monde, admiré par une **assistance**[10] toujours **touchée**[11] par son **jeu**[12] **délicat**[13]. Le jour du concert, debout devant le public, il **accordait**[14] son violon, en caressait d'un doigt **léger**[15] le **bois**[16] verni. Le chef levait sa **baguette**[17] et commençait à **battre**[18] la **mesure**[19] du premier **mouvement**[20] du concerto.*

Et le violoniste donnait son premier ***coup***[21] *d'archet. Les notes montaient, miraculeusement* ***justes***[22]*, belles, exactes, précises, aiguës ou* ***graves***[23]*. Rien ne semblait pouvoir les* ***arrêter***[24]*. Pour le public, c'était un moment* ***sacré***[25]*, un moment où toute* ***peine***[26] *disparaissait. Chacun* ***fixait***[27] *le soliste, chacun admirait sa* ***classe***[28]*, chacun* ***goûtait***[29] *ce plaisir rare de l'accord parfait.*

TEXTE 2

Il était né dans une famille pauvre ; on l'avait élevé durement à ***coups***[1] *de* ***baguette***[2]*. On le* ***battait***[3] *souvent. Personne n'était* ***bon***[4] *avec lui. On ne lui* ***accordait***[5] *aucun moment de repos. Pas de* ***jeu***[6] *pour lui. Il ne* ***jouait***[7] *pas comme les autres enfants. Il passait des heures dans les* ***bois***[8] *et restait assis là, sans faire un* ***mouvement***[9]*. En* ***classe***[10]*, il avait de mauvaises* ***notes***[11]*. Il regardait les cartes de géographie* ***fixées***[12] *au mur et rêvait de partir. Il n'avait pas terminé ses* ***études***[13]*, il avait* ***touché***[14] *un peu à tous les petits métiers. Il s'était mis à fréquenter les bars,* ***goûtant***[15] *à tous les alcools, buvant sans* ***mesure***[16]*; il jouait aux cartes avec des gens qui étaient de* ***sacrés***[17] *tricheurs. Il ne comprenait pas la* ***portée***[18] *de ses actes. Sa vie prenait une mauvaise* ***direction***[19]*. Un jour, quelqu'un lui avait confié une* ***clef***[20]*, le chargeant d'ouvrir un coffre-fort et d'y prendre une somme d'argent importante. Mais il avait été* ***arrêté***[21] *par la police, et personne ne lui avait porté* ***assistance***[22]*. Un jury* ***composé***[23] *de douze citoyens l'avait envoyé au* ***violon***[24] *pour de nombreuses années. C'était une affaire* ***délicate***[25]*. Sa faute était* ***grave***[26] *et la* ***peine***[27] *n'était pas* ***légère***[28]*, mais est-ce qu'elle était* ***juste***[29] *?*

	TEXTE 1	TEXTE 2
Les noms		
l'assistance	*l'assistance :* le public (10)	*porter assistance :* apporter une aide / un secours, aider (22)
la baguette	le petit bâton du chef d'orchestre (17)	un bâton mince (2)
le bois	la matière qui compose un arbre, avec laquelle on construit des objets (16)	un espace planté d'arbres (8)
la classe	admirer la classe de quelqu'un : sa distinction, sa qualité, sa valeur (28)	*en classe :* le lieu du cours, à l'école (10)
la clef	signe placé au début d'une portée musicale (7)	un objet en métal pour ouvrir une serrure, une porte (20)
le coup	le choc de l'archet sur les cordes (21)	un choc pour faire mal (1)
la direction	l'action de diriger (4)	l'orientation, le sens (19)
l'étude	un morceau de musique pour l'agilité des doigts (6)	*les études :* les travaux pour acquérir des connaissances (13)
le jeu	une façon de jouer un morceau (12)	une activité pratiquée pour jouer (6)
la mesure	*battre la mesure :* le rythme (19)	*sans mesure :* sans modération (16)
le mouvement	partie d'un morceau de musique classique (20)	un geste (9)

la note	un signe qui représente un son (8)	un chiffre ou une lettre représentant une évaluation (12 sur 20, A, B) (11)
la peine	le chagrin ou encore la difficulté (26)	la punition (27)
la portée	les 5 lignes sur lesquelles sont écrites les notes de musique (9)	*la portée de ses actes :* l'importance (18)
le violon	instrument de musique (3)	la prison (familier) (24)

Les adjectifs

bon	*un bon musicien :* de qualité (≠ mauvais) (1)	*personne n'était bon avec lui :* on n'était pas bon, gentil (≠ méchant) (4)
délicat	*un jeu délicat :* agréable et fin (≠ grossier, malaladroit) (13)	*une affaire délicate :* difficile (≠ simple, facile) (25)
grave	*une note grave :* basse (≠ aigu[ë]) (23)	*une faute grave :* lourde (≠ peu importante, légère) (26)
juste	*une note juste :* exacte, précise (≠ une fausse note) (22)	*c'est juste :* conforme à la justice (≠ injuste) (29)
léger	*un doigt léger :* qui a peu de poids, qui n'appuie pas (≠ lourd) (15)	*une peine légère :* faible (≠ lourde) (28)
sacré	*un moment sacré :* religieux (25)	*un sacré tricheur :* (familier) très grand (17)

Les verbes

accorder	*accorder un instrument de musique :* le régler pour le rendre juste (14)	*accorder un moment de repos à quelqu'un :* permettre, donner, procurer (5)
arrêter	empêcher d'avancer (24)	faire prisonnier (21)
battre	battre la mesure : donner, marquer (18)	frapper (3)
composer	écrire une œuvre musicale (5)	*être composé de :* être formé de (23)
fixer	regarder quelqu'un avec attention (27)	*fixer une chose au mur :* accrocher (12)
goûter	*goûter un plaisir :* apprécier (29)	boire pour en connaître le goût (15)
jouer	se servir d'un instrument de musique (2)	s'amuser (7)
toucher	*être touché(e) :* être ému(e) (11)	*toucher :* (familier) s'occuper de (14)

Les glissements de sens

Certains mots s'usent, perdent de leur force (ainsi, charme a perdu l'idée de formule magique, pour ne désigner que l'attrait, la séduction) ; d'autres s'éloignent de leur sens initial (embrasser signifiant « prendre dans ses bras », puis « donner un baiser » à partir du XVIIe siècle). Enfin, plusieurs mots subissent au cours du temps de nombreux glissements de sens qui sont à l'origine de nombreuses expressions. Nous avons choisi d'illustrer ce dernier point à travers les exemples de l'**air** et du **feu**.

■ L'AIR

*Ce soir, **il y a de l'orage dans l'air** dans la famille Martin.*
*— Bonsoir, Bernard. Oh, tu **as l'air** contrarié ce soir!*
*— Oui, en effet! Figure-toi que notre fils est venu me déranger ce matin en pleine réunion de travail! Il **ne manque pas d'air**, celui-là. Il est entré sans frapper dans mon bureau et m'a demandé d'un ton presque autoritaire le portable que je lui avais emprunté. Franchement!!!!*
*— Calme-toi, Bernard, tu sais, lui, avec **ses grands airs**!*
*— J'en ai assez de son attitude. Il ne travaille pas au lycée, il ne s'intéresse à rien, il a toujours **le nez en l'air**... Oh, et fermez donc cette porte, elle claque sans arrêt, vous ne sentez donc pas qu'il y a **des courants d'air**!*

Les différents sens du mot AIR

- **Les divers gaz (l'atmosphère que les êtres vivants respirent)**

– J'en ai assez de l'air pollué des rues, de l'air conditionné (la climatisation) du bureau, je m'en vais respirer l'air pur de la montagne.
– Attention au courant d'air! Il n'y a rien de tel pour s'enrhumer!
– Le fond de l'air est frais aujourd'hui, tu devrais mettre ton gilet.
– Tu devrais changer d'air, pars en vacances dans les Alpes!
– J'ai besoin de prendre l'air, j'étouffe ici, je manque d'air!

■ Sens figuré
– Eh bien, toi, tu ne manques pas d'air! (tu exagères!)

- **Le ciel, vers le ciel**

– L'avion décolle dans les airs, l'hôtesse de l'air prend soin de son équipage.
– « Les mains en l'air, ou je tire! » ordonne le cambrioleur.

■ Sens figuré
– Il a toujours le nez en l'air (insouciant, distrait) ➔ Les expressions imagées, II, 2, p. 210.
– Quelle tête en l'air, celle-là, elle oublie toujours quelque chose! (étourdie)
– C'est une idée en l'air! (peu sérieuse)

- **L'ambiance**

■ Sens figuré
– Oh, là, là, il y a de l'orage dans l'air! (il va y avoir une dispute)
– Vivons selon l'air du temps. (les modes d'une époque)
– Jouez donc cet air de musique que j'aime tant! (une mélodie, un morceau de musique)

- **L'apparence**

– Vous avez un air de famille tous les deux. Vous êtes frères? (se ressembler)
– Vous avez l'air contrarié. Ça vous dérange? (avoir l'apparence de, sembler)
– Oh, toi avec tes grands airs! (avec ton attitude orgueilleuse)
– Prends l'air sérieux, le directeur te regarde. (faire semblant d'être sérieux)
– Tu as l'air d'un clown dans cette tenue. (paraître)

■ LE FEU

Matthieu est un éternel amoureux, mais aussi un grand timide. Malgré le ***feu*** *intérieur qui l'anime, il ne se décide pas à déclarer sa* ***flamme*** *à la belle Isabelle. Peut-être, ce soir... Le soir tombe et fraîchit. Matthieu allume un bon* ***feu de cheminée*** *avec du bois sec coupé en brindilles qui* ***prend feu*** *immédiatement. Le repas* ***est*** *déjà* ***sur le feu****. Il attend...*

Dring! C'est elle, c'est Isabelle! ***Tout feu tout flamme****, il se lève, fait entrer sa belle et l'amène* ***au coin du feu****. Il s'exprime alors avec délicatesse, expose ses points de vue avec intelligence: devant elle, il fait des étincelles...*

Les différents sens du mot FEU

- **Dégagement de chaleur et de lumière se produisant lorsqu'une chose brûle**

  – Au feu! un incendie s'est déclaré au troisième étage de l'immeuble! Appelez les pompiers! (*un incendie* est un grand feu qui cause des dégâts importants en se propageant)
  – La maison prend feu, la forêt est en feu...
  – Attention! Tu vas mettre le feu à ta chambre avec ces allumettes! (incendier)

  ■ Sens figuré
  – J'ai les pieds en feu dans ces chaussures neuves! (sensation de douleur et d'extrême chaleur)
  – Ce n'est pas la peine de te dépêcher! Il n'y a pas le feu! (rien ne presse!)
  – Tu as tort de ne pas faire attention à ce que l'on dit sur cette affaire! En général, il n'y a pas de fumée sans feu! (proverbe signifiant qu'il y a toujours un fond de vérité dans les rumeurs)

→ Les expressions imagées, II, 2, p. 209.

- **Source de chaleur utilisée pour se chauffer ou pour cuire des aliments**

  un feu de bois, un feu de cheminée
  – Qu'il est bon de se réunir au coin du feu! (devant la cheminée)
  – J'ai faim, heureusement que la soupe est sur le feu! (en train de cuire)
  – Surtout n'oublie pas de la faire cuire à feu doux, après ébullition. (à faible chaleur)

- **Ce qui sert à allumer le tabac**

  demander du feu à quelqu'un (demander si quelqu'un a un briquet ou des allumettes)
  avoir du feu (avoir un briquet ou des allumettes)

  — Vous avez ***du feu****?*
  — Ah, non, désolé, je ne fume pas!

- **Explosion qui se produit lorsqu'une substance s'enflamme**

  une arme à feu (fusil, pistolet, par opposition aux armes *blanches* → Les antonymes, I, 1, p. 112.

  un coup de feu (le tir d'une arme à feu)
  un cessez-le-feu (une trêve, un arrêt momentané des combats)
  faire feu (tirer), ouvrir le feu (commencer à tirer)

- **Source d'éclairage**

  les feux de position, de croisement (sur une voiture)

  les feux de signalisation (le feu rouge, le feu vert)

  ■ Sens figuré

  – Donner le feu vert à quelqu'un (lui donner l'autorisation) ➔ Les expressions culturelles, II, 2, p. 223.

  – Elle n'y voit que du feu ! (elle ne s'aperçoit de rien)

Les différents symboles du FEU

- **La fête**

  un feu de camp (une veillée autour du feu)

  un feu de joie (feu que l'on allume lors d'une fête publique)

  un feu d'artifice (série de fusées et d'explosifs que l'on lance dans le ciel par exemple à l'occasion de la fête nationale du 14 juillet)

- **La passion**

  les feux de l'amour

  ■ Expressions figurées

  – Depuis qu'il a rencontré cette fille, il est tout feu tout flamme !
  (plein d'ardeur)

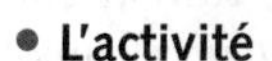

  – Il faudra bien qu'il lui déclare sa flamme, un jour ou l'autre ! (*déclarer sa flamme à quelqu'un :* avouer son amour à qqn)

- **L'activité**

  À l'occasion du carnaval, l'école organise une grande fête au cours de laquelle les enfants défilent dans leurs déguisements. ***Dans le feu de l'action****, le petit Théo a complètement oublié de venir embrasser ses parents.*

  ■ Expressions figurées

  être dans le feu de l'action (être occupé complètement par ce que l'on est en train de faire)

- **Le danger**

  – La situation est assez tendue en ce moment, il est inutile de ***jeter/mettre de l'huile*** *sur le feu, en leur annonçant mon licenciement.*

  – Les vacances de février approchent. De nombreuses familles partent skier dans les Alpes ou dans les Pyrénées. Cette année encore, il est recommandé de rester sur les pistes. Ne ***jouez pas avec le feu****: ne faites pas de hors-piste !*

  ■ Expressions figurées

  jeter / mettre de l'huile sur le feu (intervenir dans un conflit, en aggravant la situation)

  jouer avec le feu (s'exposer à un danger)

Quelques verbes polysémiques

Parmi les mots polysémiques, les verbes occupent une place importante. Les verbes faire, passer, mettre, tenir font partie des mots les plus courants de la langue française. Connaître leurs différentes constructions, maîtriser leurs sens multiples ainsi que toutes les expressions qui en découlent est une tâche ardue, mais aussi une source d'enrichissement, compte tenu de leur fréquence dans les conversations quotidiennes.

Tout au long de cette partie, nous mettrons l'accent **sur le sens**. Vous découvrirez que le sens des verbes se construit grâce aux mots qui les entourent (adjectifs, noms, prépositions ou autres) et qu'il peut varier ne fonction du contexte.

■ FAIRE

Comme on fait son lit, on se couche.

→ Les locutions verbales, I, 1, p. 68.

Idée de transformation

Le proverbe ci-dessus signifie que nous préparons nous-mêmes, par notre conduite (bonne ou mauvaise), ce qui peut nous arriver demain (en bien ou en mal).

- **FAIRE** + nom **(= réaliser, fabriquer, produire)**

La nounou des Duval a un sens aigu des responsabilités. Chaque jour, elle ***fait un rapport*** *détaillé de ce qui s'est passé dans la journée : « Aujourd'hui, 4 novembre, la chienne* ***a fait ses petits*** *à la grande joie des enfants, Rose a tenté de* ***faire****, non sans peine,* ***son premier gâteau*** *au chocolat, et Lucas était de mauvaise humeur : depuis plus d'une semaine maintenant, le pauvre* ***fait ses dents*** *! »*
Quant à l'aîné, elle « préfère ne pas rentrer dans les détails, tant il est méchant et capricieux ! C'est incroyable qu'à son âge, il n'ait pas conscience de ***faire le mal****... Un jour, peut-être, il comprendra sa conduite et changera sa façon d'agir, car* ***comme on fait son lit, on se couche*** *! »*

– Elle doit faire un rapport, un compte rendu pour demain. (rapporter ce que l'on a vu ou entendu)
– La chienne fait ses petits. (*faire ses petits* : mettre ses petits au monde, en parlant d'un animal femelle)
– Rose fait un gâteau, elle fait une robe. (confectionner)
– Le pauvre Rémi fait ses dents. (*faire ses dents* : avoir ses premières dents qui poussent, en parlant d'un enfant)
– Il est plus facile de faire une mauvaise action (mal agir) qu'une bonne (bien agir).

Idée de résultat

- **FAIRE**

(Pierre et Jocelyne organisent une soirée à l'occasion de leur dixième année de mariage et s'entendent sur les préparatifs.)
— Combien y aura-t-il de personnes finalement ?
— Écoute, a priori, les sept couples invités viendront avec leurs enfants. Chaque couple ayant deux enfants : 14 × 2, ça ***fait*** *28, non ?*

— Oui, c'est ça, avec les enfants, ça ***fera*** *28. Tu as pensé à la musique ?*
— Oh, tu sais, la musique et moi, ça ***fait deux****! Tu devrais demander à ta petite sœur de s'en occuper.*
— Oui, tu as raison, et je lui demanderai de venir avec sa copine Michelle. Toutes les deux, elles ***font la paire****!*
— Très bien. En plus, elles ***feront des heureux****. Les plus jeunes seront contents de danser sur des musiques de leur âge.*

– 2 + 2, ça fait 4 (familier), 2 + 2 font quatre. (faire un total, égaler)
– Il fera un bon mari, un excellent cuisinier, un artiste accompli (familier). (avoir en soi des capacités pour être…)
– faire des heureux, des malheureux, des insatisfaits (rendre des gens heureux…)

■ Expressions figurées
– La musique et moi, ça fait deux ! (c'est très différent, je n'y connais rien du tout)
– Les deux font la paire ! (ils / elles sont inséparables)

• **FAIRE de** + nom

Malgré la gravité de la situation, les intempéries du sud de la France ont ***fait des heureux****: à la grande joie des petits écoliers, quelques écoles inondées ont été fermées pendant plusieurs jours. De nombreuses personnes ont apporté leur aide aux sinistrés. Petit à petit, des liens se sont tissés et les circonstances* ***ont fait de Jean*** *le meilleur ami de Martin.*

faire de quelqu'un son ami, son associé… (changer le statut, la position de quelqu'un)

• **SE FAIRE (= notion de durée)**

(Deux amis échangent des nouvelles.)
— Et ta thèse, elle avance ?
— Oh, elle ***se fait tout doucement****!* (familier)
— Eh, c'est normal, ***Paris ne s'est pas fait en un jour****!*

– Paris ne s'est pas fait en un jour ! (citation signifiant qu'il faut être patient dans ce que l'on entreprend, qu'une tâche difficile exige du temps)
– On dira aussi d'un fromage qu'il se fait ou qu'il n'est pas encore fait, quand il n'a pas encore atteint l'état de fermentation optimale pour être bon à manger.

• **SE FAIRE** + adjectif

Depuis quelque temps, Justine ***se fait rare****. La dernière fois que je l'ai vue, elle* ***s'était faite belle*** *pour sortir avec Jean-Yves. J'ai su par la suite que son père avait appris ses sorties nocturnes. Ils se sont longuement disputés, alors elle a décidé de* ***se faire toute petite*** *pour un moment !*

– Cet acteur commence à se faire vieux. (dans le sens de *devenir*, de façon involontaire)
– Elle se fait rare. (on ne la voit plus beaucoup)
– Elle se fait belle pour aller danser. (se parer)
– Il se fait tout petit depuis qu'il a fait une bêtise. (essayer de passer inaperçu)

• **SE FAIRE** + nom

À peine arrivée dans leur nouveau village, elle ***se faisait*** *déjà* ***des amis****.*

se faire des ami(e)s / des ennemi(e)s (les personnes rencontrées sont devenues ses ami[e]s / ses ennemi[e]s)

• **SE FAIRE un plaisir de** + infinitif **(= éprouver un réel plaisir à)**

Chaque fois qu'il retourne dans la maison de son enfance, Nicolas ***se fait un plaisir de regarder*** *dans le grenier ses jouets d'enfant.*

• **SE FAIRE à** + nom

Cela fait si longtemps qu'ils sont dans la région qu'ils n'arrivent pas à ***se faire à l'idée*** *qu'ils vont déménager. Et le petit Pierre, vous croyez qu'il* ***s'y fera,*** *lui qui est toujours habitué à être entouré de ses copains ?*

se faire à quelque chose, se faire à l'idée, à la solitude (s'y habituer)

Idée d'apparence

• **FAIRE** + nom

Monsieur Poulain ***ne fait pas son âge*** *: tous les jours, il fait le tour des hôpitaux et* ***fait le clown*** *devant les enfants malades. C'est un homme drôle et généreux.*

– Tu m'agaces ! arrête un peu de faire l'imbécile, le clown, l'idiot(e), l'andouille ! (familier ; adopter une attitude, un comportement)
– Faire de l'esprit, de l'humour lors d'une conversation n'est pas à la portée de tous. (manifester avec finesse une certaine ironie)
– Vous ne faites pas votre âge ! (*faire son âge :* paraître l'âge que l'on a)
– Pourquoi fais-tu grise mine, aujourd'hui ? (paraître mécontent) (➔ Les expressions culturelles, II, 2, p. 221.)
– Fais bonne figure, on te regarde ! (*faire bonne / mauvaise figure :* faire semblant de paraître content / mécontent)

• **FAIRE** + adjectif

Il ***fait beau*** *aujourd'hui, pourquoi a-t-il mis son imperméable et ses bottes ? Franchement,* ***ça fait*** *vraiment* ***ridicule*** *!*

– Il fait beau, mauvais, frais, clair, sombre. (le temps qu'il fait)
– Ce jean fait (familier) sale, ridicule, joli. (avoir l'air, produire un effet...)
– Elle fait jeune avec sa nouvelle coiffure. (avoir l'air)

Mais on dira :

Il se fait tard !

Idée de sensation

• **FAIRE** + nom, **FAIRE** + adjectif

Daniel et Véronique ***font le bonheur*** *de leurs parents. Après dix ans de vie commune, les voici enfin prêts à se mettre la bague au doigt ! C'est l'occasion rêvée de rassembler familles et amis. Justement, le copain de Daniel arrive de Bretagne...*

— Eh bien, Daniel, ça me ***fait*** *rudement* ***plaisir*** *d'être là !*

*— Et moi donc, Phil, ça me **fait du bien** de te revoir! Et toi, comment vas-tu? Tu n'es pas trop perdu avec tout ce monde?*
*— Oh, non, tu sais, moi, je suis très sociable! Le seul problème, c'est que mes chaussures neuves me **font** très **mal** aux pieds! C'est horrible!*
*— Eh bien, enlève-les! Tu me **fais pitié** avec tes chaussures de gala. Ne **t'en fais pas**, nous ne sommes pas dans le grand monde!!... Tant pis si les demoiselles te trouvent moins élégant!*
*— Oh, je ne me **fais** pas **de souci** pour ça! Tu sais, à mon âge!!!*

faire le bonheur de quelqu'un (rendre quelqu'un heureux)
faire pitié à quelqu'un (rendre quelqu'un triste : ce sentiment pousse parfois la personne qui plaint à agir en faveur de celui qui souffre)
faire mal à quelqu'un (familier au sens figuré : blesser quelqu'un)

*Mes chaussures **me font mal**!* (sens propre, langue standard)
***Je lui ai fait mal** quand j'ai refusé de l'épouser!* (sens figuré et familier)

ça fait du bien à quelqu'un de + infinitif (familier)
ça fait drôle, bizarre... à quelqu'un de + infinitif (familier : avoir un sentiment bizarre)

(Conversation entre deux copains.)
*— Qu'est-ce que **ça te fait** d'être en vacances?* (que ressens-tu ?)
*— Ça **me fait drôle**... et toi?* (j'ai un sentiment bizarre)
*— Oh, moi, j'ai l'habitude, ça (ne) **me fait rien**.* (je ne ressens rien)

- **SE FAIRE** + nom

*– Ils **se font du souci** pour leurs enfants.* (s'inquiéter)
*– Ils **se font des cheveux blancs**.* (s'inquiéter) → Les expressions imagées, II, 2, p. 211.

s'en faire : Ne t'en fais pas ! (ne te fais pas de souci, ne t'inquiète pas !)

Idée d'action

(Conversation entre deux amis.)
*– Ah! Ce soir, c'est la fête! Je **fais danser** Maria toute la soirée, à lui **faire tourner** la tête!*
*– Ah! c'est vrai! C'est son anniversaire aujourd'hui! Oh, là là! je sens qu'elle va **se faire attendre** ou **se faire remarquer** d'une manière ou d'une d'autre, non?*
*– Cela ne m'étonnerait pas! Une fois, je me souviens, elle s'est même **fait porter malade**, parce qu'elle n'avait pas de nouvelle robe à mettre! Tu te rends compte!*
— Alors, qu'est-ce que tu as fait?
*— Eh bien, j'ai **fait en sorte qu'**elle comprenne qu'elle n'était plus une gamine pour se montrer aussi capricieuse! Mais je crois que j'ai été un peu dur, désormais, je **ferai en sorte de** ne plus la blesser.*

faire + infinitif :	Il fait danser Maria.	valeur active
se faire + infinitif :	Elle se fait attendre.	valeur passive
faire en sorte de + infinitif / que + subjonctif	Fais en sorte d'être à l'heure à ton rendez-vous !	faire ce qu'il faut pour, s'arranger pour

Idée de distance

- **FAIRE (= parcourir une distance)**

  – Il a fait Paris-Bordeaux en deux heures. (familier)

  – De plus en plus d'amateurs font le Paris-Dakar. (participer à la course automobile de Paris à Dakar)

  ■ Expression figurée

  faire les cent pas (attendre en marchant de long en large)

  *En attendant la naissance de leur enfant, certains pères de famille **font les cent pas** dans les couloirs de la maternité, d'autres préfèrent assister à l'accouchement.*

Dans le sens de réaliser, d'accomplir un acte, un geste, de se livrer à une occupation

- De nombreuses expressions sont formées à partir du verbe *faire*. Dans ce cas, *faire* exprime l'idée de l'action présente dans le nom qu'il accompagne. L'expression peut s'utiliser avec l'article indéfini ou partitif.

  faire un dessin (dessiner maintenant)
  faire du dessin
  (travailler ou étudier comme dessinateur)

  faire une photo (photographier)
  faire de la photo
  (travailler ou étudier comme photographe)

- Le nom de l'action ne correspond pas au verbe dérivé.

  – Il fait une erreur. (il se trompe)

  – Il fait un bon repas. (il mange bien)

  – Il fait une chute de trois mètres. (il tombe de trois mètres ; le verbe *chuter* existe mais est d'un emploi moins courant)

- Parfois, il n'existe pas de verbes précis correspondant au nom de l'action.

  faire des bêtises, faire du bruit, faire du chahut (familier), faire un exploit

- Quels déterminants pour quelles locutions ?

  – faire un bon repas, faire un portrait

  – faire de l'esprit, de l'humour

  – faire du droit, du commerce, du judo, de la danse (activités intellectuelles et sportives)

  – faire la fête, faire la grève (manifester)

  – faire les présentations, faire les premiers pas

  – faire ses études, faire son apparition (apparaître)

- **Autres locutions**

  (Pauline a appris la rupture d'un couple d'amis. Devant eux, elle fait semblant de ne pas être au courant.)

  *— Ne **fais pas comme si de rien n'était**, Pauline ! Tu sais bien que c'est fini. Je **fais mon possible** depuis des semaines pour sauver notre couple mais **rien n'y fait** ! Alors, **tant qu'à faire**, je préfère m'en aller tout de suite !*

  – Ils font comme si de rien n'était ! (ils font semblant de ne pas s'apercevoir de quelque chose)

  – Tant qu'à faire ! (puisqu'il faut absolument agir)

  – Rien n'y fait ! (toute action est vaine)

Tableau récapitulatif : le verbe FAIRE		
Faire + nom	*Il **fait** un gâteau, une robe, un portrait.*	idée de transformation
	*Il **fait** le bonheur de quelqu'un, il (me/te) **fait** pitié.*	idée de sensation
	*Il **fait** un excellent cuisinier, un bon mari.*	idée de résultat
	*Il **fait** le clown, l'innocent, l'intéressant.*	idée d'apparence
	*Ça **fait** 10 euros.* (= un total ; coûter, fam.)	idée de résultat
	*Il **a fait** Paris-Amiens en une heure.* (fam. parcourir une distance)	idée de distance
	■ Expression : *Les deux **font** la paire.*	
	■ Locution verbale avec *faire* : faire une erreur	réaliser, accomplir
Faire + adjectif	*Cette tenue **fait** sale, ça **fait** joli, tu **fais** jeune.* (fam.)	idée d'apparence
	*Ça (me) **fait** mal, drôle, bizarre.* (fam.)	idée de sensation
Faire + infinitif	*Il la **fait** danser, rire.*	idée d'action : valeur active
Faire + de + nom	*Il **fait** de Martin son associé.*	idée de résultat
	■ Expression *Il **fait** en sorte d'intéresser son public.* (infinitif) */que son public se divertisse.* (subjonctif)	idée d'action
Se faire + nom	*Ils **se font** des amis.*	idée de résultat
+ adjectif	*Elle **se fait** belle, il **se fait** rare.*	idée de résultat
+ adverbe	*La maison **se fait** tout doucement.* (fam.)	idée de résultat
+ infinitif	*Elle **se fait** attendre.*	valeur passive
Se faire à qqch.	*Elle **se fait à** la solitude, **à** la chaleur.* (s'habituer à)	idée de résultat
Se faire à qqn	*Il **se fait à** son nouveau locataire.* (fam. ; s'habituer à)	
+ de	*Il **se fait** du souci.*	idée de sensation
S'en faire	*Il **s'en fait**.* (fam. ; il s'inquiète) *Ne **t'en fais** pas !* (ne t'inquiète pas)	sensation d'inquiétude

■ METTRE

Il ne faut pas remettre au lendemain ce qu'on peut faire le jour même !

Ce proverbe nous incite à nous occuper immédiatement des choses qui nous préoccupent.

→ Les locutions verbales, I, 1, p. 71.

Idée de changement de place (au propre et au figuré)

- **METTRE quelque chose / quelqu'un dans un endroit déterminé (à, dans, sur...)**

  La veille de la rentrée scolaire, les enfants préparent leurs affaires pour le lendemain : ils ***mettent*** *toutes leurs fournitures (cahiers, stylos...)* ***dans*** *leur cartable, leur tenue de rentrée* ***sur*** *leur chaise et... tous leurs souvenirs de vacances* ***dans*** *le tiroir !*

  – Il met son fils au lit. (familier ; coucher quelqu'un)
  – Elle met au monde un enfant. (donner naissance à)
  – Il met la table / le couvert. (disposer sur la table les assiettes, les fourchettes...)

→ Les expressions culturelles, II, 2, p. 217.

- **SE METTRE**

  se mettre à table, se mettre au piano (s'installer quelque part pour y effectuer une activité)

  ■ Expression figurée

  se mettre en avant (se faire remarquer)

  Thomas est un petit garçon qui aime ***se mettre en avant*** *dans toutes les situations. Il aime qu'on le regarde, qu'on le remarque et parfois même qu'on applaudisse à ses tours de magie et à ses grimaces.*

Idée de changement de position (sans déplacement)

(Quelques recommandations aux jeunes conducteurs.)
– Surtout, n'oubliez pas de ***mettre*** *la ceinture de sécurité et veillez à ce que vos passagers soient également attachés.*
– ***Mettez*** *votre clignotant avant de tourner et non après avoir tourné !*
– Ne ***mettez*** *pas les pieds* ***sur*** *le tableau de bord et n'utilisez pas votre portable en conduisant, afin d'éviter de* ***vous mettre à dos*** *les gendarmes !*

- **METTRE quelque chose dans une certaine position...**

  Quel étourdi ! Il met son pull à l'endroit, ses chaussettes à l'envers...

- **METTRE (une partie du corps) sur, en...**

  Mettez les mains en l'air, les poings sur les hanches, les bras en croix... c'est un jeu de mime !

- **METTRE quelqu'un dans une certaine situation** (sens figuré)

  Il voudrait mettre Maurice à l'écart (familier), pour mettre Bernard à la tête de l'entreprise.

• **On dira également :**

mettre un vêtement

Mais :

se mettre en tenue de sport, de soirée, en jeans, en survêtement (s'habiller d'une certaine manière)

(Problèmes vestimentaires.)
— Qu'est-ce que tu vas ***mettre*** *ce soir pour le mariage de Géraldine ?*
— Je n'en sais rien du tout ! ***Je n'ai plus rien à me mettre !***
(Après ***avoir mis*** *une robe trop serrée, un chapeau trop grand et des collants troués, elle s'est déshabillée et* ***s'est mise*** *en pyjama...)*

■ Expressions figurées

mettre les pieds dans le plat (commettre une maladresse)

➔ Les expressions imagées, II, 2, p. 211.

mettre la main à la pâte (venir en aide concrètement, joindre ses efforts)

➔ Les synonymes varient en précision, I, 2, p. 95.

À la grande surprise de Gilles, quatre copains sont arrivés ce matin pour l'aider à déménager. Chacun ***met la main à la pâte*** *: Yves s'occupe des gros cartons avec Gilles, Daniel monte le canapé et les fauteuils, Eric installe les armoires et Marc fait les allers-retours avec sa camionnette.*

Tout se passait pour le mieux jusqu'à la venue inattendue de leur copain Maxime. À peine arrivé, il a commencé ***à mettre les pieds dans le plat****, en reparlant d'une ancienne dispute qui les avait fortement séparés quelques mois plus tôt ! Une parole de trop qui a perturbé la bonne entente de la matinée et écourté leur rencontre.*

• **SE METTRE**

*– «****Mettez-vous au garde-à-vous !*** *Je suis votre commandant ! » s'indigna le petit Julien devant l'indiscipline de ses camarades qui jouaient aux soldats avec lui.*
– « Je ne joue pas », répliqua Matthias, « même si tu me suppliais, si tu te ***mettais à genoux*** *pour me le demander gentiment, je refuserais. J'en ai assez, c'est toujours toi qui commandes ! »*

se mettre à genoux, se mettre au garde-à-vous (prendre une certaine position)

■ Expressions figurées

se mettre le doigt dans l'œil (se tromper)
se mettre quelqu'un à dos (se faire un adversaire par ses actions)

Idée de changement d'état

• **METTRE (quelque chose)**

– J'ai mis dans ma lettre de candidature que je savais me servir d'un ordinateur. (familier ; mentionner)
– Mettez le contact, mettez le clignotant, mettez la radio (familier) et conduisez tranquillement ! (faire fonctionner)
– N'oubliez pas de mettre du sel dans la salade, c'est meilleur ! (ajouter)
– Mettez votre nom sur le formulaire, remplissez-le et envoyez-le au plus vite ! (familier ; écrivez à l'endroit indiqué)

■ Expressions avec le verbe mettre

*Quand Vincent est arrivé dans l'entreprise, tout le monde **l'a mis en confiance**. Il n'a reçu de la part de ses collègues que des bons conseils et des encouragements, si bien que son patron **l'a mis dans l'embarras** en lui demandant de prendre le poste qu'il avait auparavant proposé à deux de ses collègues. Il ne voulait pas blesser ses amis, ni **mettre** son patron **en colère** en refusant. La décision lui appartenait et ce choix l'a **mis en face de ses responsabilités**.*

(Deux collègues de travail parlent de Vincent.)

*— Figure-toi que Vincent a finalement décidé de **mettre de côté** sa carrière. Il ne veut pas accepter sa promotion. Je crains la réaction du patron.*

*— Oh, tu sais, il va **mettre en doute** sa décision et va essayer de lui faire changer d'avis !*

*— Il n'y arrivera pas. Vincent est un homme d'honneur et de principe. Il **a bien mis ses idées au clair**, avant de donner sa démission.*

mettre quelqu'un en confiance
mettre quelqu'un dans l'embarras (gêner quelqu'un)
mettre quelqu'un en colère (irriter quelqu'un)
mettre quelqu'un en face de ses responsabilités (responsabiliser quelqu'un)

mettre de côté

mettre un dossier de côté (le garder en réserve) : sens propre
mettre de l'argent de côté (économiser) : sens figuré

Pour cette série d'expressions, deux constructions sont possibles :

mettre de l'argent de côté	mettre de côté l'aspect financier
mettre une affaire au clair	mettre au clair un brouillon
mettre les paroles de quelqu'un en doute	mettre en doute la franchise de qqn

Autres expressions :

mettre une voiture en état de marche
(re)mettre une vieille maison en état
mettre un objet en évidence
mettre une chambre / ses idées en ordre
mettre un jouet en pièce (détruire)
mettre un tableau en valeur

Pour certaines expressions, deux constructions sont possibles :

mettre en contact (deux personnes X et Y)	ou	se mettre en contact avec quelqu'un
mettre en rapport (X et Y)	ou	se mettre en rapport avec quelqu'un
mettre en relation (X et Y)	ou	se mettre en relation avec quelqu'un

• **SE METTRE**

*Depuis quelque temps, Pierre ne se sent pas très bien dans sa peau. Il se trouve trop gros, moche, sans énergie. Il **s'est** donc **mis en tête** de partir en cure dans un centre de thalassothérapie à ses prochaines vacances.*

*En attendant, il a décidé de **se mettre au régime**: des légumes à tous les repas, de l'eau ou du thé vert pour éliminer... Il envisage même de faire de l'exercice et de **se mettre à courir** avec son collègue en sortant du travail! Dans un mois, c'est sûr, il sera un autre homme et **se mettra en frais** pour plaire et séduire les jeunes demoiselles.*

se mettre à quelque chose + nom
- se mettre à la gym, au vélo
- se mettre au régime

On dira également mettre quelqu'un au régime.

se mettre à + infinitif (commencer à)

■ Expressions figurées
- se mettre en tête de + infinitif (décider fermement de quelque chose) :
  ***Il s'est mis en tête de** perdre 10 kilos.*
- se mettre en tête un projet (y penser fortement)
- se mettre en frais (dépenser plus que d'habitude)

Idée de dépense, de durée, de temps

(Un couple se renseigne à un guichet de la gare Saint-Charles.)
*— On **met** combien de temps maintenant, pour faire Paris-Marseille?*
*— Avec le T.G.V. Méditerranée, vous **mettez** à peine **trois heures**! Mais attention, la réservation est obligatoire; vous devriez la faire aujourd'hui, car il ne reste pas beaucoup de places.*
*— Vous avez raison, monsieur, comme on dit, **il ne faut pas remettre au lendemain**...*
*— ... **ce que l'on peut faire le jour même**! rétorque sa femme. Alors, puisque tu es d'accord, on pourrait acheter le canapé que tu me promets depuis un mois!*
*— C'est d'accord, mais combien veux-ty **y mettre**?*
— Oh, disons 95 euros, comme celui de ton frère!

- Il met dix minutes pour se décider. (familier)
- Il met 1 000 euros dans un tableau. (familier; dépenser, investir)
- Il met fin à un contrat, à une histoire d'amour.
- Il met toute son énergie, tout son cœur, tous ses efforts dans un travail. (sens figuré)

■ remettre (repousser, déplacer à plus tard)

On *donne un rendez-vous* à quelqu'un mais, si on veut le déplacer et le fixer à un moment ultérieur, on dira *remettre un rendez-vous*.

- Il ne faut pas remettre au lendemain ce que l'on peut faie le jour même! (proverbe)

Tableau récapitulatif : le verbe METTRE		
Mettre + nom		
objet :	*Il **met** les couverts sur la table.* (dans, à côté de…)	changement de place
objet :	*Il **met** la radio, le ventilateur.* (faire fonctionner)	
personne :	*Ils **mettent** leurs enfants au lit.*	déplacement
vêtement :	*Elle **met** sa robe* (revêtir), *son pull à l'envers.*	changement de position
partie du corps :	*Elle **met** les mains sur les hanches*	changement de position
	■ Expressions figurées : *Elle **met la main à la pâte.*** *Elle **met les pieds dans le plat.***	
durée :	*Il **met** dix minutes, une heure **pour** venir.* (familier)	
	■ Expressions : *Il **met fin** à son contrat.*	
argent :	*Elle **a mis 100 euros** dans une robe.* (familier ; a dépensé)	
Mettre quelque chose à + infinitif		
	*Il **met** le linge **à sécher**.*	changement d'état
	■ Expressions :	
	*Il **met** sa maison **en état**, en ordre…*	changement d'état
	*Il **met** Pauline **en colère**, en confiance…*	changement d'état
Se mettre à + nom		
	*Il **se met au** piano, elle **se met à** table.*	changement de place
	■ Expression figurée : *se mettre en avant*	
	*Ils **se mettent en** jeans* (tenue), ***à** genoux.*	changement de position
	■ Expressions figurées : *se mettre le doigt dans l'œil, se mettre quelqu'un à dos*	
	*Il **se met à** la gym, **au** vélo, **au** régime.*	changement d'état
	■ Expressions figurées : *se mettre en tête, se mettre en frais*	
Se mettre à + infinitif		
	*Il **se met à** parler, pleurer*	commencer à

■ PASSER

Il faut que jeunesse se passe !

En général, on énonce ce proverbe pour excuser
les erreurs que l'inexpérience peut faire commettre aux jeunes.

➔ Les préfixes de verbes, I, 1, p. 18.

Idée de mouvement dans l'espace

On se déplace d'un lieu à un autre

- **PASSER + prépositions (à, de... à, par...)**

*Mme Jouvel attend la naissance de son petit-fils. La voici à son domicile en train de faire les cent pas : elle **passe de** la salle à manger **au** salon, **de** la chambre **à** la cuisine.*
*Les invités arrivent. Il est l'heure de **passer à table**. M. Jouvel **les fait passer dans** la salle à manger en **laissant** d'abord **passer** les dames, comme à son habitude.*

– Passons à table, j'ai faim !
– Fais passer les invités au salon. (dans un lieu)
– Laissez passer les dames. (dans un lieu)

Nous retrouvons l'idée de mouvement et de transition avec les expressions figurées suivantes :

Lors d'un repas familial, Mme Coste raconte l'entretien qu'elle a eu avec son docteur. Son mari s'exclame :
*— Josette, tu ne vois pas que tu embêtes tout le monde avec tes histoires. **Passe à autre chose !***
*— Tu as raison, Antoine, il est temps de **passer aux choses sérieuses** : qui veut du sauté de veau aux champignons ?*

– passer à autre chose (changer de sujet de conversation ou d'occupation), passer aux choses sérieuses
– passer du coq à l'âne ou sauter du coq à l'âne (passer sans transition d'un sujet à un autre)
➔ Les expressions culturelles, II, 2 p. 217.

On passe d'un lieu à un autre sans s'arrêter

- **PASSER par (= traverser)**

*Pour rejoindre l'autoroute du littoral **en passant par** Marseille, prenez le tunnel du Prado.*

Dans le même ordre d'idée, nous appelons *les passants*, les personnes qui se déplacent à pied sans but précis. Une *rue passante* est une rue où passent de nombreux véhicules et des piétons.

■ Au sens figuré, il prend le sens de *traverser*.
*Il **passe par** de graves difficultés en ce moment.*

- **PASSER sur** (au sens figuré)

*– Cette histoire est trop lugubre, je préfère **passer sur les détails** !* (éviter d'en parler)

– *Il a tellement de qualités qu'en général on* ***passe sur ses défauts****.* (on n'y prête pas attention, on n'en tient pas compte)

■ Expression figurée :
passer l'éponge sur un fait, un événement, une affaire (oublier)

— Bon, je ***passe l'éponge*** *sur ton zéro en maths, mais c'est la dernière fois ! dit une mère à sa fille.* (je n'en parlerai plus)

On passe d'un lieu à un autre en s'arrêtant un moment (sens propre et figuré)

– Quand est-ce que tu passes à la maison ?
– En passant, je jetterai un coup d'œil à ta nouvelle voiture. (sans m'y attarder)
– Depuis son élection, il passe souvent à la télé, à la radio. (se produire en public)

• **PASSER quelque chose** (aux sens propre et figuré)

On sonne à la porte. C'est le facteur ! À la hâte, Corinne ***passe*** *sa robe de chambre,* ***passe*** *la main dans ses cheveux pour retoucher sa coiffure et va ouvrir.*

Passer (un objet) à quelqu'un (tendre, donner quelque chose à quelqu'un)
– Vous pouvez me passer votre stylo ?
– Passez-moi le sel, s'il vous plaît !

– Elle passe un vêtement (enfiler un vêtement rapidement)
– Elle passe sa main dans les cheveux, elle passe sa langue sur les lèvres (déplacer)
– Tu devrais passer la troisième ! (*passer une vitesse :* enclencher une vitesse supérieure)
– Elle passe une commande de jouets au moins trois semaines avant les fêtes. (commander)
– Il passe un marché / un accord avec ses parents : s'il a son bac, il part en vacances en Corse chez ses cousins ! (conclure un accord)
– Passez la consigne : le devoir doit être rendu lundi sans faute ! (transmettre, faire suivre les ordres)
– Dans ce cinéma, on passe encore le film de Luc Besson. (on le projette encore) / Le film de Luc Besson passe encore ! (est encore projeté, est encore à l'affiche des salles de cinéma)

■ Expressions figurées :
– Lors d'un congrès de médecine, l'organisateur a passé la parole au Dr Fluvol. (permettre à quelqu'un de parler à son tour)
– Je ne voudrais pas passer à côté de quelque chose. (manquer quelque chose d'important)
– Je ne sais pas comment j'ai fait pour passer à travers : tout le monde a eu la grippe à la maison. (échapper à quelque chose)

Idée d'obstacle, d'interdiction

• **PASSER**

(Une camionnette s'engage dans une ruelle du centre-ville. Gilles, son conducteur, s'apprête à passer sous un petit pont.)
— ***Ça passe*** *? demande-t-il à un passant.*

*— Je ne crois pas ! Votre camionnette est trop large, **ça ne passera pas** !*
*— Et dans la rue du Pin Vert, vous croyez que je peux **passer** ?*
— Ah, non, elle est en travaux depuis ce matin !
*La camionnette doit faire demi-tour. Gilles est d'autant plus mécontent qu'il ne se sent pas très bien depuis ce matin. Il n'arrive pas à digérer le gâteau d'hier. Ce doit être la chantilly qui **ne passe pas** !*

– passer, ne pas passer (familier ; pour des aliments) : la chantilly ne passe pas. (elle est mal digérée ; on peut ressentir dans ces cas-là des nausées, des maux de ventre)
– sentir passer une piqûre très douloureuse, une facture trop élevée, une punition trop sévère (familier ; avoir du mal à accepter quelque chose du fait de son caractère excessif, éprouver un sentiment de rejet)

*Il **a senti passer** sa facture de téléphone quand son fils a eu son portable : elle a plus que doublé !*

- **PASSER** + nom
  passer la frontière, passer le seuil de la porte (franchir)
  passer le bac (subir l'examen et non réussir)
  passer capitaine, général (monter en grade)
  passer chef de service, assistante de direction… (familier ; avoir une promotion)

Mais :
  passer dans la classe supérieure, passer en sixième, passer en terminale (être admis)

- **PASSER par**
  – Pour obtenir un visa, il faut passer par la préfecture ! (s'adresser obligatoirement à)

■ Dans le même ordre d'idée : un **laissez-passer** est un permis délivré par les autorités pour circuler dans un lieu déterminé.

■ Expressions figurées :
– Qu'est-ce qui te passe par la tête ? Tu ne vois donc pas que c'est interdit de fumer dans une salle d'attente ?
– J'ai une idée qui me passe par la tête : si on allait à Cassis faire une promenade en mer ? (traverser l'esprit)

- **PASSER** peut être employé dans un **sens négatif**
  – Je passe. (dans un jeu, par exemple au bridge, cela signifie que vous vous abstenez de jouer, vous laissez passer votre tour)
  – Passons ! (ne parlons pas de ça !)
  – passer sous silence (ne pas parler volontairement de quelque chose)
  – Je vous passe les détails. (je ne veux pas ennuyer quelqu'un avec des choses sans importance)

– J'en passe et des meilleures ! / Et j'en passe ! (je préfère ne pas continuer mon exposé, je préfère arrêter car la liste est longue)

(Une mère se souvient.)
*Hélène m'a tout fait quand elle était petite : elle a bu la moitié d'une bouteille d'eau de Cologne, avalé les comprimés de sa grand-mère, sucé la serpillière... **j'en passe et des meilleures.***

– se passer de vacances (se priver de quelque chose / quelqu'un, faire sans qqch. / qqn)

Idée de mouvement dans le temps

*Comme le **temps passe vite** ! Cela fait maintenant plus de vingt ans que Geneviève et Mathilde se connaissent. Elles **ont passé** ensemble **toute leur adolescence**, puis la vie les a un peu séparées. Malgré la distance, elles arrivent à se revoir régulièrement et **à passer de bons moments** en compagnie de leurs familles respectives. Elles aiment raconter à leurs filles quelques anecdotes, notamment le jour où elles **avaient passé un mauvais quart d'heure** avec le père de Mathilde... Maintenant, elles ont **passé l'âge de** faire des bêtises !* (avec l'âge, elles se sont assagies)

- **PASSER**

– Le temps passe vite.
– Tout passe, tout casse, tout lasse ! (proverbe : rien n'est définitif ni acquis)
– passer un moment, une heure, une journée, une soirée, l'après-midi... (exprime la durée)
– passer son temps à + infinitif

*Depuis qu'elles sont arrivées, elles **passent leur temps** à bavarder !*
(consacrent tout leur temps à)

– passer le temps
■ Dans le même ordre d'idée : un passe-temps (une occupation agréable, un loisir)
■ Expressions figurées :
– passer l'âge de + infinitif (n'être plus en âge de...)
– passer un mauvais quart d'heure (subir un moment désagréable)

- **SE PASSER**

– Ton entretien d'embauche s'est bien passé ? (s'est bien déroulé)
– Il faut que jeunesse se passe ! (proverbe)

Idée d'appréciation

– Tu as mal à la tête ? Prends une aspirine, ça va passer ! (une douleur passe, elle disparaît)
– Qu'est-ce qui se passe ici ? Il y a un problème ? (il se passe quelque chose, j'ai le sentiment qu'une chose anormale est en train de se produire)
– Arthur passe pour un original aux yeux de Marguerite car il s'est conduit de manière extravagante. (*passer pour* : être considéré comme)

Remarque Le verbe passer se conjugue :
– avec l'auxiliaire *avoir* dans ses emplois transitifs : J'ai passé le plat.
– et avec l'auxiliaire *être* dans les autres cas : Il est passé par Francfort pour aller à Cracovie.

Tableau récapitulatif : le verbe PASSER		
Passer + nom	*Elle **passe** un vêtement.* *Il **passe** sa main dans les cheveux.* *Elle **passe** une vitesse.*	mouvement
	*On **passe** un accord, une commande, un marché.* *Il **passe** chef de service* (familier), *il **passe** le bac.*	sens figuré : réaliser idée d'obstacle
	■ Expression figurée : *Le gâteau **ne passe pas**.* (il n'est pas digéré)	
	*Ils **passent** une heure ensemble.* ■ Expression : *Il **passe son temps** à rêver/dormir.*	durée
	*La mode, une douleur, une couleur **passent**.*	avoir une durée limitée
Passer + nom + à + nom (tendre, donner)	*Il lui **passe** le sel.* ■ Expression figurée : ***passer la parole** à quelqu'un*	
Passer d'un lieu à un autre	*Il **passe à** table, **de** la cuisine **au** salon.*	déplacement
Passer		
sur + nom	*Il faut **passer sur** les détails.* (éviter d'en parler) ■ Expressions : *Passons ! – Je passe…*	
pour + nom	*Il **passe pour** un original.* (être considéré comme)	
par + nom	***Nous passons par** de graves difficultés.* (traverser) *On doit **passer par** la mairie.* (transiter obligatoirement vers) ■ Expression : *passer par la tête*	
à côté de + nom	*Il **passe à côté de** sa vie professionnelle.* (manquer quelque chose d'important)	
à travers + nom	*Elle **est passée à travers** la grippe.* (échapper à)	
Se passer	*L'histoire **se passe** à Bordeaux.* (avoir lieu) *La réunion ne **se passe** pas bien.* (idée d'appréciation)	
Se passer de	*On peut très bien **se passer de** viande.* (se priver de)	

■ TENIR

Un tiens vaut mieux que deux tu l'auras.

Ce proverbe apparenté à l'idée de possession signifie
qu'il vaut mieux avoir peu maintenant, de manière certaine,
plutôt que d'espérer obtenir plus à l'avenir, mais de façon incertaine.

➔ Les préfixes de verbes, I, 1, p. 20.

Idée de garder (ne pas lâcher)

- **TENIR** (quelque chose ou quelqu'un)

(M. et Mme Louvain reviennent de week-end et constatent avec plaisir que tout s'est bien passé en leur absence.)
— J'ai ***tenu parole****, dit Louis à ses parents. Je n'ai invité personne pendant le week-end et je me suis occupé de Cathy…*
— C'est gentil, dit son père. Je savais que tu ***tiendrais compte de*** *notre discussion ! Ta sœur n'a pas été trop difficile ?*
— Oh, si, ma sœurette a un sacré caractère ! Mais je ne me suis pas laissé faire, j'ai ***tenu tête*** *!*
— Tu as bien fait ! Dis, d'où sort le chien que ta sœur ***tient*** *dans ses mains ?*
— On l'a trouvé hier en se promenant : il avait l'air abandonné, alors, on l'a recueilli pour nous ***tenir compagnie****.*
— Vous avez eu raison ! Comme ça, il ***tient lieu de*** *petit copain de jeu à ta sœur !*

tenir un chien en laisse (le garder attaché)
tenir un enfant par la main

■ Expressions imagées :
tenir compagnie à quelqu'un (rester auprès de quelqu'un)
tenir compte de (faire cas de quelque chose)
tenir lieu de (remplacer, se substituer à)
tenir parole, tenir ses promesses, tenir ses engagements (être fidèle à)
tenir tête (résister)

■ **S'en tenir à** + nom
Il ne veut pas d'ennuis avec la justice : il s'en tient à la décision du tribunal administratif. (ne pas chercher à aller plus loin)

Idée de saisir et d'empêcher d'agir librement

Amour, amour, amour,
quand tu nous tiens, on peut dire « adieu prudence »

Citation de Jean de La Fontaine,
devenue un proverbe que l'on énonce à l'égard des amoureux
et qui signifie que la passion ne s'accorde pas avec la prudence.

- **TENIR**

Les policiers ***tiennent*** *enfin le fuyard qu'ils recherchaient depuis une semaine. S'il est jugé coupable, il* ***sera détenu*** *à la prison des Baumettes, sinon il sera remis en liberté…*

Il tient le malfaiteur. (il a réussi à l'attraper, à l'arrêter)

■ Notez les mots préfixés :
détenir un suspect (le garder en prison), détenir un secret
un détenu (un prisonnier)

(Deux voisins se rencontrent dans les escaliers et se souhaitent les meilleurs vœux.)
« Pendant que je vous ***tiens****, madame Duval, pouvez-vous me dire si votre chauffage marche ?... et blablabla... et blablabla... »*
Pauvre Mme Duval ! Son voisin ***lui a tenu la jambe*** *pendant plus d'une heure dans les courants d'air de la cage d'escalier ! Elle* ***n'était pas tenue de*** *rester mais, par respect pour son voisin de palier, elle a décidé d'attendre qu'il s'essouffle et s'arrête de parler !*

être tenu de + infinitif (être dans l'obligation de)
On dira également que quelqu'un est tenu par ses engagements, s'il ne peut pas agir à sa guise. (être dépendant de sa situation)

■ Expressions imagées :
– Pendant que je te / vous tiens... ! (se dit lors d'une conversation pour signifier que l'on va profiter de l'occasion de la rencontre pour demander quelque chose)
– tenir la jambe à quelqu'un (familier ; le retenir par des bavardages inutiles)

Idée de possession ou de transmission

• **TENIR**
– Il tient enfin le poste qu'il espérait depuis deux ans !
– Il tient enfin son contrat, après quatre mois d'attente !

Tenir de quelqu'un (ressembler à quelqu'un)
Elle tient de sa mère. (plutôt sur le plan du caractère)

Tenir quelque chose **de** quelqu'un (hériter de quelque chose, apprendre quelque chose de quelqu'un...)
– Elle tient ses yeux clairs de son père et sa bouche de sa mère.
– Il tient le tableau de son grand-père. (son grand-père le lui a laissé)
– Elle tient la nouvelle de Bernard. (Bernard lui a annoncé la nouvelle)

■ Expressions figurées :
– Ah, je tiens enfin la solution de mon problème, le renseignement qui me manquait depuis longtemps ! (connaître, avoir obtenu ou trouvé)

– Eh bien dis donc, qu'est-ce que tu tiens ! (familier ; se dit à une personne visiblement très enrhumée ou grippée)
– Oh, là, là, je tiens une de ces grippes ! (familier ; avoir la grippe)

Dans les deux cas suivants, l'intonation est importante.
– Tiens ! Pas plus tard qu'hier, deux maisons ont été cambriolées dans le quartier ! (*Une vieille dame se plaint à son fils de l'insécurité qui règne dans son quartier* – renforce un propos et incite les interlocuteurs à réfléchir)
– Tiens, tiens ! / Tiens donc ! En voilà une nouvelle ! (*Marie-Pierre apprend que sa tante encore célibataire a décidé de se marier* – exprime un étonnement : *Ça alors !*)

Idée de maintenir, conserver

– Tenir ses comptes à jour évite parfois de mauvaises surprises ! (noter régulièrement toutes les dépenses)
– Elle tient sa maison en ordre : elle a une maison bien tenue ! (entretenir)

■ Expressions figurées :
– Ce film les tient en haleine jusqu'au bout ! (il a du suspense, il maintient l'attention)
– Leur nouvelle voiture tient mieux la route que la précédente. (ils s'y sentent plus en sécurité : adhérer à la route)

Et on dira également familièrement : Un projet tient la route / ne tient pas la route (il est jugé cohérent / il n'est pas réalisable)
– Elle tient le coup depuis la mort de son père. (elle réagit bien après le choc)
– Après deux verres de vin, la tête lui tourne : elle ne tient pas l'alcool / elle tient mal l'alcool. (elle ne supporte pas l'alcool) À l'opposé, son mari tient bien l'alcool. (il résiste aux effets de l'alcool)

Idée de dépendance reliée à un sentiment ou à une relation de cause à effet

• Sentiment éprouvé par une personne

Tenir à quelqu'un

Après plusieurs années passées ensemble, Jean tient beaucoup à ses petits copains d'école. (éprouver des sentiments pour quelqu'un)

Tenir à quelque chose (+ nom / + verbe)
– Ils tiennent à leur mobilier. (ils sont attachés à leurs meubles, leurs affaires)
– Il tient à devenir médecin ; c'est son rêve le plus cher. (il est très attaché à cette idée)

• Rapport de deux choses entre elles

Une chose tient à autre chose.
– Sa réussite tient à ses compétences et à son dynamisme ! (dépendre de)
– Il ne tient qu'à lui pour que ça s'arrange. (la solution dépend entièrement de sa décision, de sa volonté, de son courage, de son action)

■ Expression figurée :
La vie ne tient qu'à un fil. (la vie est fragile)

Idée de responsabilité : avoir la charge de…

• TENIR

– Elle tient le café-restaurant de la rue Saint-Martin. (être le / la gérant[e] de)
– C'est sa femme qui tient la caisse du bureau de tabac. (être responsable de)
– Il tient un journal de bord. (noter des informations et des anecdotes sur un cahier)
– Gérard Depardieu tient le rôle d'Obélix dans la version cinématographique des *Astérix*. (joue le rôle de)
– Certaines personnes tiennent une place importante dans la société : elles savent tenir leur rang, c'est-à-dire se comporter de façon à rester dignes de leur condition. (*tenir son rang :* avoir une attitude conforme à son rang, à sa situation sociale)

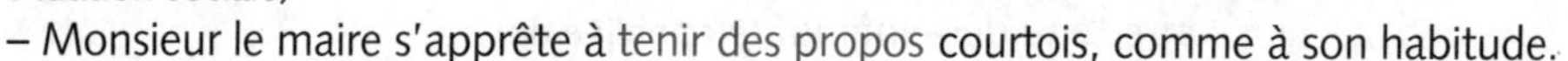

– Monsieur le maire s'apprête à tenir des propos courtois, comme à son habitude.

Idée de faire durer un état

– La neige tient. (elle ne fond pas)
– Le vent violent n'a pas déchiré la tente : elle a tenu.
– Je tombe de fatigue mais je tiens encore debout.

se tenir debout, assis, couché…

– Tenez-vous bien droit pour que je puisse vous mesurer ! dit le docteur.

Se tenir (se comporter bien / mal)

– Thomas sait se tenir en société : il sait bien se comporter.
– Tiens-toi bien à table ! Arrête de bouger, enlève tes coudes. Fais attention à ta tenue !

■ Au sens figuré :
– Un discours tient debout : il se tient ! (il est cohérent)
– Un mariage tient. (il dure)
– Ma proposition, mon offre tient toujours ! (elle est toujours valable)
– Je ne sais pas ce que je lui ai fait, il se tient à l'écart depuis trois jours. (il ne m'approche plus)

Tableau récapitulatif : le verbe TENIR → page suivante.

Tableau récapitulatif : le verbe TENIR	
Tenir + nom	– *Elle **tient** sa fille par la main et son chien en laisse.* (garder, ne pas lâcher) ■ Expressions : tenir parole, tenir tête, tenir compagnie à quelqu'un tenir ses promesses tenir lieu de, tenir compte de – *Le policier **tient** le coupable.* (saisir) ■ Expressions : tenir la jambe à quelqu'un être tenu de + infinitif (être obligé de) – *Elle **tient** un poste, un contrat, la solution, une grippe.* (idée de possession) ■ Expressions figurées : ***Tiens ! / Tenez !*** ***Tiens, tiens !*** – *Elle **tient** la route, le coup, le choc, l'alcool.* (idée de conserver) ■ Expression : *Elle **tient** sa chambre en ordre, ses comptes à jour.* (maintenir) – *Ils **tiennent** un café, un restaurant…* (idée de responsabilité) – *Un mariage, une offre **tient**.* (idée de faire durer) – *Le discours **tient** debout : il **se tient**.* (cohérent)
Se tenir	*Il **se tient** bien, droit.* (se comporter) ■ Expression : se tenir à l'écart de
Tenir à quelqu'un	*Elle **tient à** lui.* (éprouver des sentiments pour quelqu'un)
à **quelque chose**	*Elle **tient à** son mobilier.* (être attaché à)
à + infinitif	*Il **tient à devenir** comme son père.* (avoir une forte envie de)
de **quelqu'un**	*Elle **tient de** sa mère.* (ressembler à quelqu'un)
quelque chose de **quelqu'un**	*Il **tient** ses yeux verts **de** son père.* (hériter de)

1 • 2 Quand les mots s'adaptent

Le locuteur (la personne qui parle) dispose de plusieurs manières de s'exprimer et adapte son langage en fonction des situations dans lesquelles il se trouve et des personnes auxquelles il s'adresse. On appelle traditionnellement registre de langue cette variation du discours allant d'un niveau de langue formel, soutenu, à un niveau moins conventionnel. Ce découpage est loin d'être aussi clair dans la réalité des échanges. Les registres s'entremêlent parfois dans les conversations et laissent deviner le style de la personne qui parle.

Les registres ne sont pas stables et évoluent avec le temps. Beaucoup d'expressions (très) familières sont entrées progressivement dans la langue courante, à force d'être entendues et utilisées par tous. Nous vous en expliquons quelques-unes en vous présentant certaines tendances du français parlé.

Enfin, les mots s'adaptent à la société. Jugés parfois trop longs, ils sont raccourcis, abrégés. Nous traiterons l'abrègement (ou l'abréviation) de certains mots courants, permettant ainsi au locuteur étranger d'entrer dans le tourbillon de la vie française.

Les registres de la langue

Quelle que soit son origine sociale ou son âge, le locuteur aura tendance à parler différemment selon :
– le lieu où se situe l'échange (en famille ; au travail),
– les personnes auxquelles il s'adresse (amis, relations, patron).

■ Qu'appelle-t-on registre de langue ?

On appelle **registre de langue** la façon soutenue, courante, familière ou très familière de s'exprimer.

– Avez-vous vu cet homme ?
– T'as déjà vu c(e) gars-là ?
– C'est qui, c(e) type ?

Et, si on veut aller plus loin :

– Tu connais c(e) mec ? (très familier)

La façon de parler d'un locuteur peut donner des indications sur son **origine sociale**, mais ce n'est pas une généralité, car une même personne peut s'exprimer volontairement de différentes manières selon la situation.

(Le responsable de la formation de l'entreprise où travaille Michel le fait venir dans son bureau pour lui parler de l'avancement de son nouveau projet.)

— Bonjour Michel ! Ça va ? Alors, parle-moi un peu de ton projet !

Imaginons la même conversation dans un autre contexte :

(À l'heure du déjeuner dans la brasserie Saint-Paul, Michel rencontre son ami Jacques.)

— Salut, mon vieux ! Ça roule ? Alors, il avance, ton projet ?

Dans l'exemple ci-dessus, nous voyons que c'est la situation de communication qui détermine le registre de langue qu'il faut utiliser.

Il existe aussi une multitude d'exemples dans lesquels différents registres se côtoient. Les locuteurs varient leur style en fonction de la situation, des autres interlocuteurs, de l'objectif à atteindre… ou des sentiments qu'ils veulent traduire (complicité, plaisanterie, gêne, solennité…).

(Les différents membres du comité de direction d'une entreprise se réunissent pour une réunion de travail.)

— Bonjour messieurs, la séance est ouverte. Je vous informe tout d'abord que la place du défunt et regretté M. Charpin est vacante. J'ai sélectionné une liste de candidats possibles, dont plusieurs sont issus de cette entreprise. Je vous prie d'examiner toutes ces candidatures avec soin pour la prochaine séance. Quel est le point suivant, madame Blanchet ?

(Après une bonne heure de discussion :)

*— Eh bien, messieurs, nous avons du pain sur la planche ! Si nous voulons rester **au top niveau**, mettons-nous au travail !*

Dans cet exemple, le directeur veut détendre l'ambiance d'une réunion de travail bien chargée. En utilisant l'expression être au top niveau employée par la jeunesse actuelle, il veut montrer qu'il vit avec son temps.

(Lors d'un cocktail où se rencontrent plusieurs personnalités de la société parisienne, un jeune homme décide d'attirer l'attention sur lui.)

*— Ces mises en bouche sont exquises ! Ça faisait longtemps que je n'avais pas aussi bien **bouffé** ! Oh, excusez-moi, mesdames, si je blesse vos oreilles, je n'aurais pas dû autant **picoler**… mais ce vin est divinement bon !*

Ici, ce jeune homme, visiblement un peu ivre, se fait une joie de choquer l'assistance. Il va donc employer des termes non conventionnels comme bouffer (manger) et picoler (boire de l'alcool), dans un discours qui se veut assez soutenu.

■ Quelques tendances du français parlé

Les antiphrases

Une **antiphrase** consiste à employer un mot dans un sens opposé à celui qu'on lui attribue habituellement. C'est un procédé, le plus souvent ironique, qui est fortement marqué par l'intonation.

– Eh bien bravo, continue comme ça ! (*une jeune fille donne son carnet de notes à ses parents ; elle a de très mauvaises appréciations* – souligne un échec)

– Tu m'étonnes ! (*Élisabeth raconte à son amie que ses parents l'attendaient dans la salle à manger le jour où elle est rentrée à 4 heures du matin de boîte de nuit* – exprime que l'on n'est pas surpris : s'attendre à quelque chose ; ça ne m'étonne pas)

– Ne vous gênez pas ! (*Jean-Marie fait la queue à la pharmacie depuis plus d'un quart d'heure ; il voit avec stupéfaction qu'un homme est passé devant lui* – souligne une impolitesse, une marque de sans-gêne)

– Non, mais je rêve ! Quatre notes en dessous de la moyenne, un E en conduite... ! Tu te moques de qui ? (*un père s'indigne devant le carnet de notes de son fils* – marque un fort intérêt accompagné de désaccord : c'est inimaginable)

> *(Caroline a passé une dure journée. Son petit garçon s'est cassé le bras, sa fille aînée a fait une chute dans les escaliers, sa voiture est tombée en panne. Son mari arrive, tout content de sa journée.)*
> *— Ça va, ma chérie, tu as passé une bonne journée ?*
> *— Oh, là là, **je te raconte pas !** Quelle journée ! Romain s'est cassé le bras, Marion est tombée dans l'escalier et j'ai eu une panne sur l'autoroute.*

– Je te raconte pas ! (décrit une situation intense en événements inattendus : tu ne peux pas imaginer !)

– Tu veux rire ! (*Marion n'en croit pas ses oreilles : sa meilleure amie lui annonce qu'elle envisage de faire son service militaire* – marque un fort intérêt accompagné de doute et d'un sentiment de surprise)

– C'est du joli / c'est du propre ! s'exclame Caroline. (*envers son petit garçon de trois ans qui vient d'envoyer de la purée sur les murs de la cuisine* – c'est laid / sale)

– C'est (Ce n'est) pas triste, une journée avec l'oncle Antoine. Avec lui, il se passe toujours des choses extravagantes. (décrit un événement riche en anecdotes)

– Je vois que la confiance règne ! dit Martin à sa mère. (*quand il s'aperçoit qu'elle a regardé dans son cahier de textes pour vérifier qu'effectivement il n'avait pas de devoirs pour les vacances* – tu n'as pas confiance en moi)

Les tendances à la formulation négative

– C'était pas évident du tout, mon contrôle de français ! Je ne sais pas si j'aurais la moyenne. (souligne une difficulté)

– C'est pas mal ! (exprime un jugement : c'est assez bien)

– Pas possible ! (*Marie-Pierre est très surprise d'apprendre que Sophie est sortie avec Gilles* – exprime un étonnement : c'est surprenant)

Remarque Vous avez pu constater, dans certains des exemples ci-dessus, l'absence du « ne », ce qui est fréquent en français parlé.

La juxtaposition de mots sans préposition

→ Les noms composés, I, 1, p. 59.

un bateau-poubelle (On nomme ainsi les vieux bateaux pétroliers qui se brisent en mer et y déversent des nappes de pétrole, ce qui provoque à court ou à moyen terme des marées noires vers les plages.)
une classe affaires (classe pour les hommes d'affaires, dans les avions et certains trains)
une démarche qualité (démarche visant la qualité d'une prestation, c'est-à-dire une manière d'agir et de penser qui cherche à obtenir la qualité de ce que l'on entreprend)
un espace fumeurs / non-fumeurs (espace attribué aux fumeurs ou aux non-fumeurs dans les établissements publics)
une fiche-cuisine (fiche de recette de cuisine où est décrite la façon dont on prépare un mets)
un local poubelles (local prévu pour entreposer les poubelles des usagers)
un magasin pilote, une classe pilote (qui sert d'exemple, de modèle)
une pause-café (pause durant généralement de 5 à 30 minutes, pendant laquelle on se détend, on consomme une boisson, un café, un thé... éventuellement en mangeant un croissant, une pomme, une barre de céréales...) 
un plan santé (ensemble de mesures que l'on doit prendre pour être en bonne santé)
un sandwich jambon (sandwich au jambon)
un tarif étudiant (tarif pour les étudiants)
l'opération pièces jaunes (aide collective visant à récolter certaines pièces de monnaie dans le but d'améliorer la vie des enfants à l'hôpital)

Les glissements de sens

Ce sont souvent les jeunes qui donnent des sens nouveaux à des mots aussi anciens que assurer, craindre, dégager, étonner, bonjour... et, plus récemment, mortel, grave, dont il faut noter le caractère exagéré, emphatique...

Les nouveaux sens sont ensuite repris par la publicité, certains entrent dans le langage quotidien et, du même coup, sortent de la bouche des jeunes qui tentent de trouver d'autres divergences avec le français standard !

– Il assure, le nouveau prof ! (il est très intelligent, il se montre à la hauteur de sa tâche)

À l'inverse :

– Il craint. (il n'est pas du tout compétent)

– Bonjour les vacances ! (au revoir – *Au moment de partir au ski, Éliane s'aperçoit qu'elle a perdu son portefeuille et Martin ses clefs de voiture.*)
– Bonjour l'angoisse ! (quelle angoisse ! – *Quand elle est revenue toute seule du cinéma, un groupe de jeunes s'est approché d'elle pour lui demander une cigarette.*)
– Ça craint ! (c'est très désagréable, fâcheux. – *Romane a raté son bac et toute la famille est venue à la sortie de l'école, croyant la féliciter !*)

Remarque Vous constaterez également le changement de construction : habituellement, nous avons *assurer* et *craindre quelque chose* ou *quelqu'un*.

– C'est du délire ! (incroyable – *Avec la motoneige, on peut accélérer comme un fou dans les virages !*)
– C'est géant ! (extraordinaire – *Axel adore les sports d'hiver, la neige, le soleil, la glisse...*)
– C'est l'enfer ! (c'est horrible – *Ce week-end, Mélissa doit réviser ses examens.*)
– Elle a une pêche d'enfer aujourd'hui ! (elle est en pleine forme)
– C'était d'enfer la soirée, hier ! (extraordinaire)
– Elle est vraiment grave, cette fille ! (elle a un problème, elle fait n'importe quoi)
– C'est mortel ! (*Le cours est ennuyeux, aujourd'hui. Bertrand a failli s'endormir !*)

Les locutions verbales (avec article)

À côté des expressions comme avoir peur, avoir honte, avoir mal, la langue familière comptait déjà des expressions comme :

avoir la pêche, la frite (être en forme)
avoir les crocs (avoir faim)...

→ Les locutions verbales, I, 1, p. 67.

Viennent maintenant s'y ajouter :

avoir la haine (en vouloir à quelqu'un)
avoir la rage (être en colère)
avoir les boules (familier ; avoir peur ou être énervé, angoissé)

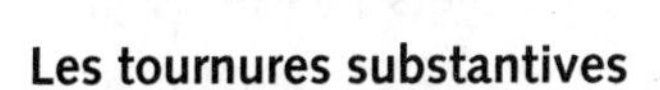

Les tournures substantives

La langue française, qui a plus fréquemment recours à des verbes, multiplie les tournures reliées à des verbes passe-partout *(être, avoir, faire)*.

donner des informations à quelqu'un (informer quelqu'un)
faire des progrès (progresser)
faire référence à quelque chose (se référer à)

Le transfert de catégorie grammaticale (adjectif / adverbe)

Sous l'influence de la publicité et dans un souci de simplicité, les locuteurs emploient parfois l'adjectif à la place de l'adverbe. Cette tendance, pourtant incorrecte du point de vue grammatical, est dans l'air du temps.

– Ça s'ouvre facile. (facilement)
– Il faut vivre jeune. (à la manière des jeunes)

Ces formes sont construites sur le modèle de *sentir bon*, *voler bas*, *chanter faux*, *coûter cher*, *parler fort*, *voir clair*.

– C'est trop ! / C'est (le) top ! (indique que l'on a été impressionné par quelque chose)
Elle est trop, cette fille ! (extraordinaire)
C'est (le) top ! (substantif : ce que je pouvais espérer de mieux)
Elle est top, cette nana ! (adjectif : extraordinaire)
Il surfe top ! (adverbe : de façon exceptionnelle)

C'est en grande partie par le biais des médias et, plus particulièrement, de la publicité que certaines de ces expressions passent dans la langue commune : elles reflètent un effet de mode, une manière de parler.

De la langue orale à la langue écrite

La norme est plus forte **à l'écrit** : les usagers s'expriment dans un français standard, voire soutenu, dans certains courriers administratifs, par exemple. La tradition du « savoir-écrire » est encore bien présente (présentation de lettres, formules de politesse...)

Monsieur, Madame, cher Monsieur, chère Madame...
Veuillez agréer mes sincères salutations.

Mais avec l'avènement de l'Internet et la profusion des courriers électroniques, les messages écrits prennent la forme d'une conversation ponctuée de signes d'exclamation et de formules expressives ressemblant à l'oral.

Coucou Martine,
T'as quelque chose de prévu dimanche ? Si on se faisait un petit repas à la maison ? Ça te dirait un petit cassoulet ? Hum... Miam Miam !
Bises, Corinne

Et dans le discours **oral**, il est intéressant de noter que les locuteurs prennent parfois appui sur des signes de la langue écrite :

– Elle a trouvé le grand amour, avec un A majuscule. (souligne la grandeur de l'amour)
– Il est arrivé à la vitesse grand V. (très rapidement)
– Je ne suis pas d'accord avec ton jugement entre guillemets raciste. (signifie qu'on ne valide pas complètement le terme employé)
– Il met sa vie privée entre parenthèses. (il la laisse de côté pour le moment)
– Au milieu de son discours, il fait une parenthèse et parle des problèmes techniques qui troublent la réunion. (il sort du sujet pour faire une remarque secondaire)
– Je ne reviendrai pas sur ma décision : point à la ligne (*ou encore, plus familièrement :* point-barre). (je passe à autre chose)

Les abrègements de mots

La langue est un peu à l'image des personnes qui la parlent : paresseuse ou parfois stressée. Aussi bien dans la langue orale que dans la langue écrite, les mots sont parfois abrégés pour être réduits à leur plus simple expression.

Les abrègements de la vie quotidienne

(C'est le plein été dans la campagne languedocienne. Il fait une chaleur étouffante. Carine sort de sa voiture, exténuée, et se plaint à sa sœur.)
— Mon Dieu, c'est la ***cata*** *! La* ***clim*** *est tombée en panne et nous ne sommes que le 11 juillet ! Je crève de chaud, moi !*
— T'inquiète pas, petite sœur ! Frédéric doit passer tout à l'heure. Il t'arrangera ça ! Tu verras, il est ***sensass****, mon nouveau copain !*
— Chouette ! Mais dis donc, qu'est-ce qu'il fait à Aix ?

— *Il cherche un* ***appart*** *dans le coin, comme ça, on pourra prendre le* ***p'tit déj*** *ensemble avant d'aller à la* ***fac****. C'est* ***sympa****, non ?*
— *C'est* ***extra****! Bon, si on allait se rafraîchir dans une salle de* ***ciné****, en attendant!*

• Dans la langue parlée, les locuteurs abrègent parfois les mots, c'est-à-dire qu'ils les raccourcissent en supprimant une ou plusieurs syllabes situées en fin de mot.

un appart	appartement	un métro	métropolitain
une cata	catastrophe	un p'tit-déj	petit-déjeuner
un ciné	cinéma	une pub	publicité
une clim	climatisation	une réduc	réduction
le Club Med	Méditerranée (en abrègement, se prononce « mèd » : célèbre agence de voyages organisés)	sensass	sensationnel
		des heures sup	supplémentaires
		sympa	sympathique
		une télé	télévision
extra	extraordinaire	un tram	tramway

Remarque 1 La suppression du début des mots est beaucoup plus rare.
le (l'auto)bus

Remarque 2 Dans certains cas, un « e » est rajouté à la fin du mot.
une occase occasion

Parmi les abrègements, les mots en **-o**, d'inspiration italienne, sont les plus nombreux.

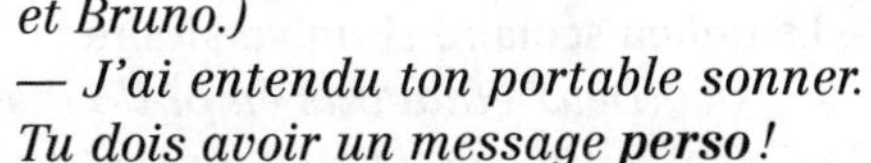

(Conversation entre deux ***ados****, Théo et Bruno.)*
— *J'ai entendu ton portable sonner. Tu dois avoir un message* ***perso****!*
— *Ah oui! Tiens, c'est Julie, elle m'invite pour l'****apéro*** *et me propose d'aller avec elle voir l'****expo*** *de Dali! Oh là là, je ne suis pas trop* ***accro*** *de peinture, moi!*
— *Ne t'inquiète pas! Elle sait de toute façon que tu n'es pas un* ***intello****!*
— *Parle pour toi! C'est toi qui as besoin d'un* ***dico*** *quand tu lis un livre!*
— *Peut-être, mais moi au moins, je suis un* ***pro*** *de surf!*
— *Et quel est le rapport ?*

être accro de quelque chose : passionné pour quelque chose – abrégé à partir de *accroché*

un accro de ski, d'escalade : un passionné		une démo	démonstration
un ado	adolescent	une diapo	diapositive
un apéro	apéritif	un dico	dictionnaire
un produit bio	biologique	un écolo	écologiste
une colo	colonie de vacances	une expo	exposition
une déco	décoration	un hebdo	journal hebdomadaire

un intello	intellectuel	un proprio	propriétaire
un kilo	kilogramme	un resto	restaurant
un labo	laboratoire		(on trouve aussi restau)
perso	personnel	un toxico	toxicomane
une photo	photographie	un zoo	jardin zoologique
un pro	professionnel		

• Dans la vie de tous les jours, certains mots sont remplacés par des diminutifs pour renforcer l'affection ou la complicité entre les locuteurs.

– Noms propres

Phil (Philippe), Véro (Véronique), Alex (Alexandre), Flo (Florence)

– Titres de journaux ou de magazines

Le Nouvel Obs (Observateur), Télé 7 jours

– Dates célèbres en raison d'un fait historique

la guerre de 14 ou 14/18 (1914-1918), Mai 68 (1968)

– Emprunts étrangers

un fan (*fanatic*), un living (*living-room*), un pull (*pull-over*), pop (*popular*), le showbiz (*show-business*)

les sports : le foot(*ball*), le hand(*ball*).

➔ Les emprunts, II, 1, p. 189 et suivantes.

– Administrations ou services

la Sécu (Sécurité sociale), les Télécom(s) (télécommunications), l'hosto (hôpital)

– Le milieu scolaire et universitaire

*(Deux étudiants en **philo** discutent dans le grand **amphi** où ils ont cours.)*
*— On se retrouve au **restau U**, à midi ?*
*— D'accord, si le **prof** nous laisse partir à l'heure !*

l'agreg (l'agrégation), un amphi (amphithéâtre, grande salle de cours à gradins), le bac (baccalauréat)
la dissert (dissertation, parfois écrite avec un « e » : disserte), la fac (faculté)
le restau U / resto U (restaurant universitaire)
les matières : la géo (géographie), les maths (mathématiques), la philo (philosophie)
les professeurs : un(e) instit (instituteur/-trice), un prof (professeur), un prof de fac

■ À l'origine de quelques mots nouveaux

Certains abrègements ont donné lieu à des néologismes. ➔ Les néologismes de formation récente, II, 1, p. 184 :

un abribus	abri construit à l'endroit des arrêts de (d'auto)bus
un bibliobus un médiabus	(auto)bus contenant des livres de la bibliothèque (municipale en général), appelée aussi médiathèque depuis qu'on y trouve également des documents audiovisuels, et qui se déplace à certains endroits de la ville ou dans les villages (écoles par exemple)
un minibus	petit (auto)bus
un cinéaste	auteur ou un réalisateur de films
un ciné-club	association visant à promouvoir le cinéma
un cinéphile	amateur de cinéma

Enfin, plus récemment :

le mél a été créé à partir de l'abréviation de *messagerie électronique*
le courriel, à partir de *courrier électronique*
le pantacourt, à partir de *pantalon court* (pantalon arrivant à mi-mollets)
la musique techno, à partir de *technologique* (musique utilisant les nouvelles technologies, musique électronique)

■ Quelques abréviations de la langue écrite

Elles se rencontrent dans la langue écrite et, sauf exceptions (par exemple, T.T.C.), sont traduites à l'oral en prononçant l'expression complète.

H.T.	hors taxes : *prix hors taxes*
R.A.S.	rien à signaler
T.T.C.	toutes taxes comprises : *prix T.T.C.*
T.V.	télévision (seulement à l'écrit ; à l'oral, on dira plutôt : la télé)

– Les titres

Dr / D^{r}	Docteur	Mlle / Mlle	Mademoiselle
M.	Monsieur	Me / M^{e}	Maître
Mme / Mme	Madame	Pr / P^{r}	Professeur

– Les abréviations utiles à la correspondance

B.P.	boîte postale (boîte aux lettres louée au bureau de poste)		
c.-à-d.	c'est-à-dire	S.V.P.	s'il vous plaît
R.-V.	rendez-vous	R.S.V.P.	répondez s'il vous plaît

– Les abréviations latines

N.B.	nota bene	P.S.	post-scriptum…

➔ Les sigles, II, 1, p. 178.

– Les abréviations utiles pour la consultation d'un dictionnaire

adj.	adjectif	inv.	invariable
adv.	adverbe	loc.	locution
anglic.	anglicisme	m.	masculin
contr.	contraire	n.	nom
ex.	exemple	péjor.	péjoratif
f.	féminin	prép.	préposition
fam.	familier	qqn	quelqu'un
fig.	figuré	qqch.	quelque chose

– Les abréviations de toutes sortes dans la rue

av. (avenue), boul. / bd (boulevard), fg (faubourg)…

1 • 3 Quand les mots cachent la réalité

Comme nous l'avons vu avec les abrègements de mots, la langue est paresseuse, mais elle peut aussi paraître obscure par l'usage fréquent de sigles.

Le sigle n'est pas une invention nouvelle, mais son usage s'est multiplié de nos jours dans le langage quotidien, au point que les usagers oublient parfois les mots qui se cachent derrière. Pour vous aider à les déchiffrer au cours de vos lectures ou de vos conversations avec un francophone, nous vous présenterons ici les plus courants. De plus, nous vous éclairerons sur quelques termes obscurs de la vie sociale : les euphémismes.

Les sigles

On appelle **sigle** la série des lettres initiales (en principe reprises en majuscules) des termes qui composent une expression.

Les caractéristiques des sigles

La plupart des sigles fonctionnent comme des noms communs en prenant le genre de l'expression qu'ils définissent (masculin ou féminin).

une H.L.M.	**h**abitation à **l**oyer **m**odéré (Les H.L.M. sont construites par les pouvoirs publics pour des familles à revenus modestes.)
une I.V.G.	**i**nterruption **v**olontaire de **g**rossesse
une M.S.T.	**m**aladie **s**exuellement **t**ransmissible
un P.-V.	**p**rocès-**v**erbal (un compte rendu écrit, établi par un officier de police ou un magistrat)
les T.D.	**t**ravaux **d**irigés

Il arrive toutefois que certains sigles s'emploient sans article :

F.O.	**F**orce **o**uvrière
R.F.	**R**épublique **f**rançaise (employé principalement à l'écrit)

ou qu'ils représentent plusieurs réalités :

– le J.O.	le « **J**ournal **o**fficiel » (il diffuse toutes les lois adoptées)
les J.O.	**J**eux **o**lympiques
– les T.P.	**t**ravaux **p**ratiques
les T.P.	**t**ravaux **p**ublics
– le P.C.	**P**arti **c**ommuniste
un P.C.	**p**oste de **c**ommandement
un P.C.	***P**ersonal **C**omputer* : ordinateur individuel

Chaque lettre est souvent séparée par un point. Mais l'usage tend de plus en plus à le faire disparaître. Le sigle est énoncé en épelant les initiales qui le composent.

une A.G.	**a**ssemblée **g**énérale
une A.J.	**a**uberge de **j**eunesse
B.C. B.G.	**b**on **c**hic **b**on **g**enre : une tenue B. C. B. G.
une B.D.	**b**ande **d**essinée (on trouve également **bédé**, → p. 182.)
un CD	*Compact Disc*
un C.V.	**c**urriculum **v**itae
un DVD	*Digital* **V**idéo **D**isc
une F1	**f**ormule **1** (voiture de course)
du G.P.L.	**g**az de **p**étrole **l**iquéfié (carburant)
une M.J.C.	**m**aison des **j**eunes et de la **c**ulture
le P.M.U.	**P**ari **m**utuel **u**rbain (organisme français gérant les paris des courses de chevaux)
un Q.C.M.	**q**uestionnaire à **c**hoix **m**ultiple
un Q.G.	**q**uartier **g**énéral
un Q.I.	**q**uotient **i**ntellectuel
un V.R.P.	**v**oyageur **r**eprésentant **p**lacier (représentant de commerce qui prospecte une clientèle)
un V.T.C.	**v**élo **t**out **c**hemin
un V.T.T.	**v**élo **t**out **t**errain → Les synonymes varient en précision , I, 2, p. 88.
une Z.I.	**z**one **i**ndustrielle

■ Les sigles courants du français selon une thématique

Économie

l'A.O.C.	**a**ppellation d'**o**rigine **c**ontrôlée (par exemple pour indiquer la qualité des vins)
un O.G.M.	**o**rganisme **g**énétiquement **m**odifié
la P.A.C.	**p**olitique **a**gricole **c**ommune (se prononce « pac »)
le P.I.B.	**p**roduit **i**ntérieur **b**rut
le P.N.B.	**p**roduit **n**ational **b**rut

Grandes écoles

l'E.N.A.	**É**cole **n**ationale d'**a**dministration (forme ceux qui sont appelés à devenir hauts fonctionnaires de l'État)
H.E.C.	École des **h**autes **é**tudes **c**ommerciales (l'une des plus grandes écoles de commerce)

Médias

la F.M.	**F**requency **M**odulation : modulation de fréquence, *une radio F.M.*
le J.T.	**j**ournal **t**élévisé
le P.A.F.	**p**aysage **a**udiovisuel **f**rançais (se prononce « paf » ; à ne pas confondre avec les *P.U.F.*)
les P.U.F.	**P**resses **u**niversitaires de **F**rance (se prononce « puf »)
R.M.C.	**R**adio **M**onte-**C**arlo
R.T.L.	**R**adio-**T**élévision-**L**uxembourg
TF 1	**T**élévision **f**rançaise **1**

V.S.D.	« Vendredi-Samedi-Dimanche » (nom d'un magazine hebdomadaire)
V.F. / V.O.	version française / version originale

Monde du travail

*(Conversation entre deux copines, à la sortie des bureaux de l'**A.N.P.E.**)*
— Comment s'est passé ton entretien ?
— Écoute, je n'en reviens pas ! Ils m'ont proposé un emploi qui correspond exactement à mon profil !
*— C'est un **C.D.I.** ?*
*— Non, malheureusement ! C'est un **C.D.D.** de six mois !*
— Et le salaire ?
*— Oh, je gagnerai le **S.M.I.C.**, et ça ne changera pas beaucoup des **ASSEDIC** que je touchais, mais je suis contente de retravailler !*

un C.D.D.	contrat à durée déterminée
un C.D.I.	contrat à durée indéterminée
un C.E.	comité d'entreprise
un C.E.S.	contrat emploi-solidarité (proposé aux chômeurs de longue durée moyennant un salaire inférieur de moitié au S.M.I.C. → ci-dessous, p. 181.)
un P.-D.G.	président-directeur général
une P.M.E. / P.M.I.	petite et moyenne entreprise / petite et moyenne industrie
un R.I.B.	relevé d'identité bancaire (se prononce souvent « rib »)
une R.T.T.	réduction du temps de travail (mise en œuvre avec la loi des 35 heures) → Les synonymes varient en précision I, 2, p. 95.

Organismes ou administrations françaises

l'A.N.P.E.	Agence nationale pour l'emploi
la C.A.F.	Caisse d'allocations familiales (se prononce « caf » ; attention, en commerce international, signifie également « coût, assurance et fret »)
le C.H.U.	centre hospitalier universitaire (se prononce souvent « chu »)
le C.N.R.S.	Centre national de la recherche scientifique
les C.R.S.	Compagnies républicaines de sécurité (chargées du maintien de l'ordre, lors de manifestations par exemple)
E.D.F.	Électricité de France
G.D.F.	Gaz de France
l'I.N.S.E.E.	Institut national de la statistique et des études économiques (se prononce et s'écrit aussi « **Insee** » : il effectue des sondages de toutes sortes)

Organismes internationaux

l'O.M.S.	Organisation mondiale de la santé
une O.N.G.	organisation non gouvernementale
l'O.N.U.	Organisation des Nations unies (on prononce aussi « Onu »)
l'U.E.	Union européenne

Revenus, cotisations et taxes

les ASSEDIC	Association pour l'emploi dans l'industrie et le commerce (aussi **Assédic** : régime d'assurance qui s'adresse aux chômeurs ayant déjà travaillé. Les

personnes reçoivent une indemnité des Assédic, si elles ont assez cotisé pendant leur période d'activité : *elles touchent les Assédic*, familier.)

la C.S.G. — contribution sociale généralisée (impôt visant à aider le financement de la Sécurité sociale)

le R.M.I. — revenu minimum d'insertion (s'adresse à toutes les personnes sans ressources ayant plus de 25 ans)

le S.M.I.C. — salaire minimum interprofessionnel de croissance (le plus bas salaire autorisé par la loi)

la T.V.A. — taxe sur la valeur ajoutée (impôt concernant tous les produits commercialisés)

Transports

(Delphine doit se rendre à Paris pour suivre une formation. Sa directrice se tient au courant de ses préparatifs.)

— N'oubliez pas de vous occuper de votre billet de train. La réservation est obligatoire pour le T.G.V. !

— C'est déjà fait ! J'ai réservé mon billet sur Internet au ***www.sncf.com****, c'est pratique, rapide et efficace !*

la R.A.T.P. — Régie autonome des transports parisiens

le R.E.R. — Réseau express régional (Paris et région parisienne)

une R.D. / R.N. — route départementale / nationale

la S.N.C.F. — Société nationale des chemins de fer français

le T.G.V. — train à grande vitesse ➔ Les synonymes varient en précision, I, 2, p. 88.

Autres domaines

– Associations sportives

l'O.M. — Olympique de Marseille

le P.S.G. — Paris-Saint-Germain

– Organismes bancaires et assurances

la B.N.P. — Banque nationale de Paris

la M.A.I.F. — Mutuelle assurance des instituteurs de France (se prononce « Maïf »)

l'U.A.P. — Union des assurances de Paris

– Organisations syndicales

la C.F.D.T. — Confédération française démocratique du travail

la C.G.C. — Confédération générale des cadres

la C.G.T. — Confédération générale du travail

F.O. — Force ouvrière

– Partis politiques

le F.N. — Front national

le P.C. (F.) — Parti communiste (français)

le P.S. — Parti socialiste

l'U.D.F. — Union pour la démocratie française

l'U.M.P. — Union pour la majorité présidentielle (créée par la réunion des partis de droite)

■ Les sigles qui ressemblent à des mots : les acronymes

Certains sigles sont tellement bien adaptés à notre langue, qu'on finit par les prononcer et les écrire comme un nom (la chaîne de télévision culturelle Arte, par exemple). Certains sont même devenus des noms d'usage courant et ont perdu leurs majuscules (un ovni). Voici quelques exemples.

- Arte — Association relative à la télévision européenne
- les ASSEDIC / Assédic — → ci-dessus, p. 180.
- une bédé — → ci-dessus, p. 179.
- le C.A.P.E.S. — certificat d'aptitude au professorat de l'enseignement secondaire (diplôme qui permet d'obtenir un poste d'enseignant dans le secondaire)
- le DALF — diplôme approfondi de langue française (accessible à tous ceux qui possèdent le DELF. Il atteste la capacité à suivre les cours d'une université française ou francophone)
- le DELF — diplôme élémentaire de langue française (1er et 2e degrés – atteste la capacité à communiquer en français, incluant une connaissance générale de la civilisation française et francophone)
- les DOM-TOM — départements et territoires d'outre-mer → La variété régionale, II, 2, p. 227-228.
- le FLE — la discipline du français langue étrangère
- un ovni — objet volant non identifié (des ovnis)
- le PACS / Pacs — pacte civil de solidarité (statut légal reconnaissant la vie en commun de deux personnes non mariées, homosexuels ou non, ou proches parents)
- le S.A.M.U. / Samu — Service d'aide médicale d'urgence (il existe aussi le *SAMU social* : service d'aide aux sans-abri)
- le sida — syndrome d'immunodéficience acquise (maladie virale)
- le S.M.I.C. / Smic — → ci-dessus, p. 181.
- une Z.E.P. — zone d'éducation prioritaire

Certains de ces sigles donnent lieu à des dérivations, selon les règles de formation.

> *Le mois de janvier annonce la période des soldes. Les **bédéphiles** se ruent dans les magasins de **B.D.** pour acheter les dernières nouveautés, les amateurs de musique font le plein de **CD** et de **DVD**, et les **vététistes** en profitent pour se refaire une santé en changeant leur **V.T.T.** !*

- un(e) bédéphile — amateur de bande dessinée (B.D., bédé)
- un(e) cégétiste — employé(e) affilié(e) à la C.G.T. → Les suffixes d'adjectifs, I, 1, p. 43.
- un(e) énarque — diplômé(e) de l'E.N.A.
- (se) pacser, un(e) pacsé(e) — conclure un Pacs, un(e) bénéficiaire du Pacs

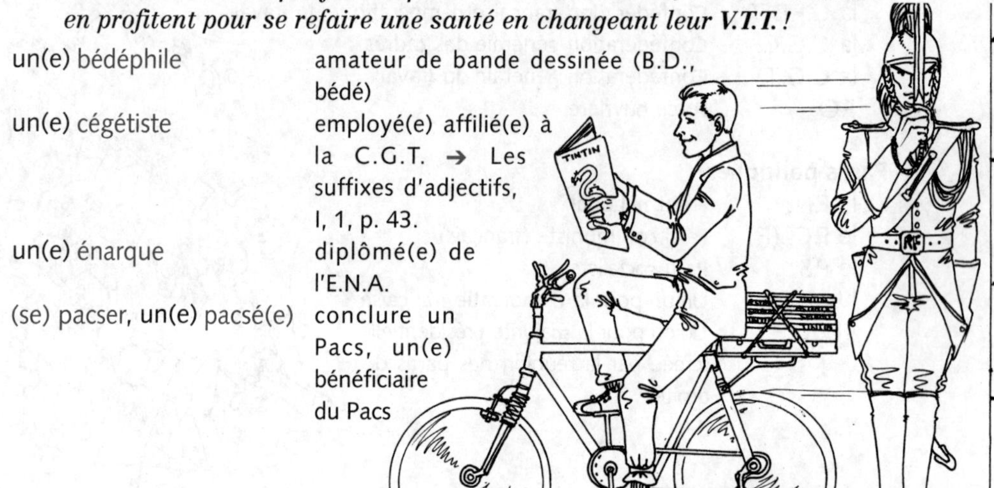

un(e) smicard(e)	employé(e) qui touche le S.M.I.C.
un(e) RMIste	personne qui reçoit le R.M.I. ➔ Les suffixes de noms, I, 1, p. 51-52.
un(e) vététiste	personne qui se déplace en V.T.T., sportif qui pratique le V.T.T.

Passons maintenant à une autre façon de voiler la réalité : les euphémismes. Qu'est-ce qu'un euphémisme ?

Les euphémismes

Un **euphémisme** consiste à atténuer une expression jugée trop brutale.

s'éteindre, partir, quitter, rendre l'âme (mourir)

Remarque Certains mots jugés tabous, comme *la mort*, entraînent la création de synonymes qui sont des euphémismes.

Pour minimiser les problèmes de la société, une « langue de bois » s'instaure. Comme on ne veut pas nommer le problème par son nom, on use parfois de termes obscurs, tels que :

économie parallèle (travail clandestin), non-emploi (chômage)…

Dans la vie sociale, le procédé est utilisé afin de ne pas heurter ceux qui souffrent et de ne pas vexer ceux qui effectuent des tâches peu valorisantes.

un(e) accidenté(e) de la vie, *puis* une personne à mobilité réduite	un(e) handicapé(e) : une personne ayant une déficience physique ou mentale
un agent d'entretien	un balayeur qui nettoie et balaie les rues
un(e) black, *puis* un homme / une femme de couleur	un(e) Noir(e)
un demandeur d'emploi	un chômeur
un(e) malentendant(e)	une personne sourde
un(e) non-voyant(e)	une personne aveugle
une personne du troisième âge, *puis* du quatrième âge	une personne âgée
un(e) technicien(ne) de surface	un homme (une femme) de ménage
un S.D.F. (sans domicile fixe)	a remplacé *sans-abri*, qui lui-même avait effacé *clochard*
un P.M.A (pays moyennement avancé)	a remplacé le terme de *pays en voie de développement*, qui lui-même avait effacé l'expression *pays pauvre*

1 • *4* Quand des mots nouveaux entrent dans la langue

On appelle néologisme un mot nouveau introduit dans la langue. Il peut s'agir de mots formés à partir d'un abrègement (un ado), de mots construits à partir de procédés de formation (zapper), de néologismes sémantiques (la souris) ou d'emprunts (un test).

→ Les abrègements de mots, II, 1, p. 174 / Les suffixes des verbes, I, 1, p. 30 / Quelques définitions, II, 1, p. 142 / Les emprunts, II, 1, p. 197.

Les néologismes de formation récente

■ Pourquoi de nouveaux mots entrent-ils dans la langue ?

Des mots voient régulièrement le jour dans le langage quotidien pour répondre aux besoins des locuteurs :
– les mots expriment ou répondent à un fait nouveau (social, économique...) ;
– ils répondent à un besoin de spécialisation du vocabulaire ;
– ils sont introduits afin d'éviter l'usage des emprunts.

Expression d'un fait nouveau, social, économique...

Quelques exemples

– Un nouveau paysage de la famille se dessine : à côté de la famille traditionnelle, de nouveaux termes voient le jour.

une famille monoparentale (constituée d'un seul parent : le père ou la mère)
une famille recomposée (lorsqu'un homme et une femme se remarient ou s'installent avec leurs enfants respectifs)

→ Les préfixes de noms et d'adjectifs, I, 1, p. 28-29.

– La société de consommation bat son plein. Tout est jetable (peut être jeté après usage) : appareils photo, briquets, lingettes nettoyantes, lentilles de contact, biberons.

– La mondialisation fait des mécontents : certains opposent la malbouffe à la *bonne bouffe*, c'est-à-dire à la cuisine traditionnelle (ces deux termes sont familiers).

– La protection de l'environnement préoccupe la société : le recyclage (collecte des déchets pour les réutiliser dans un autre cycle de production) est entré dans les habitudes. On incite les consommateurs à trier leurs déchets : c'est le tri sélectif.

– Le concept du covoiturage naît lors des grèves des transports en commun et des transports routiers. À l'origine du blocage des transports urbains ou de l'approvisionnement en fuel dans les stations, la grève incite les automobilistes à partager leur voiture. On désigne maintenant par covoiturage l'utilisation d'un même véhicule par plusieurs personnes qui effectuent le même trajet, et qui en général partagent les frais de transport.

– La présence accrue des femmes dans le monde du travail a fait entrer dans l'usage la féminisation de certains noms de métiers, et on peut parfois lire : une auteure, une professeure. ➔ Les suffixes de noms, I, 1, p. 51.

– Dans les banlieues, les jeunes créent une langue d'appartenance, le verlan (ou « l'envers »), qui consiste à inverser les syllabes d'un mot. Et quand ce n'est pas possible, on modifie phonétiquement le mot obtenu.
La plupart des mots « verlanisés » ne sont pas compris par l'ensemble de la population, excepté quelques mots ou expressions comme :

être chébran (branché), à donf (à fond), un keuf (un policier), laisse béton (laisse tomber), une meuf (une femme), une teuf (une fête)

Besoin de spécialisation du vocabulaire

• Les progrès des sciences et des technologies nouvelles appellent un besoin de spécialisation du vocabulaire.

– Les lentilles de contact sont de plus en plus portées par les personnes qui ont des problèmes de vue (lentilles mensuelles, annuelles) et même par celles qui n'en ont pas (lentilles de couleur par exemple).

la contactologie	branche de l'ophtalmologie qui s'occupe exclusivement des verres et lentilles de contact

– Dans une société toujours plus exigeante et pressée, le portable ne quitte plus ses propriétaires. Devant cet engouement, les services des télécommunications se spécialisent.

un mobile	téléphone sans fil (ne pas confondre ce nouveau sens avec un autre mot : *le mobile du crime*)
un portable	téléphone portable, mais aussi ordinateur, téléviseur…
la téléphonie mobile	système de télécommunication à l'usage des personnes possédant des téléphones mobiles

– L'expansion du réseau Internet est également à l'origine de nombreux néologismes.

cliquer	actionner la souris d'un ordinateur
un forum de discussion	espace public grâce auquel les internautes peuvent échanger des idées sur un sujet défini
un internaute	personne qui utilise l'Internet
des liens hypertextes	sur Internet, système permettant de relier des sites entre eux en cliquant à certains endroits précis d'un document (les *liens*)
une page d'accueil	première page d'un site

• Suite au développement du langage informatique, des mots déjà existants recouvrent un sens nouveau. On les appelle des **néologismes sémantiques**.

*(Une **internaute** accomplie.)*
*Elle passe des heures à **surfer** sur la **Toile** et à **naviguer** sur les différents **sites**. Elle ouvre différents **portails** pour trouver les informations qu'elle recherche et sélectionne les sites qui l'intéressent. Très souvent, elle passe de l'un à l'autre en **cliquant** sur les **liens hypertextes**. Elle participe aux chats, c'est-à-dire au bavardage grâce au clavier de l'ordinateur. Enfin, elle **clique** sur l'**icône** de sa messagerie électronique et passe encore une certain temps à écrire des **méls/ courriels** à ses amis.*

une icône	symbole graphique affiché sur l'écran
un lien	dans un document hypertexte, commande permettant de passer d'un document à un autre
naviguer	se déplacer à l'intérieur d'un site
un portail	désigne sur Internet les pages d'accueil qui donnent accès à d'autres sites
un site	sur le réseau Internet, ensemble des pages correspondant à une adresse donnée
une souris	boîtier connecté à l'ordinateur permettant à l'utilisateur de déplacer son curseur sur l'écran
surfer	se déplacer d'un site à un autre grâce aux liens hypertextes
la Toile	le réseau Internet, le Web

Remplacement et intégration des emprunts

un produit allégé *(light)*
un après-rasage *(after-shave)*
un baladeur *(walkman)*
un chèque de voyage *(traveller's cheque)*
un disque compact *(compact disc)*
une garde d'enfant *(baby-sitter)*
un patin à roulettes *(roller skate)*
une planche à roulettes *(skateboard)*
la restauration rapide *(fast-food)*
un surf des neiges *(snow-board)*
le téléachat *(télé-shopping)*

■ Comment les mots nouveaux sont-ils formés ?

Certains préfixes et suffixes ont particulièrement contribué à la formation de nouveaux mots. Devant l'abondance des néologismes, nous nous contenterons de mentionner les plus courants.

Les préfixes

- **cyber-**

un cybercafé	café dans lequel on met à la disposition des consommateurs des ordinateurs reliés au réseau Internet

un cyberespace espace virtuel
un cybernaute internaute (sur le modèle de *astronaute*, *spationaute*...)

• **multi-**

une association multiculturelle — relative à plusieurs cultures
le multiculturalisme — coexistence de plusieurs cultures au sein d'une société ou d'un pays
une société multiculturaliste (adj.)
des outils multimédias — ensemble de techniques permettant d'utiliser plusieurs modes de transmission : textes, sons, images fixes ou animées
un multiplexe — cinéma comportant un grand nombre de salles
une assurance multirisque — assurance couvrant plusieurs risques : vols, incendies...

→ Les préfixes de noms et d'adjectifs, I, 1, p. 21.

Les suffixes

→ Les suffixes de verbes, I, 1, p. 30.

• **-er**

*Quelques animateurs **ont flashé** sur des émissions créées il y plus de quinze ans et ont décidé de les **relooker** pour remettre au goût du jour les tendances du passé.*

De nombreux verbes créés appartiennent au 1er groupe comme lister (établir une liste). Certains d'entre eux se construisent à partir d'un emprunt.

dealer — familier : revendre clandestinement de la drogue – se prononce « dilé »
■ un(e) dealeur (-euse) (familier : revendeur/revendeuse de drogue)

flasher — avoir le coup de foudre
pressuriser — pressuriser la cabine d'un avion (maintenir à une pression normale)
■ dépressuriser, pressurisation, dépressurisation

racketter — soutirer de l'argent ou autre chose par l'usage de la force
relooker — refaire un *look* (modifier l'aspect d'une personne ou de quelque chose, moderniser, par exemple une émission de radio ou de télévision)
scanner — numériser un document sur ordinateur (se prononce « scané », à ne pas confondre avec l'appareil)
snober — traiter quelqu'un avec mépris
stresser — provoquer un stress, causer une tension
surfer — sur Internet, passer d'un site à l'autre grâce aux liens hypertextes (on trouve aussi parfois « butiner », qui est aussi un néologisme sémantique)
taguer — tracer des inscriptions, des graffitis, des tags sur les murs
■ un(e) tagueur (-euse) (personne qui tague)

zapper — passer d'une chaîne de télévision à une autre, par le biais de la télécommande ; par extension, passer d'une chose à une autre
■ un(e) zappeur (-euse) (personne qui zappe, passe d'une chaîne à une autre)
le zapping (le fait de zapper)

• **-erie** ➔ Les suffixes de noms, I, 1, p. 44.

La rue fourmille d'appellations de **commerces** en *-erie*, sur le modèle de *boulangerie*, *boucherie*, *confiserie*...

une animalerie magasin spécialisé dans la vente d'animaux domestiques

une bagagerie commerce vendant sacs, bagages...

une braderie foire où l'on vend à bas prix toutes sortes de marchandises, comme des jouets, de la vaisselle, des livres, dans le but de s'en débarrasser (Parfois, on appelle cela aussi le *marché aux puces*.)

■ brader (vendre moins cher des objets que l'on juge inutiles)

une biscuiterie magasin spécialisé dans la fabrication et la vente de biscuits

une briocherie, une croissanterie boulangeries industrielles proposant des viennoiseries (pains au lait, brioches, croissants...)

une chocolaterie commerce spécialisé dans la fabrication et la vente du chocolat

une jardinerie magasin spécialisé dans le jardinage

une saladerie service de restauration rapide proposant salades, sandwichs, viennoiseries, boissons à consommer sur place ou à emporter

une sweaterie magasin de vêtements spécialisé dans la vente de *sweats* (emprunt) ou gilets en coton molletonné

• **-iel**

un logiciel sur le modèle de *matériel*

Puis on voit apparaître sur le même modèle :

un courriel courrier électronique ➔ Les abrègements de mots, II, 1, p. 177.

un didacticiel logiciel pour l'enseignement assisté par ordinateur

un ludiciel logiciel de jeu

• **-ique**

la bureautique ensemble de techniques visant à l'automatisation des travaux de bureau

la télématique ensemble de services informatiques associant l'informatique et les télécommunications, sur le modèle de *informatique*

• **-iser** ➔ Les suffixes de verbes, I, 1, p. 31.

fidéliser une clientèle rendre fidèle par des prix préférentiels par exemple

franchiser une entreprise l'autoriser à commercialiser un certain type de produits ou de services

gadgétiser une voiture équiper de gadgets ➔ Les emprunts, II, 1, p. 192.

lyophiliser du café déshydrater à basse température et sous vide (réduire en poudre) pour une meilleure conservation

médiatiser une opération servir d'intermédiaire pour transmettre des informations

optimiser une machine donner un rendement optimal à quelque chose

privatiser une entreprise rendre privée une entreprise publique

sponsoriser une manifestation sportive ou culturelle financer en partie dans un but publicitaire ➔ Les emprunts, II, 1, p. 197.

• **-mania**

la cybermania l'engouement pour le réseau Internet

De même, on parlera familièrement de « Bruelmania », « Madomania » et « Pottermania » (l'engouement des fans pour des chanteurs populaires, en l'occurrence Patrick Bruel et Madonna, ou encore pour des livres comme *Harry Potter*).

Les emprunts

Les mots sont de grands voyageurs. Certains **vont et viennent d'une langue à l'autre** au cours du temps et nous réservent parfois des surprises. En effet, contrairement à ce que l'on pourrait penser, des mots comme barbecue, tennis, blue-jean, magazine et ticket sont d'origine française.

– Le barbecue vient en fait de la mise en broche des chèvres *de la barbe au cul*, par les pirates ou corsaires français pendant leurs escales.
– Le tennis vient de l'expression française *tenez*, formulée au moment du lancer de balle dans le jeu de paume.
– Le fameux blue-jean porté aux quatre coins du monde provient des pantalons bleus des marins du port de Gênes, *le bleu de Gênes*, devenu par la suite le *blue-jean*.
– Le magazine provient du va-et-vient du mot *magasin*, exporté aux États-Unis, puis revenu en France sous la forme américanisée de *magazine*.
– Le ticket provient du mot *étiquette*, il est revenu ensuite avec le sens de « billet ».

Les emprunts aux autres langues témoignent de la richesse des rencontres et permettent de retranscrire une réalité. Remarquons que les mots empruntés sont en général des noms et que leurs pluriels suivent les règles du français.

– Emprunts de l'espagnol

une/des corrida(s)	course de taureaux
un/des torero(s)	homme qui affronte un taureau lors d'une corrida

– Emprunts de l'italien

un/des concerto(s)	œuvre musicale
un/des graffiti(s)	inscription ou dessin sur un mur
un/des panini(s)	sandwich au pain blanc passé au grill avant d'être dégusté chaud
un/des paparazzi(s)	photographe de presse (péjoratif)

Devant l'abondance des termes empruntés aux autres langues, nous ne traiterons ici que des emprunts issus de l'anglo-américain, qui imprègnent régulièrement la langue française.

■ Pourquoi a-t-on recours à des emprunts ?

Les emprunts répondent à une nouvelle réalité spécifique

Les emprunts correspondent à un besoin de spécialisation du vocabulaire. Dans ce cas, le mot est introduit en même temps que la chose.

un CD	disque compact *(**C**ompact **D**isc)*
un clip	court-métrage ou vidéo illustrant une chanson
un Post-it	petit rectangle de papier autocollant
un/des roller(s)	patins à roulettes fixés à des chaussures
un scanner	appareil servant à numériser un texte ou une image sur ordinateur (se prononce « skanère »)
un traveller's chèque	chèque de voyage
un walkman	baladeur

Les emprunts s'installent donc dans la langue courante au fur et à mesure de leurs apparitions dans la réalité quotidienne :

- **Les moyens de transport**

un charter	avion loué par une compagnie de tourisme offrant des prix très bas
un ferry(-boat)	navire utilisé pour le transport des trains ou des véhicules routiers et de leurs passagers
un jet	avion à réaction
un tramway	véhicule sur rails utilisé pour les transports urbains dans certaines villes
un van	véhicule utilisé pour le transport des chevaux de course
un wagon	véhicule permettant le transport des marchandises sur rail

- **Les occupations**

Comme son cousin américain, Lucas aime ***aller au bowling, jouer au poker*** *et* ***faire du base-ball*** *au moins deux fois par semaine.*

le bowling	jeu de quilles américain
le poker	jeu de cartes
le base-ball	

- **Les produits de consommation**

(Jeanne, serveuse au bar des Alouettes, s'occupe de la commande de la table numéro 2.)
— Bonjour, messieurs-dames, je vous écoute !
— Pour moi, ce sera un ***sandwich*** *au jambon et un* ***soda****, et pour mon fils un* ***hot-dog****, avec du* ***ketchup*** *si possible et un* ***Coca****, s'il vous plaît !*
— Bien sûr ! Et pour madame ?
— Moi, j'aimerais bien goûter votre ***cake*** *maison et un café, s'il vous plaît !*
— Monsieur ?
— Oh, ma petite dame, pourriez-vous me faire un ***grog*** *? Je suis tellement enrhumé que je ne pourrais rien avaler !*

un cake	pâtisserie contenant des raisins
un chewing-gum	gomme à mâcher
les chips	pommes de terre frites
un cocktail	mélange de boissons alcoolisées avec éventuellement des jus de fruits
un cracker	petit biscuit salé
un hamburger	petit pain rond fourré à la viande avec, entre autres, du fromage
un hot-dog	petit pain long fourré d'une saucisse chaude
le ketchup	sauce à base de tomate, de vinaigre et de sucre
le pop-corn	grains de maïs soufflés et parfois sucrés
un sandwich	pain coupé en tranches, fourré de saucisson, jambon, fromage…

- **Les boissons**

un Coca-Cola	boisson gazeuse
un soda	boisson à base d'eau gazeuse et de sirop de fruit
un grog	boisson composée d'eau-de-vie ou de rhum dilué(e) dans de l'eau chaude sucrée

- **Les musiques et les danses**

le be-bop — le jazz — le swing
le blues — le jerk — le rap
le charleston — la pop music — le rock
la country music
la dance musique très rythmée issue du disco, musique pour danser
le hard-rock

Et, parmi les emprunts aux autres langues : la salsa, la samba, la rumba, etc.

Les emprunts sont jugés plus courts ou plus expressifs

(Conversation entre deux collègues, à la sortie du travail.)
— Qu'est-ce que vous faites ce ***week-end****?*
— Oh, je ne sais pas encore ! Samedi, on va faire les courses et...
— Les courses, le samedi ! Mais c'est de la folie ! Vous n'arriverez même pas à pousser votre ***caddie****, tellement il y aura de monde ! Vous n'avez pas un autre* ***hobby*** *pour le week-end ?*

un airbag	coussin de sécurité auto gonflable
un best-seller	livre à succès
un caddie	chariot en métal que l'on utilise pour mettre les marchandises
un clown	personnage comique dans un cirque
un container	récipient servant à recevoir des ordures triées : verre, papier...
un crash d'avion	au lieu de « un avion s'est écrasé », car le mot *écrasement* n'existe pas
un hobby (des hobbies)	dada, passe-temps favori, violon d'Ingres
un klaxon	avertisseur sonore dans les voitures
■ klaxonner	
un leader	chef, représentant : *le leader d'un parti politique*
un stop	panneau qui exige un arrêt
un test	questionnaire
une vamp	femme fatale
un week-end	congé de fin de semaine

Certains emprunts répondent à une certaine paresse de la part des locuteurs

L'emprunt évite parfois d'employer de longues périphrases. Une **périphrase** est une explication composée de plusieurs mots qui peut être remplacée par un mot unique.

(Deux étudiantes en droit se retrouvent au restaurant universitaire.)
— Tu le trouves comment le ***campus****?*
— Très sympa, mais un peu grand quand même ! Il m'est arrivé un ***gag*** *le premier jour ! Figure-toi que je me suis perdue et je me suis retrouvée nez à nez avec le prof de droit dans le parc !*
— Et alors ?
— Et alors, c'est un vrai ***play-boy****, ce gars ! Je préfère ne pas te dire comment était la* ***pin-up*** *qui l'accompagnait !*

un boom	développement rapide et soudain d'un événement
■ le baby boom / le boom des naissances	
un campus universitaire	ensemble universitaire situé en dehors de la ville, regroupant des salles de cours, des résidences, des parcs
un club	ensemble de personnes qui s'assemblent pour un but commun : *un club de foot, un club de danse*
un gadget	objet plus ou moins utile mais amusant par sa nouveauté
un gag	mot ou mise en scène amusante
un gentleman	homme galant et bien éduqué
un handicap	infirmité ou déficience physique ou mentale
un meeting	réunion publique politique ou sociale ou démonstration sportive : *un meeting aérien*
une pin-up	jolie fille dont les photos servent à décorer les murs
un play-boy	homme élégant qui recherche la vie facile et le succès auprès des femmes
un steward	maître d'hôtel à bord des paquebots et des avions

Les emprunts traduisent un certain modernisme

Cela ne pourra que plaire à certains locuteurs qui veulent être in, pardon, *dans le vent* !

> *Quel pourrait être le **must** pour la **jet-set** des grandes villes, le soir du 31 décembre ?*
> *Voyons !... Assister au bal masqué d'une star de cinéma. Non... c'est complètement **has-been**, c'est bon pour les **losers** en quête de rencontres ! Hum... regarder les **news** à la télé et les vœux du président de la République pour la nouvelle année ? Hum ! pas assez dynamique !... Alors, pourquoi pas une descente de nuit en **snowboard** à Avoriaz pour fêter le réveillon dans un igloo ?*

un has-been	personne célèbre dont la notoriété appartient au passé ou quelque chose qui n'est plus à la mode
la jet-set	personnalités bien vues dans la société, habituées aux voyages et aux réceptions
un loser	personne qui accumule les mauvaises expériences, un perdant, un minable (familier et péjoratif)
le must	ce qu'il faut absolument faire ou avoir fait pour être à la mode (familier)
les news	les infos

Sans oublier la French touch ou « l'exception française », expression souvent rencontrée dans la presse écrite.

■ Les emprunts issus des thèmes de la vie quotidienne

Ces emprunts imprègnent à tel point le discours quotidien qu'il est presque impossible d'y échapper.

La beauté, pour soigner son look ! (son apparence)

un blush	fard à joues
un eye-liner	liquide de couleur pour le maquillage des yeux

un lifting	opération de chirurgie esthétique pour retendre la peau
un shampooing	liquide lavant pour les cheveux
un spray coiffant	pulvérisateur
un stick à lèvres	rouge à lèvres en forme de bâton

La consommation

Avis aux consommateurs !
À l'occasion de la Foire de la gastronomie et des vins, des stands ont été spécialement aménagés à l'entrée des grandes surfaces. Certains produits bénéficieront de prix ***discount*** *en raison de leur production locale, les autres garderont leurs prix* ***standard****. N'ayez crainte, de nombreux produits seront* ***en stock*** *dans l'entrepôt des grands magasins !*

un stand	emplacement destiné à l'étalage des marchandises
un prix discount	forte réduction sur le prix
un prix standard	habituel
un article en stock	en dépôt

Les délits

un dealer	revendeur de drogue
la dope	la drogue (familier)
une overdose	dose excessive
un hold-up	attaque à main armée
un kidnapping	enlèvement de personnes pour s'en servir comme otage
un pickpocket	voleur à la tire
un racket	le fait d'obtenir par la force ou par la violence de l'argent ou des objets
un tag	inscription sur les murs, graffiti

L'habitat

(Yves et Anne se renseignent à l'office de tourisme de Tignes pour la location d'un appartement pour une semaine.)
— Nous aimerions un appartement de moyen ***standing****, avec deux chambres, un coin cheminée et une* ***kitchenette*** *aménagée.*
— J'ai ce qu'il vous faut ! J'ai là un appartement pour six personnes qui vient juste d'être rénové et meublé avec un mobilier montagnard ***standard****.*

un camping-car	petit camion aménagé en caravane
un mobilier design	à la fois fonctionnel, esthétique et adapté à la production industrielle
un mobilier standard	sans originalité
un hall	salle servant d'accès : *un hall de gare*
une kitchenette	coin cuisine intégré dans une pièce
un living	salle de séjour qui sert aussi de salle à manger
un loft	grand logement aménagé dans un local public ou industriel (entrepôt, usine)
le standing	niveau de confort élevé : appartement de (grand) *standing*

➔ Les synonymes varient en précision I, 2, p. 91.

Les réceptions

(Éric et Michelle discutent de leur mariage, prévu dans un château de la région lyonnaise.)
*— Qu'en penses-tu ? On fait un **lunch** ou un repas ?*
— Moi, je trouve le repas plus convivial. Les invités sont plus à leur aise et ne sont pas obligés de se lever, non ?
*— Oui, tu as peut-être raison. Tout le monde sera autour de la table quand on **portera un toast** en notre honneur !*

un lunch	repas froid que l'on sert en buffet lors d'une cérémonie
porter un toast	lever son verre et éventuellement faire un discours en l'honneur de quelqu'un

La santé

mettre un patch	petit pansement adhésif, contenant un médicament qui se diffuse peu à peu, pour essayer d'arrêter de fumer, par exemple
faire un check-up	faire un bilan de santé
passer un scanner	examen radiologique qui réalise des coupes virtuelles

Les vêtements

(La famille Martin s'apprête à faire sa valise pour la Martinique.)
*— N'oublie pas les **shorts** et les **tee-shirts** ! C'est l'été, là-bas !*
*— Oui, oui, mais je vais mettre des **pull-overs** ! On ne sait jamais !*
*— Pourquoi pas ta **parka**, pendant que tu y es ! Je te dis que c'est l'été !*

un bermuda	short plus long
un blue-jean	➔ ci-dessus, p. 189.
une paire de boots	bottines
un cardigan	veste de laine à manches longues, boutonnée sur le devant
un duffle-coat	manteau trois-quarts avec capuchon
une parka	manteau court de type sportif ou militaire
un plaid	couverture de voyage à carreaux
un pull-over	tricot avec manches
un short	pantalon court
un sweat-shirt	pull-over de sport en coton molletonné
un tee-shirt	maillot de corps à manches courtes

■ Les emprunts issus du monde du travail

Les médias et le monde du spectacle

*Mélanie et Julien se sont présentés au Palais des congrès, pour le **casting** d'une émission de variétés. Comme de nombreux jeunes de leur âge, ils voulaient tenter leur chance dans le **show-business**. Alors que Mélanie, munie de son **press-book**, s'exerçait au métier de **top model**, Julien passait une audition pour participer à un **spot** publicitaire. Mais, malheureusement pour lui, cela a été un **flop** total car il ne correspondait pas du* *tout au profil. N'étant pas* **fan** *de Sheila, il avait du mal à jouer le rôle d'un* **disc-jockey** *amoureux de la* **star** *qui célébrait son* **come-back** *pour la promotion d'un de ses albums.*

un come-back	pour un artiste, le fait de reprendre son activité après une longue interruption
un disc-jockey / un D.J.	personne chargée de l'animation musicale en boîte de nuit
un(e) fan	admirateur / admiratrice : *être fan d'une star*
un flop	fiasco, échec
un folklore	ensemble de traditions, de légendes, de chansons d'un pays
les médias	ensemble des moyens de communication et d'information
le music-hall	établissement spécialisé dans les spectacles de variétés
un show	spectacle de variétés
le show-business	ensemble d'activités destinées à commercialiser les spectacles
un slogan publicitaire	formule qui frappe par son originalité
un spot publicitaire	film publicitaire de courte durée
une star	vedette de cinéma ou de music-hall

- **La mode**

un (press-)book	ensemble de documents (photos, coupures de journaux) qu'un mannequin se constitue pour mettre en avant sa carrière
Miss Bretagne, Miss Corse, Miss France, Miss Monde	
un top model	mannequin de renommée mondiale

- **Le cinéma et la photo**

un casting	sélection d'acteurs et de figurants pour un spectacle
un caméraman (des caméramans ou cameramen)	
un film	
un flash-back	retour en arrière, séquence d'images de courte durée évoquant un fait passé
un remake	nouvelle version d'un film
un script	scénario de film découpé en scènes et accompagné de dialogues (notez que le mot scenario est lui-même un emprunt à l'italien)
un studio	atelier d'artiste (photographe) ou local pour les enregistrements de musique ou le tournage de films (et c'est aussi un petit appartement d'une seule pièce)
le suspense	attente angoissée de ce qu'il va se passer : *un film plein de suspense*
un zoom	permet de changer de plan par des effets d'éloignement et de rapprochement

- **La chanson**

Cette année encore, les « Victoires de la musique » ont récompensé les chanteurs en haut du **hit-parade** *ainsi que les producteurs de* **clips** *originaux. La cérémonie s'est terminée par un spectacle* **live** *donné par quelques chanteurs populaires.*

un best-of	compilation : sélection des meilleurs passages d'une œuvre ;disque
un clip	vidéo qui illustre une chanson
le hit-parade	palmarès des chansons à succès

un spectacle live	enregistré en direct
chanter en play-back	mimer les paroles en même temps que passe l'enregistrement sonore

- **Les médias**

*Le métier de journaliste est un métier fascinant. Grands **reporters** à la recherche d'un **scoop** aux quatre coins du monde, rédacteurs ou journalistes à la télévision, ils nous font partager, le temps d'un **flash** d'information, les joies et les drames de ce monde.*

un flash d'information	information importante diffusée en priorité
un interview	entrevue
un reporter	journaliste recueillant des informations diffusées par la presse
un scoop	information exceptionnelle ou document livré(e) en exclusivité par la presse

Le sport

Le sport (activité physique individuelle ou collective pratiquée sous forme de jeux et respectant certaines règles) provient en fait de l'ancien français *desport / déport*, signifiant « amusement ». ➔ Les sigles, II, 1, p. 181.

*(Perché en haut d'une tribune du parc des Princes, un journaliste sportif commente avec ferveur le **match** très attendu de l'O.M. et du P.S.G.)*
*« (...) Nous suivons actuellement un **corner** pour le P.S.G., tiré par le numéro 17... Deux joueurs s'élancent pour reprendre ce ballon de la tête, mais... coup de sifflet de l'arbitre qui a repéré une faute du défenseur central de l'O.M. et qui accorde, à la stupeur générale, un **penalty** en faveur du P.S.G., pour la plus grande joie de ses **supporters**. Le joueur s'élance, le stade retient son souffle et.... BUUUT !!! Un tir surpuissant qui vient se loger dans la lucarne gauche des buts de l'O.M. : le **goal** n'a rien pu faire ! C'est l'euphorie, ici, au parc des Princes, il ne reste qu'une minute de jeu et c'est la victoire !... Et le P.S.G. gagne avec un **score** de un but à zéro ! »*

le canoë	petit bateau léger, à fond plat, que l'on fait avancer avec une pagaie, et que l'on utilise en général pour descendre une rivière (*faire du canoë*)
un coach	entraîneur d'une équipe sportive
un corner	au football, coup de pied accordé à une équipe quand un adversaire envoie le ballon derrière sa propre ligne de but
un court de tennis	terrain de tennis
nager le crawl	nage sur le ventre caractérisée par des rotations alternatives des bras et un battement continu des pieds
le curling	sport d'hiver qui consiste à faire glisser un palet sur la glace
dribbler	dans les jeux de ballon comme le handball, courir en poussant le ballon devant soi à petits coups

le football, le handball, le hockey, le ping-pong, le rugby, le volley-ball

un goal	gardien de but
un jockey	personne qui monte les chevaux dans les courses
un match	compétition entre deux ou plusieurs concurrents
un outsider	cheval de course qui a de minces chances de remporter la victoire
un penalty	sanction, pénalité
être en pole position	en tête
un record	exploit sportif
le ring	estrade où se déroule le combat : *le ring d'un combat de boxe*
un round	la reprise, c'est-à-dire une partie d'un match de boxe : *le premier, le deuxième round*
un score	marque, point, résultat chiffré lors d'un match
un sponsor	organisme ou personne qui soutient financièrement un joueur ou une équipe, dans le domaine du sport ou de la culture
un supporter	personne qui soutient, qui encourage une équipe
être au top niveau	faire partie des meilleurs

Le monde du travail

Grégoire est prêt à assumer son nouveau poste de ***manager****. Son* ***attaché-case*** *sous le bras et le* ***badge*** *de l'entreprise dans la poche, le voilà sur le chemin d'un nouvel avenir professionnel dans le* ***marketing****. Pendant une semaine, il travaillera en* ***tandem*** *avec son ancien associé, avec lequel il constituera le* ***staff*** *de la société et établira le* ***planning*** *du premier mois. Ensuite, il enverra un* ***mailing*** *à ses anciens clients en leur proposant une nouvelle collaboration.*

un attaché-case	porte-documents
un badge	insigne muni d'une inscription
un fax	télécopie : *envoyer un fax*
un job	petit emploi rémunéré, souvent provisoire
un listing	document présentant une liste détaillée des données
un lobby	groupe de pression
le lobbying	ensemble des pressions exercées par certains groupes sur les pouvoirs publics
un mailing	envoi groupé de lettres : *faire un mailing*
un manager	directeur, dirigeant, gérant
le marketing	ensemble des techniques de vente : étude de marché, publicité d'un produit commercial
un planning	calendrier de travail détaillé
un staff	groupe de personnes d'une entreprise ayant chacune une fonction déterminée
un standard	dispositif téléphonique permettant de centraliser les appels
un tandem	équipe de deux personnes : *travailler en tandem*
un test	épreuve, questionnaire, examen
un trust	entreprise importante résultant de la fusion entre plusieurs petites entreprises

■ Les emprunts avec modifications

Les emprunts sont adaptés « à la mode de chez nous »

(Antoine et Benjamin révisent ensemble leur bac de français.)
— Si on faisait un ***break****, ça fait déjà plus de trois heures qu'on travaille là-dessus !*
— Tu as raison, j'en ai besoin ! Je suis complètement ***groggy*** *!*
— Si tu veux, après on fait ***fifty-fifty*** *! Tu fais les fiches de lecture des dix premiers livres, et je fais les dix suivantes !*

faire un break	faire une pause
payer cash	payer comptant
faire du camping	camper
faire un deal	faire un marché (familier)
faire fifty-fifty !	moitié-moitié, se partager l'addition, les tâches
faire du shopping	faire les boutiques, faire des achats

(Lionel s'étonne du dynamisme de son cousin Cyril.)
— Dis donc, quel ***punch*** *! Tu es toujours aussi* ***speed*** *?*
— Non, non, c'est parce que je reviens du ski ! En général, je suis plutôt ***cool*** *!*
— Ah, le ski, le ***fun*** *de la glisse !*

avoir le blues	avoir le cafard, avoir les idées noires
être cool	être calme, détendu
avoir du fair-play, être fair-play	un comportement loyal (à l'égard d'un adversaire)
avoir du feeling	de l'intuition
le fun !	le plaisir : le fun du ski, de la conduite, etc. *C'est pour le fun !*
être groggy	être étourdi, assommé par un choc physique ou moral ➔ *grog*, ci-dessus, p. 190.
avoir du punch	avoir de l'énergie, avoir la pêche
avoir du self-control	être maître de soi-même
être sexy	être attirant physiquement
être snob	être attiré par tout ce qui est en vogue
être speed	faire les choses vite
top secret	très secret : *C'est top secret !*

Les emprunts modifient le sens d'origine des mots

le brushing	technique de mise en forme des cheveux
faire du / un footing	faire de la marche à pied
faire du / un jogging	courir à petite allure
le jogging	tenue vestimentaire : survêtement
le parking	lieu où la voiture est garée
le pressing	lieu où s'effectuent le nettoyage et le repassage des vêtements

<u>Les emprunts modifient leur prononciation et / ou leur orthographe</u>

Dans la majorité des cas, les emprunts ne subissent pas de modification et sont prononcés « à la française ». Mais, parfois, on imite la graphie et / ou la prononciation de la langue d'origine :

> une caméra, un détective (policier chargé de faire des enquêtes), un récital (séance musicale effectuée par un artiste), un bifteck, une surprise-partie, un top modèle...

Le plus souvent, leurs pluriels se conforment aux règles du français.

> les reporters, les speakers, les caméras

En résumé, on peut dire que la plupart des mots empruntés s'écrivent selon la langue d'origine et se prononcent plus ou moins de la même façon : le stress, le week-end.

Certains d'entre eux ont adapté leur prononciation et leur graphie au français : *riding-coat* est devenu une redingote , *bull-dog* s'est transformé en bouledogue et, plus récemment, une caméra... Quelques-uns bénéficient d'une traduction officielle (*walkman* / baladeur), d'autres sont à l'origine de néologismes (*volley* / volleyeur).

Enfin, certains emprunts passent de mode et disparaissent progressivement des conversations, remplacés parfois par de nouveaux mots qui, un jour, disparaîtront à leur tour... :

> un barman (serveur dans un bar), un night-club (boîte de nuit), un snack-bar (café-restaurant), avoir le spleen (être déprimé), une surprise-party (fête), un teenager (adolescent)

Devant l'immensité du lexique français, les mots étrangers ne représentent finalement qu'une faible proportion dans la langue commune. Les mots sont liés à la réalité du monde, mais aussi à l'histoire d'un peuple, de ses mentalités et de sa culture.

2 La culture dans les mots

Apprendre une langue, c'est entrer dans une culture différente. Au-delà des mots, il y a des valeurs, des attitudes, et la difficulté de comprendre certains mots résulte de leur dimension culturelle, que vous, apprenants étrangers, ne percevez pas toujours.
Dans ce chapitre, nous partirons à la découverte des onomatopées et des cris d'animaux, des tournures idiomatiques que le peuple français se transmet parfois depuis le Moyen Âge, des expressions imagées liées aux pays et aux régions (variétés régionales et francophones) et des expressions liées à « l'air du temps », qui sont les témoins de l'évolution de la langue et des mentalités.

2 • *1* Les onomatopées et les cris d'animaux

Les onomatopées et les cris d'animaux occupent une place particulière dans le langage. Chaque langue intègre à sa manière ces petits bruits de la nature et de la culture.

Les onomatopées

■ Les imitations de sons et de bruits

Une **onomatopée** est un petit mot qui imite le son produit par une chose.

– Badaboum !	Oh, non, Théo a encore fait tomber la télécommande !
– Bang !	Vous n'avez pas entendu le bruit de l'explosion ?
– Couac !	Encore une fausse note !
– Coucou !	C'est moi ! (pour signaler sa présence)
– Crac !	Attention ! Une branche vient de craquer !
– Ding dong !	Tiens, on sonne à la porte !
– Dring !	Tu peux répondre au téléphone, s'il te plaît ?
– Glouglou !	Allez, bois ! Mais fais attention, ça coule !
– Pan !	Vous avez entendu le coup de fusil ?
– Pan pan !	Et pan, pan ! tu as mérité une bonne fessée !
– Pin-pon !	Les pompiers arrivent !

- Plouf ! Trop tard, la serviette est tombée dans l'eau !
- Toc, toc ! Va voir qui frappe à la porte !
- Et toc ! (expression familière et figurée) Bien envoyé ! / Bien répondu !
- Vlan ! Une dispute ne serait pas une dispute sans les portes qui claquent !
- Vroum ! La voiture a enfin démarré !

Les onomatopées rendent la langue plus gaie, plus vivante ; elles sont tellement ancrées dans le langage quotidien qu'il n'est pas rare d'entendre une conversation de ce type :

(Deux adolescentes se parlent avant le début des cours.)
— J'ai rompu avec Paul hier !
*— Oh, **snif snif**! Il était pourtant sympa ! Mais bon, tu as certainement raison, il ne faut pas se laisser faire avec les hommes !*
Le professeur de maths s'approche des deux adolescentes.
*— **Et patati et patata**! Allez les filles, on s'assoit !*
*— **Ouf**! Heureusement qu'il n'a pas entendu !*

- Blablabla ! / Et patati et patata ! (familier ; quand on simule un bavardage inutile)
- Chut ! Tais-toi ! / Taisez-vous ! (quand on demande le silence)
- Ouf ! (quand on souffle pour exprimer que l'effort ou le danger est passé)
- Snif ! (quand on fait semblant de pleurer)

Les interjections

Par extension, certaines interjections peuvent représenter des onomatopées exprimant alors une réaction, une sensation ou un sentiment. Ces petits mots appartiennent en général au langage courant, mais il est important de connaître leur signification pour ne pas les utiliser dans des circonstances inappropriées.

(Deux mères de famille à la sortie de l'école.)
— Oh ! là là ! Quel week-end de rentrée ! Que de choses à faire !
*— **Pardi**! Acheter les fournitures, recouvrir les livres, sans oublier les premiers devoirs à superviser et, pour finir, j'ai une angine !*
*— **Oh, flûte**! Et moi qui suis en train de me plaindre !*
*— **Bah**! de toute façon, ça ira mieux demain ! Parlons d'autre chose !*
— Au fait, tu sais qui j'ai rencontré hier en ville ? Sophie Marceau !
*— **Mon œil**! Elle est en train de tourner un film à l'étranger !*

Les interjections exprimant une réaction ou la réponse à une situation

- Eh bien ! Ça alors ! (pour renforcer un sentiment de surprise, d'admiration)
- Eh ! Hé ! Toi, là-bas, au tableau ! (pour interpeller quelqu'un)
- Euh ! Je ne me souviens plus de la réponse... (pour exprimer une hésitation)
- Hein ! Qu'est-ce que vous avez dit ? (familier ; pour dire que je n'ai pas compris : *Pardon ?*)
- Là, (là) ! C'est terminé, calme-toi ! (pour apaiser son interlocuteur)
- Pardi ! Bien sûr que je viens ! (pour confirmer une déclaration)

Les interjections exprimant une sensation d'ordre physique

– Aïe ! / Ouille ! Tu me fais mal ! (pour exprimer la douleur) → Les homophones, I, 2, p. 120.
– Miam, miam ! Cette tarte a l'air délicieuse ! (pour exprimer l'envie de manger)
– Pouah ! / Beurk ! C'est dégoûtant ! (familier ; pour exprimer le dégoût)

Les interjections exprimant un sentiment

– Bah ! Allez, fais comme tu veux ! (pour marquer l'indifférence)
– Bof ! Je n'ai pas spécialement envie de venir, mais si ça peut te faire plaisir, après tout, pourquoi pas ? (pour exprimer l'indifférence, l'indécision)
– Flûte ! / Zut ! J'ai encore oublié de lui souhaiter son anniversaire (pour marquer la déception, la lassitude)
– Hélas ! Les vacances sont déjà finies ! (pour exprimer le regret)
– Oh, là là ! Quelle histoire ! (pour exprimer l'étonnement parfois l'indignation)
– Mon œil ! Je ne te crois pas ! (pour exprimer un doute)
– La vache ! Tu as vu le nouveau prof de philo ? Qu'est-ce qu'il est chouette ! (familier ; pour exprimer un étonnement)

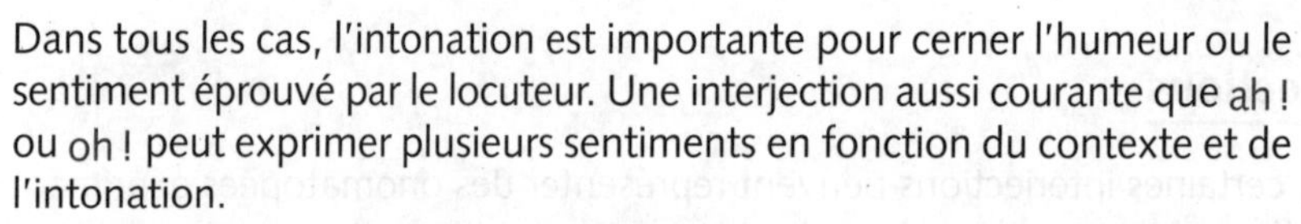

Dans tous les cas, l'intonation est importante pour cerner l'humeur ou le sentiment éprouvé par le locuteur. Une interjection aussi courante que ah ! ou oh ! peut exprimer plusieurs sentiments en fonction du contexte et de l'intonation.

– Ah ! Vous voilà enfin ! (pour exprimer la surprise, le soulagement)
Ah ! Quel bonheur ! (pour exprimer la joie)
Ah ! mais laisse-moi un peu tranquille ! (pour exprimer l'impatience)
Ah ! Ah ! Comme tu es drôle ! (pour transcrire le rire)
– Oh ! Quel spectacle magnifique ! (pour exprimer la surprise)
Oh ! C'est un scandale ! (pour exprimer l'indignation)

■ Onomatopées à l'origine de quelques expressions et gestes

Les onomatopées composées sont à l'origine de mots de la langue courante.

le brouhaha (bruit des voix de plusieurs personnes qui parlent en même temps),
le clic-clac (un certain type de canapé-lit), le ping-pong (le tennis de table),
le tic-tac d'une horloge, le(s) zigzag(s) d'une route (le virage), un chemin en zigzag

Certains d'entre eux s'emploient surtout dans des expressions.

– Quel bric-à-brac ! (tas d'objets divers entassés n'importe comment)
– Ma fille a aménagé son appartement de bric et de broc. (avec des objets de toutes provenances) → Les locutions adverbiales, I, 1, p. 77

Les onomatopées jouent aussi du redoublement de syllabes dans le langage enfantin.

un bébé (un petit enfant), un bonbon (une sucrerie), un chouchou (un gros élastique décoré, pour tenir les cheveux), un chouchou / une chouchoute (un enfant ou un élève préféré), un dada (une idée ou une occupation favorite), un doudou (un objet, un linge dont les enfants ne se séparent pas et avec lequel il dorment), le(s) froufrou(s) (bruit de feuilles ou d'étoffes ; *une robe à froufrous* [à volants]), un joujou (un jouet), une maman (une mère), une mamie / une mémé (une grand-mère), une nounou (la personne qui s'occupe des enfants), un papa (un père), un papi / un pépé (un grand-père), un ronron (un bruit sourd et continu ; *le ronron du chat, le ronron du moteur*), une tata (une tante), un tonton (un oncle), un toutou (un chien)

Et on les trouvera dans des expressions familières.

*Arrête de faire des **chichis**, Louise, et viens embrasser ton cousin !*

avoir bobo (avoir mal), faire des chichis (faire des manières ridicules pour séduire), faire dodo (dormir), faire pipi et caca (pour les « besoins naturels » des petits comme des grands)

Les onomatopées peuvent fournir des radicaux qui permettront de former des noms, des verbes, des adjectifs.

chut → chuchoter, un chuchotement, un chuchoteur, une chuchoteuse
crac → craquer, un craquement, craquant → Les synonymes varient en précision, I, 2, p. 92-93.
froufrou → froufrouter (produire un bruit léger comme un froissement), un froufroutement (bruit de froufrou), froufroutant (qui froufroute)
glouglou → glouglouter
ronron → ronronner, le ronronnement
snif → sniffer (familier ; respirer un stupéfiant)
zigzag → zigzaguer (former des virages ou avancer en faisant des virages)

Enfin, certaines onomatopées comme Mon œil ! et Chut ! s'accompagnent même d'un geste qu'il est utile de connaître pour renforcer son propos.

Les cris d'animaux

■ Les cris à l'origine de quelques expressions

Les animaux ont leur mot à dire dans le vocabulaire français. → Les expressions imagées, II, 2, p. 212.

– Leur façon de crier est à l'origine de quelques expressions imagées sur la manière de s'exprimer.

ricaner, siffler, roucouler, cancaner, bramer, grogner, hurler, râler

– De même, en référence à la gueule des animaux, on aura :

une grande gueule (familier ; une personne qui parle haut et fort et qui n'agit pas en conséquence), gueuler (familier ; crier, pour une personne)

– Certaines personnes cancanent ou font des cancans (elles bavardent en disant du mal des gens), à la manière des canards qui font cancan. → Quelques définitions, II, 1, p. 141.

— D'autres essaient de rabattre le caquet à quelqu'un (de l'obliger à se taire), ce qui fait référence aux poules qui ne cessent de caqueter.

– Les poules font aussi cot, cot ! Cette onomatopée est à l'origine d'un mot doux à l'intention des petites filles : ma cocotte. Mais méfiez-vous : le terme une cocotte, employé à l'égard d'une femme, est très péjoratif et décrit une femme vulgaire, aussi bien au niveau de sa tenue vestimentaire que de son langage ou de son mode de vie.

– Il nous arrive aussi de siffler comme la marmotte ou le serpent, de ricaner (rire d'une manière stupide et méchante) comme la hyène, et même de déblatérer contre quelqu'un (parler avec violence en disant du mal de quelqu'un) à la manière du bélier ou du chameau qui blatère (infinitif : *blatérer*). D'ailleurs, on dira d'une personne méchante ou d'humeur difficile à supporter : Quel chameau !

– De plus, à la manière des loups, les personnes en colère peuvent hurler (ou, dans certaines régions, bramer comme le cerf et la biche) ou simplement râler comme le faon (manifester son mécontentement par des plaintes).

– Enfin, on dit qu'un couple roucoule, à la manière des pigeons et des colombes, quand les amoureux se tiennent des propos à la fois tendres et langoureux.

■ Autres cris d'animaux

Le nombre d'animaux étant considérable, il ne s'agit pas ici d'établir une liste complète des cris d'animaux, mais plutôt de présenter les termes les plus courants.

- **Dans l'étable et la porcherie :**

  – La vache mugit (mugir), beugle / meugle (beugler / meugler) ou fait meuh !
  – Le cochon grogne (grogner) ou fait groïnk : ce dernier terme est aussi employé pour un enfant de mauvaise humeur que l'on qualifiera de grognon.

- **Dans l'écurie :**

  – L'âne brait (braire) : hi-han !
  – Le cheval hennit (hennir) : hi hi hi !

- **Dans les prés :**

  Le mouton et la chèvre bêlent (bêler) en faisant bêê !

- **Dans la savane :**

  l'éléphant barrit (barrir), le lion rugit (rugir) et le tigre feule (feuler).

- **Et, bien sûr :**

– Bzz, bzz !	Les insectes bourdonnent.	bourdonner
– Coa, coa !	La grenouille coasse.	coasser
– Cocorico !	Le coq chante.	chanter
– Cui-cui ! / Piou-piou !	L'oisillon pépie.	pépier
– Glouglou !	Le dindon glougloute.	glouglouter
– Miaou !	Le chat miaule.	miauler
– Ouaf, ouaf !	Le chien aboie.	aboyer

2 • 2 Les tournures idiomatiques

Les expressions idiomatiques font partie intégrante du langage quotidien. Elles expriment de façon imagée les sentiments et les comportements relatifs à différentes situations de la vie de tous les jours.

Ces tournures idiomatiques sont constituées de groupes de mots figés ou semi-figés. Certaines expressions ne changent pas.

Je suis / Tu es / … sur les genoux. (être très fatigué)

D'autres s'adaptent au discours, à la personne qui parle et / ou à laquelle on parle (changement d'adjectif possessif, de pronom…).

ne pas être dans son assiette (ne pas se sentir en forme)

*Tu n'as pas l'air dans **ton** assiette, qu'est-ce qui ne va pas ?*

se laver les mains de quelque chose (décliner toute responsabilité)

*Cette histoire a mal tourné, mais ils s'**en** lavent les mains.*

porter quelqu'un dans son cœur (avoir de l'amour pour quelqu'un)

*Je ne **le/la** porte pas dans mon cœur !* (je ne l'aime pas – s'emploie le plus souvent avec un sens négatif)

Les expressions comparatives

Simple comme bonjour !

Grâce au mot de comparaison comme, on peut **rapprocher deux termes pour exprimer une idée**, caractériser un état, un comportement ou une situation. Les expressions comparatives ont une valeur superlative.

léger comme une plume (très léger)   rouge comme une tomate (très rouge)…

*Romain est un enfant agréable et souriant. Il est **haut comme trois pommes** mais il a déjà un caractère bien affirmé : il est **malin comme un singe** ! Rien ni personne ne lui résiste. Quoi qu'il arrive, il prend le bon côté des choses et sait se faire apprécier par son entourage. Il est **gai comme un pinson** : il rit, il chante, il plaisante, il s'amuse. C'est un vrai plaisir d'être à ses côtés... sauf aux heures de repas, car il se tient très mal à table et **mange comme un cochon** !*

*Sa sœur Élodie lui **ressemble comme deux gouttes d'eau**. Elle est **jolie comme un cœur** avec ses petites boucles blondes qui encadrent son visage. Elle est **sage comme une image** et il est rare de l'entendre pleurer, si ce n'est quand elle se trouve en face d'un chien. Elle devient alors **blanche comme un linge** et se met à **trembler comme une feuille**. On a beau lui expliquer qu'il ne faut pas crier, elle reste **plantée comme un piquet** en hurlant.*

*Leur petite voisine Aude est une petite fille très coquette. Elle a pris l'habitude d'**entrer** chez eux **comme dans un moulin**. Elle arrive donc à l'improviste, **propre comme un sou neuf**, les cheveux bien coiffés, un sourire jusqu'aux oreilles. Cette fillette est **bavarde comme une pie** : elle n'en finit pas de parler et de raconter sa vie jusqu'à ce que sa mère vienne la chercher.*

■ L'aspect physique

beau comme un Dieu
blanc comme un linge / comme un cachet d'aspirine (livide)
fraîche comme une rose (une femme qui a l'air bien reposée)
haut comme trois pommes (pour un enfant de petite taille)
jolie comme un cœur
laid comme un pou
léger comme une plume
maigre comme un clou
myope comme une taupe (très myope)
nu comme un ver
plat comme une limande (très maigre – se dit surtout d'une femme qui n'a pas de poitrine)
propre comme un sou neuf
rouge comme une tomate
Ils se ressemblent comme deux gouttes d'eau. (se ressembler fortement)
solide comme un roc (très robuste ; et au sens figuré, moralement très résistant)

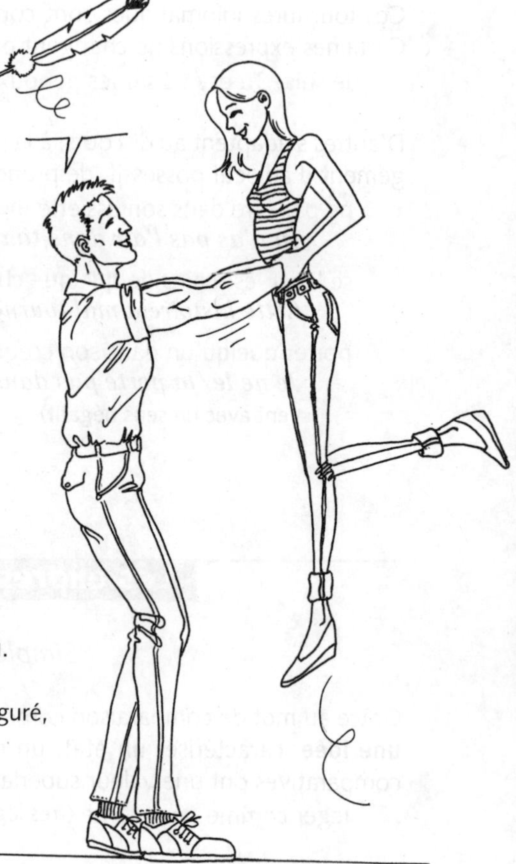

Les tempéraments

adroit comme un singe
aimable comme une porte de prison (personne peu aimable)
bavard comme une pie
bête comme ses pieds
doux comme un agneau
excité comme une puce (très excité)
gai comme un pinson
heureux comme un poisson dans l'eau
malin comme un singe
rapide comme l'éclair
réglé comme une horloge (très ponctuel)
rusé comme un renard
sage comme une image
têtu comme une mule
triste comme un jour de pluie

Remarque On confond souvent malin et rusé.
– Être malin, c'est être capable de se tirer d'embarras (être débrouillard), être inventif, fin, habile, agir avec intelligence, de façon spontanée, intuitive, sans but précis.
– Être rusé, c'est être habile, faire preuve d'ingéniosité, agir avec intelligence. Mais cela implique une réflexion, une élaboration de plans, dans le but de contourner un obstacle et de parvenir à ses fins (parfois de façon déloyale).

Les comportements, les façons d'agir

changer d'avis comme de chemise (changer sans cesse d'avis)
crier comme un putois (fort)
croire dur comme fer à quelque chose (avec conviction)
dormir comme une souche / comme un loir (très profondément)
entrer comme dans un moulin (entrer sans attendre d'y être invité)
fumer comme un pompier (fumer beaucoup)
manger comme un cochon
mentir : *Il / Elle ment comme il / elle respire.* (continuellement)
pleurer comme une madeleine (à chaudes larmes, de toutes les larmes de son corps)
rester planté comme un piquet (rester immobile à attendre)
souffler comme un bœuf (très fort)
trembler comme une feuille (trembler de peur ou de froid)

Les expressions imagées

Avoir les pieds sur terre !

Les **expressions imagées** mettent en valeur le **sens figuré** d'un mot ou d'une expression. Les vocabulaires de la nature, du corps humain et du monde animal ont largement contribué à décrire de façon imagée les traits de caractère, les comportements et les attitudes.

■ Le milieu naturel

avoir le coup de foudre

Les tempéraments

Claudine est une institutrice très appréciée de l'école primaire Marcel-Pagnol. Agréable, souriante et drôle, elle est ***le rayon de soleil*** *de l'équipe des professeurs de l'école. Ses collègues savent qu'ils peuvent compter sur elle, aussi bien sur le plan personnel que professionnel, car elle est toujours à l'écoute des autres et donne toujours de bons conseils : elle* ***a les pieds sur terre*** *et agit toujours de façon raisonnée.*

En classe, elle sait se faire respecter et n'hésite pas à faire résonner sa ***voix de tonnerre*** *pour gronder Victor, réputé pour son* ***cœur de pierre****, ou pour réveiller le doux rêveur de la classe, Thibaut, qui* ***a*** *souvent* ***la tête dans les nuages****.*

Malheureusement, son directeur ***fait*** *un peu* ***la pluie et le beau temps*** *dans l'école. Il n'y a aucun suivi d'un trimestre à l'autre. Tantôt, il fait appel à un intervenant extérieur pour les arts plastiques et le sport, tantôt elle doit s'en charger en plus de son programme scolaire.*

– être dans la lune, avoir la tête dans les nuages (être distrait)
– avoir un cœur de pierre (être dur, insensible envers les autres)
– faire la pluie et le beau temps (faire subir aux autres sa façon de penser et d'agir, influencer son entourage de par son autorité)
– avoir les pieds sur terre (avoir le sens des réalités)
– avoir un esprit terre à terre (se préoccuper des besoins matériels)
– avoir une voix de tonnerre (une voix forte et puissante)

Les comportements

Vincent ***a eu le coup de foudre*** *pour Carole dès le premier regard. Il a décidé de* ***remuer ciel et terre*** *pour l'épouser. Pour cela, il a dû* ***lutter contre vents et marées****: renoncer à sa nationalité, quitter son pays... Il voulait* ***faire d'une pierre deux coups****: se marier et obtenir la double nationalité. Il ne* ***demandait pas la lune****: il aspirait à une vie paisible en partageant avec elle des moments simples, comme de partir à l'aventure,* ***dormir à la belle étoile****...*

Mais la vie en avait décidé autrement. Son cousin, amoureux lui aussi de Carole, ***lui a coupé l'herbe sous le pied****. Il a demandé Carole en mariage avant que Vincent n'ait pu la revoir.*

– remuer ciel et terre (mettre tout en œuvre pour réussir)
– dormir à la belle étoile (en plein air, la nuit)
– avoir le coup de foudre (ressentir fortement un amour soudain)
– couper l'herbe sous le pied à quelqu'un (frustrer quelqu'un, le priver d'une satisfaction en le devançant)
– demander la lune (demander l'impossible)
– la lune de miel (les premiers temps du mariage : une période pendant laquelle les époux savourent pleinement leur bonheur de vivre ensemble, en laissant de côté les problèmes, les ennuis)

– faire d'une **pierre** deux coups (obtenir deux résultats pour la même action)
– lutter contre **vents** et **marées** (lutter contre les pires obstacles)

(Catherine et Jacques rendent visite à leur grand-mère.)
— Bonjour les enfants, ***quel bon vent vous amène?***
— Nous ***passions*** *juste* ***en coup de vent****, nous partons pour Bordeaux.*
— Ah bon! Et quand partez-vous?
— ***Sur-le-champ****. Les valises sont dans le coffre.*
— Mon Dieu! Ce n'est pas possible! Noël est dans deux jours!
— Ne t'en fais pas! Un aller-retour à Bordeaux, ***ce n'est pas la mer à boire****. Nous serons de retour pour Noël.*
— Bon, très bien. Excusez-moi, les enfants, depuis quelque temps, ***je me fais une montagne*** *de tout!*

– sur-le-**champ** (immédiatement)
– Ce n'est pas la **mer** à boire. (ce n'est pas difficile / compliqué)
– se faire une **montagne** de quelque chose (exagérer l'importance de quelque chose pour rien)
– Quel bon **vent** vous amène? (*Quelle est l'agréable raison de votre venue?*)
– passer en coup de **vent** (très rapidement) ➔ Les synonymes varient en précision, I, 2, p. 91.

Dans le langage quotidien, les rapports de l'homme et du milieu naturel sont aussi marqués par les proverbes et les dictons.

(Conversation entre une mère et sa fille.)
— Maman, tu as vu ma nouvelle robe?
— Mon Dieu, ma fille, c'est une horreur! Je me demande comment tu fais pour porter ça! Mais bon, ***tous les goûts sont dans la nature****! Passons aux choses sérieuses, comment s'est passée ton audition de piano?*
— Oh, ne m'en parle pas! Tout a été annulé et on ne sait pas pourquoi! Certains disent que le Conservatoire a été cambriolé hier soir. C'est quand même incroyable, non?
— Oh, tu sais, ma chérie, ***il n'y pas de fumée sans feu****!*

– Tous les goûts sont dans la **nature**. (tous les goûts sont différents – se dit en parlant d'une personne qui a des goûts un peu particuliers que l'on ne partage pas)
– Qui sème le **vent** récolte la tempête. (la personne qui est à l'origine d'une dispute ou d'un conflit en subira les conséquences, tôt ou tard)
– L'**eau** va toujours à la **rivière**. (l'argent va aux riches: on ne prête qu'aux gens riches)
– On reconnaît l'**arbre** à ses **fruits**. (on connaît la valeur d'un homme par ses propres actes)
– Il n'y a pas de **fumée** sans **feu**. (il y a toujours un fond de vérité dans les rumeurs)
➔ Les glissements de sens, II, 1, p. 146.

■ Le corps humain

Couper les cheveux en quatre

La description physique

Comme la plupart des jeunes filles de son âge, Julie est coquette. Avant d'aller au lycée, elle passe au moins une heure dans la salle de bains, pour coiffer ses ***cheveux en bataille*** *et dissimuler sous un grand bandeau mauve ses* ***oreilles en chou-fleur****.*

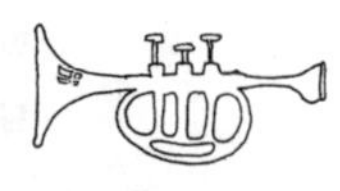

Puis elle se maquille, mettant en valeur ses lèvres roses et ses ***yeux de biche*** *déjà naturellement cernés de noir. Son petit* ***nez en trompette*** *embellit son visage toujours jovial et lui donne un air coquin.*

Son corps est élancé et svelte, elle est fière de son ventre musclé et de sa ***taille de guêpe****, qu'elle entretient en dansant deux heures par jour, comme le faisait sa grand-mère à son âge. Elle espère lui ressembler et* ***avoir bon pied bon œil*** *jusqu'à quatre-vingts ans, au moins !*

– les cheveux en bataille (mal coiffés)
– le nez en trompette (légèrement retroussé)
– les oreilles en chou-fleur (oreilles décollées)
– avoir bon pied bon œil (être encore solide et agile pour son âge)
– la taille de guêpe (très fine)
– les yeux de biche (yeux en amande)

Les tempéraments

L'entreprise est une grande famille, dit-on. Catherine ***a la grosse tête*** *depuis qu'elle est devenue directrice de la société : elle ne supporte aucune remarque et ne parle plus à ses anciennes amies. C'est aussi une vraie* ***tête de mule*** *: il est impossible de lui faire changer d'avis ! Seul Jean-Luc peut l'approcher, il faut dire que lui aussi connaît des personnes importantes dans l'entreprise de son grand-père : il* ***a le bras long*** *!*

Christophe espère prendre le poste de directeur commercial d'ici deux ans. Il ***a*** *vraiment* ***les dents longues****, quand on pense qu'il est arrivé juste en début d'année ! Ce n'est pas comme Philippe qui* ***a un poil dans la main*** *et préfère être payé à ne rien faire. Cependant, tout le monde l'apprécie car il* ***a un cœur d'or****, il écoute les problèmes de ses collègues et n'hésite pas à les aider financièrement quand le besoin s'en fait sentir : il* ***a le cœur sur la main****.*

Thomas, quant à lui, ***a la langue bien pendue*** *: il a une fâcheuse tendance à retenir ses collègues dans les couloirs ou à la cafétéria, ce qui n'est pas du goût de son chef, M. Vélin, qui est réputé pour* ***être une mauvaise langue*** *: quand on le rencontre, il est prudent de* ***tenir sa langue*** *!*

– avoir le bras long (avoir de l'influence)
– avoir un cœur d'or (avoir très bon cœur)

- avoir le cœur sur la main (être généreux)
- avoir les dents longues (être ambitieux)
- avoir la langue bien pendue / ne pas avoir sa langue dans sa poche (être bavard)
- être mauvaise langue (dire du mal des autres)
- tenir sa langue (garder un secret)
- avoir un poil dans la main (être paresseux)
- avoir la grosse tête (être orgueilleux, trop satisfait de soi-même)
- être une tête de mule (être obstiné)

Les comportements

Les frères de Luc ont une fâcheuse tendance à ***couper les cheveux en quatre*** *et à se mêler des affaires qui ne les concernent pas. En effet, ils* ***n'ont pas froid aux yeux****, quand il s'agit de rentrer dans le bureau de son patron pour lui demander une augmentation à sa place !*

Un autre défaut aux yeux de Luc : ils ne peuvent pas s'empêcher de ***mettre les pieds dans le plat*** *quand ils voient leur belle-sœur, Josiane. Pourtant ils savent que sa petite sœur chérie est partie vivre en Amazonie. Malgré tout, ils s'obstinent chaque fois à lui demander de ses nouvelles, si bien que Josiane* ***ne sait pas sur quel pied danser*** *avec eux et se demande s'ils ne le font pas exprès.*

Si elle n'aimait pas autant Luc, ça ferait longtemps qu'elle aurait ***pris ses jambes à son cou*** *!*

- couper les cheveux en quatre (compliquer inutilement les choses)
- prendre ses jambes à son cou (partir en courant)
- mettre les pieds dans le plat (commettre une maladresse)
- ne pas savoir sur quel pied danser (ne pas savoir comment réagir)
- manger sur le pouce (à la va-vite)
- ne pas avoir froid aux yeux (agir de façon audacieuse)

Les sensations, les sentiments

Il est presque quatorze heures et le repas n'est toujours pas prêt ! Valentin commence à ***avoir l'estomac dans les talons*** *! Si ça continue, il va* ***avoir les yeux plus gros que le ventre*** *quand il va passer à table, au grand désespoir de ses parents qui le trouvent beaucoup trop gros. Ils* ***se font des cheveux blancs*** *pour sa santé, son bien-être et sa vie amoureuse... mais il ne faut pas en parler car Valentin* ***a une dent contre*** *ses parents depuis qu'ils se sont mêlés de sa vie sentimentale. Maintenant, ses parents* ***se mordent les doigts*** *d'être intervenus dans sa vie privée et d'avoir provoqué une dispute.*

- se faire des cheveux blancs (s'inquiéter)
- avoir le cœur gros (triste)
- avoir une dent contre quelqu'un (en vouloir à quelqu'un)
- s'en mordre les doigts (regretter)
- avoir l'estomac dans les talons (avoir très faim)
- avoir les yeux plus gros que le ventre (mettre plus dans son assiette que ce que l'on pourra manger ; au figuré, vouloir faire plus de choses que ce qui est possible)

Les animaux

Quand les poules auront des dents !

(Une conversation entre deux collègues de bureau.)
— C'est ***chouette****! Dans deux heures, nous sommes en vacances !*
— Parle pour toi ! Moi, je vais rester au bureau un peu plus tard aujourd'hui. J'ai entendu dire que le poste d'assistante de direction se libérait. On ne sait jamais, peut-être que Mme Maury va me le proposer !
— Tu rêves ! Avec le caractère de la patronne, tu l'auras ***quand les poules auront des dents****, ta promotion ! À ta place, je ne me priverais pas de vacances !*

– C'est chouette ! (super, extraordinaire)
– ... quand les poules auront des dents (jamais)

Les tempéraments

Pascal et Jean-Michel ***s'entendent comme chien et chat****, en partie parce qu'ils ont tous les deux* ***un caractère de chien****.*
Pascal est ***un ours mal léché****: il ne supporte pas la présence des autres et ne fait aucun effort pour rendre l'ambiance plus agréable. Au contraire, il traite sa sœur de* ***mère poule****, sa belle-mère de* ***peau de vache****, et son père de* ***pigeon****.*
Jean-Michel, quant à lui, est ***une fine mouche****: il agit toujours en douce, fait bonne figure à son entourage, mais c'est en réalité* ***une langue de vipère*** *dont il faut se méfier.*
Alors, quand les deux cousins se retrouvent, les injures partent : quel âne ! espèce de ***poule mouillée****! quel* ***mouton****... j'en passe et des meilleures !*

On peut dire familièrement d'une personne qu'elle est :
un âne (un peu bête, pas très maligne)
un chaud lapin (homme porté sur les plaisirs de l'amour)
un cochon : Quel cochon ! (personne sale)
/ Ah, le cochon ! (individu à l'esprit mal tourné)
un corbeau (auteur de lettres anonymes)
un drôle de zèbre (individu bizarre, peu ordinaire)
une fine mouche (personne habile et rusée)
une (vraie) fouine (personne indiscrète)
une langue de vipère (personne médisante)
une mère poule (très possessive envers ses enfants)
un mouton (n'ayant aucune personnalité et ne faisant preuve d'aucune initiative)
un ours mal léché (désagréable et peu sociable)
une peau de vache (méchante)
un pigeon (naïf, facile à tromper)
une poule mouillée (désigne plus particulièrement un homme peureux)
un poulet (un policier)
une vieille chouette (une femme plus très jeune, grincheuse et difficile à supporter)

Autres expressions

s'entendre comme chien et chat (ne pas s'entendre avec quelqu'un)
avoir un caractère de chien (mauvais caractère)
avoir une mémoire d'éléphant (très bonne mémoire)

On qualifiera aussi familièrement de taupe une personne très myope (personne qui a des problèmes de vue et ne voit pas bien de loin).
À côté de ces descriptions peu « glorieuses », notons aussi que les animaux sont à l'origine de petits mots doux :

ma caille, ma puce, ma poulette, ma biche, (mon) chaton

Les comportements

Chaque fois qu'Alice revient chez sa tante, le temps d'un week-end, elle ***est comme un coq en pâte****: on lui apporte son déjeuner au lit, on lui prépare ses plats préférés... Dorlotée comme une enfant, Alice se repose car elle est épuisée et déprimée de la semaine qu'elle vient de passer.*
En effet, voulant mettre un terme aux réprimandes injustifiées de son supérieur, elle a ***pris le taureau par les cornes*** *et elle est allée tout raconter à son directeur. Mais la pauvre s'est* ***jetée dans la gueule du loup****: elle ne savait pas que son supérieur était le fils du directeur...*
Très en colère contre elle-même et voulant se retrouver seule, elle ***a posé un lapin*** *à son amie Sarah, qui voulait la voir uniquement pour lui demander de lui prêter son nouveau CD... Franchement, elle* ***avait d'autres chats à fouetter****!*

- avoir d'autres chats à fouetter (avoir d'autres choses plus importantes à faire)
- traiter quelqu'un comme un chien (sans égards ni pitié)
- mener une vie de chien (difficile)
- être comme un coq en pâte (avoir tout le bien-être possible)
- poser un lapin à quelqu'un (ne pas venir à un rendez-vous fixé)
- se jeter dans la gueule du loup (aller au-devant des dangers)
- prendre le taureau par les cornes (affronter une difficulté)

Les sensations, les sentiments

(Deux parents sont au chevet de leur fille.)
— Brr! Il fait ***un froid de canard*** *dans cette pièce, tu devrais allumer le chauffage!*
— Tu as raison, d'autant plus que Camille a ***une fièvre de cheval****. Je ne sais pas ce qui lui arrive, il y a à peine une heure, elle avait* ***une faim de loup*** *et puis, en mangeant, elle s'est souvenue de sa dispute avec Marion...*
— Et alors?
— Et alors, elle a commencé à ***avoir le cafard****, elle m'a raconté son histoire mais elle* ***avait un mal de chien*** *à parler, je crois qu'elle* ***avait un chat dans la gorge****. Puis elle s'est sentie mal et elle est allée se coucher. Je me demande ce qu'elle a!*
— Oh, tu sais, avec les enfants, c'est difficile de savoir!

– avoir le cafard (déprimé)
– faire un froid de canard (un froid intense)
– avoir un chat dans la gorge (être enroué)
– avoir une fièvre de cheval (forte fièvre)
– avoir un mal de chien à faire quelque chose (familier ; rencontrer des difficultés)
– avoir une faim de loup ! (très faim)

■ Les aliments

Tomber dans les pommes

*Pendant des années, Charles **a raconté des salades** à sa femme Maryse. Elle **faisait le poireau** tous les soirs devant la porte d'entrée, espérant son arrivée chaque fois qu'elle voyait une voiture s'engager dans la rue. Tous les soirs, il lui disait qu'il **avait eu du pain sur la planche** et qu'il lui était impossible d'arriver avant 22 heures...*

*Bénédicte, la meilleure amie de Maryse, se désolait de son attitude. Elle avait aussi l'habitude de **mettre son grain de sel** en toutes occasions et répétait sans cesse que Maryse était **une bonne poire** et qu'elle ne devrait pas se laisser faire. Elle la traitait même gentiment de **courge**. Mais rien n'y faisait. Elle continuait à agir ainsi.*

*Puis, du jour au lendemain, Charles a perdu son travail, sa situation financière a commencé à se dégrader, son train de vie a changé, ses exigences aussi. Alors, il a commencé à **mettre de l'eau dans son vin**. Il est devenu moins **soupe au lait**, un peu plus conciliant et... il était continuellement à la maison.*

*Maryse a alors décidé de trouver du travail, pour **mettre du beurre dans les épinards**. Passionnée depuis toujours par la peinture, elle a trouvé un emploi dans une galerie d'art, où elle ne voyait pas le temps passer. Mais son mari, si !*

*La situation **a tourné au vinaigre** : Charles ne supportait pas de rester sans rien faire pendant que sa femme travaillait. Il a donc fallu **couper la poire en deux** : Maryse lui a proposé de s'occuper... à la maison : faire le ménage, les lessives, le repassage, les comptes... tout ce qu'elle avait fait pendant vingt ans sans râler !*

*Devant tant d'injustice, notre ami Charles a failli **tomber dans les pommes** ! Ah ! là, là ! **Quelle salade** !*

➔ Les expressions comparatives, II, 2, p. 206.
➔ Les expressions imagées, II, 2 p. 210.

Les tempéraments

– avoir un cœur d'artichaut (personne volage, c'est-à-dire peu fidèle en amour ; retenez l'image de l'*artichaut* : une feuille pour tout le monde)
– être une courge (familier et péjoratif ; personne un peu bête)
– être une poire (personne qui se laisse facilement tromper)

– être soupe au lait (s'emporter, se mettre facilement en colère) → Les adjectifs composés, I, 1, p. 63.

Les comportements

– mettre du beurre dans les épinards (améliorer sa condition financière)
– mettre de l'eau dans son vin (modérer ses exigences)
– avoir du pain sur la planche (avoir beaucoup de travail devant soi)
– couper la poire en deux (trouver un compromis)
– faire le poireau / poireauter (familier ; attendre)
– tomber dans les pommes (s'évanouir)
– faire quelque chose pour des prunes (pour rien) → Les expressions culturelles, II, 2, p. 218.
– raconter des salades (des mensonges, des histoires)
– Quelle salade ! (familier ; quelle confusion, quel désordre !)
– mettre son grain de sel (intervenir dans une conversation en y mettant sa touche personnelle)
– tourner au vinaigre (se dit d'une situation qui tourne mal, comme lorsque le vin s'aigrit, devient aigre)

■ Les chiffres

Ne pas y aller par quatre chemins

À l'occasion du mariage de Pierre et de Chantal, toute la famille ***est tirée à quatre épingles****: du costume trois-pièces à la robe de soirée en mousseline, en passant par la tenue quelque peu excentrique du témoin et ami Grégoire, qui tenait à faire preuve d'originalité... Tous les invités* ***se sont mis sur leur trente et un*** *pour assister à la cérémonie...*

Témoin du marié, Grégoire s'avance pour remettre les bagues au prêtre, trébuche sur la robe de la mariée, bute contre les marches de l'autel, se cogne la tête et laisse tomber les bagues ! Il se relève avec peine après en ***avoir vu trente-six chandelles****!*

Toute la famille ***a le moral à zéro****: il faut reporter la cérémonie, les bagues sont introuvables, la robe de la mariée est déchirée, la demoiselle d'honneur est en larmes...*

La description physique

– se mettre sur son trente et un (être très bien habillé : en fait, il ne s'agirait pas du nombre, mais plutôt d'une déformation du mot *trentain*, qui désignait autrefois une étoffe)
– être tiré à quatre épingles (bien ajusté, sans aucun faux pli ; imaginez quatre épingles tenant le costume parfaitement droit)

Les sensations, les sentiments

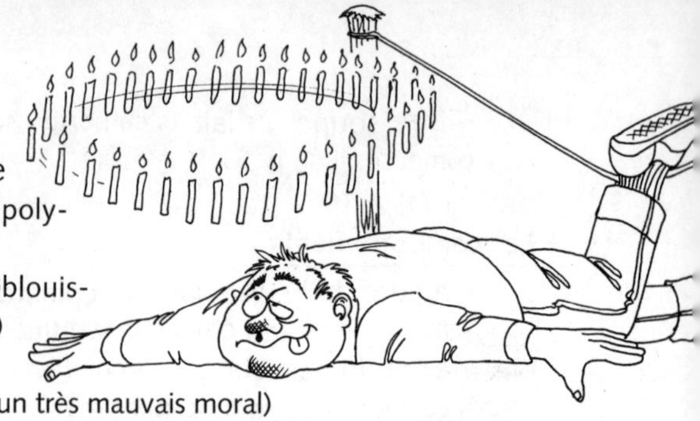

– passer un mauvais quart d'heure (un moment difficile) ➔ Quelques verbes polysémiques, II, 1, p. 162.

– voir trente-six chandelles (avoir un éblouissement à la suite d'un coup sur la tête) ➔ Les expressions culturelles, II, 2, p. 219.

– avoir le moral à zéro (être déprimé, avoir un très mauvais moral)

Les comportements

*(Règlement de comptes: une mère **dit ses quatre vérités** à sa fille de dix-sept ans.)*

*— Non, non et non, j'en ai assez de **me mettre en quatre** pour toi. Je n'ai pas envie d'**attendre cent sept ans** avant que tu fasses le moindre geste en retour! Alors, je ne vais **pas y aller par quatre chemins**: à partir de maintenant, débrouille-toi! C'est trop facile de critiquer et de toujours **chercher midi à quatorze heures**! Moi, je **fais ni une ni deux**, je fais mes valises et je pars en vacances avec ton père pour souffler un peu. Tu en profiteras pour réfléchir et si, à notre retour, tu as changé d'attitude, alors nous **repartirons à zéro**!*

– ne faire ni une ni deux (se décider rapidement)

– jamais deux sans trois (proverbe: ce qui arrive deux fois a toutes les chances d'arriver une troisième fois)

– couper les cheveux en quatre ➔ ci-dessus, p. 211.

– dire ses quatre vérités à quelqu'un (donner son avis de façon assez brutale)

– ne pas y aller par quatre chemins (aller droit au but) ➔ Les synonymes varient en précision, I, 2, p. 86.

– se mettre en quatre pour quelqu'un (se donner beaucoup de mal)

– chercher midi à quatorze heures (compliquer les choses)

– attendre cent sept ans (très longtemps)

– repartir à zéro (recommencer quelque chose après avoir échoué)

Les expressions culturelles

Sauter du coq à l'âne!

Ces expressions font référence à des pratiques culturelles ou se fondent sur des coutumes disparues. Il y a deux sortes d'expressions: celles qui ont gardé le même sens, comme sauter du coq à l'âne, vider son sac; et celles qui ont subi une évolution de sens, comme tourner autour du pot, mettre le couvert.

– sauter du coq à l'âne (passer d'un sujet à un autre sans transition)

À l'origine (XVe siècle), *le coq-à-l'âne* était un genre littéraire qui consistait à passer d'un sujet à un autre sans transition.

Marie-Pierre retrouve son amie Patricia. Elle lui raconte son voyage en Chine, lui parle de ses difficultés à comprendre les habitants, évoque quelques souvenirs de rencontres... et puis tout à coup ***saute du coq à l'âne****, en lui demandant :*
— Tu peux me prêter ta robe noire pour ce soir ?

– vider son sac (dire ce que l'on a sur le cœur, ce qui nous préoccupe)
Autrefois, les avocats arrivaient au tribunal avec un sac rempli de documents roulés et noués avec un ruban. Ils *vidaient leur sac* et traitaient les affaires du jour.
Le petit Louis revient de l'école, les larmes aux yeux. Sa mère l'incite à lui raconter ce qui s'est passé :
— Allez, ***vide ton sac*** *!*

– tourner autour du pot (ne pas oser dire clairement les choses ≠ aller droit au but)
À l'origine, la marmite *(le pot)* était accrochée au centre de la pièce et on avait l'habitude de tourner autour, pour voir ce qu'il y avait à manger.
Arnaud n'ose pas demander de l'argent à sa mère.
— Tu sais, la vie est chère pour les étudiants ! On doit acheter des tas de livres et, en plus, mes affaires ne sont plus à la mode...
— Bon, arrête de ***tourner autour du pot****, qu'est-ce que tu veux ?*

– mettre le couvert (mettre la table en plaçant les assiettes, les fourchettes, les couteaux) → Quelques verbes polysémiques, II, 1, p. 154.
Autrefois, pour éviter les empoisonnements, on servait « à couvert », c'est-à-dire qu'on couvrait les assiettes.

Certaines expressions reflètent les expériences, les coutumes ou les croyances des hommes à travers le temps.

■ La vie rurale

Mettre la charrue avant les bœufs

(Conversation entre un frère et une sœur, un dimanche après-midi pluvieux.)
— Oh, là, là ! Ce dimanche est ***long comme un jour sans pain*** *!*
— Pardi ! tu n'es pas sorti depuis ce matin !
— Dis donc ! Je n'ai pas envie d'être trempé ***comme une soupe****, il pleut à verse !*
— Tu n'as qu'à réviser l'examen de philo !
— Je n'ai pas envie de bosser ***pour des prunes****, je ne sais pas exactement ce qu'il faut réviser ! Et puis,* ***ne mettons pas la charrue avant les bœufs*** *: le dimanche, après tout, est un jour de repos, non ?*

— C'est vrai ! Mais si le prof t'interroge à l'oral, tu ne sauras pas répondre, et comme tu as déjà eu des mauvaises notes...
— C'est sûr, si elle m'interroge, ***c'est la fin des haricots*** *!*
— D'un autre côté, elle n'est peut-être pas si méchante ! Tu sais, ***l'habit ne fait pas le moine****. Et puis, si ça se trouve, elle est encore malade !*
— Oh, non ! je l'ai croisée hier au supermarché et, crois-moi, elle avait ***repris du poil de la bête****.*

– long comme un jour sans pain. (très long – idée de durée)
Autrefois, quand la moisson avait été mauvaise, le blé se faisait rare et le pain, devenu trop cher, disparaissait des tables des paysans et des ouvriers.

– être trempé comme une soupe (être mouillé quand on a été sous la pluie)
Le pain a été très longtemps la nourriture principale des Français. Quand les tranches étaient trop dures, on les plaçait au fond de la marmite et on versait dessus le bouillon bien chaud.

– faire quelque chose pour des prunes (le faire pour rien, car on donnait les prunes au cochon)

– mettre la charrue avant les bœufs (ne pas entreprendre les choses dans le bon ordre)
La charrue est chargée de symboles (la paix, le travail) ; si *je mets la charrue avant les bœufs*, c'est que je défie toute logique.

– C'est la fin des haricots ! (c'est la fin de tout / rien ne va plus)
Les légumes constituaient le plat unique des paysans, la viande étant considérée comme un luxe.

– L'habit ne fait pas le moine. (il ne faut pas se fier aux apparences)
Cela fait référence au temps où justement la façon de s'habiller révélait le rang social de chacun et où le déguisement était considéré comme une ruse.

– reprendre du poil de la bête (reprendre des forces après un état de fatigue)
Cette expression provient d'une ancienne croyance qui consistait à guérir le mal par le mal, et donc à poser sur la plaie le poil de la bête qui avait mordu.

■ La vie mondaine

Monter sur ses grands chevaux

(Un petit garçon essaie d'épater sa grande sœur.)
— Regarde, tu as vu ! Je sais marcher sur les mains !
— Ça me fait une belle jambe !

– Ça lui / me / ... fait une belle jambe ! (ça ne lui est d'aucune utilité)
À l'origine, l'expression était prise au sens propre : aux XVIe et XVIIe siècles, la mode voulait que les jeunes hommes soient habillés de bas de soie et nombre d'entre eux faisaient les élégants en montrant leurs jambes.

La chandelle

La chandelle (bougie), qui a éclairé les soirées pendant des siècles, est à l'origine de nombreuses expressions.

(Une mère se désole de l'attitude de son fils.)
Depuis quelque temps, Gérald fait n'importe quoi. Il passe ses soirées en boite dans le bruit et la fumée de cigarettes, se couche presque tous les soirs à cinq heures du matin... Bref, ***il brûle la chandelle par les deux bouts****. Quand deviendra-t-il raisonnable ?*

– faire des économies de bouts de chandelle (faire des petites économies, presque inutiles)
– brûler la chandelle par les deux bouts (faire des imprudences, des abus : argent, santé...)
– devoir une fière chandelle à quelqu'un (être très reconnaissant envers quelqu'un)
– voir trente-six chandelles (être abasourdi par un choc) ➔ Les expressions imagées, II, 2, p. 216.

Le jeu

Que faisait la noblesse pendant les soirées d'hiver ? À en croire toutes les expressions issues du domaine du jeu, on peut supposer qu'elle passait beaucoup de temps à **jouer**, notamment aux cartes. Mais, le jeu en valait-il la chandelle ?

(Deux collègues de travail discutent pendant la pause-café.)
— J'en ai assez ! C'est moi qui aurais dû être à la place de Marlène !
*— C'est vrai, il faut dire qu'****elle t'a damé le pion*** *encore une fois !*
— Mais je n'ai pas dit mon dernier mot, ***je n'ai pas encore joué ma dernière carte*** *!*
— Fais attention ! ***Il faut se tenir à carreau*** *depuis que le nouveau chef est arrivé.*
— Tu as raison, ***je vais jouer cartes sur table*** *et expliquer tout cela directement au directeur !*

– Le jeu n'en vaut pas la chandelle. (cela ne vaut pas la peine)
– damer le pion à quelqu'un (le devancer en étant plus astucieux que lui – cette expression vient d'une stratégie du jeu de dame, qui donnait un avantage au joueur)
– se tenir à carreau (être sur ses gardes)
– jouer cartes sur table (agir sans rien cacher)
– jouer sa dernière carte (mettre en œuvre le dernier moyen dont on dispose)

Le cheval

Le cheval était indispensable à l'homme, aussi bien pour les travaux des champs que pour la chasse et pour les batailles.

(Un étudiant explique à son ami les raisons de son inquiétude.)
— Qu'est-ce que tu as ? ***Tu n'es pas dans ton assiette****, aujourd'hui !*
— Non, c'est vrai ! ***Je ronge mon frein****. J'attends le résultat des examens !*
— Ne t'inquiète pas ! Après tout, ce n'est que la première fois que tu essayes !
— Tu ne connais pas mes parents. On est avocat de génération en génération dans la famille. Je les vois déjà ***monter sur leurs grands chevaux*** *en apprenant que je n'ai pas été reçu !*

– monter sur ses grands chevaux (s'emporter, se mettre en colère)
Pour affronter l'ennemi, les nobles prenaient les plus beaux chevaux, réputés pour leur rapidité et leur nervosité.

– ronger son frein (contenir difficilement son impatience)
Le frein était le mors ou la barrette métallique qui était tirée par le cavalier pour retenir l'animal. Ce dernier manifestait son impatience en rongeant son frein.

– ne pas être dans son assiette (ne pas être en grande forme)
L'assiette en question ne fait pas référence au plat dans lequel on mange. Elle désignait la façon dont on était assis sur le cheval. À l'époque, *il n'était pas dans son assiette* signifiait qu'il avait une mauvaise assise sur son cheval.

■ Les couleurs

Voir la vie en rose

« A noir, E blanc, I rouge, U vert, O bleu : voyelles, ... »
(Arthur Rimbaud)

Élise ***annonce la couleur*** *à ses parents : elle veut arrêter ses études et partir un an à l'étranger comme jeune fille au pair. Mais la pauvre fille ne sait pas ce qui l'attend !*
(Six mois plus tard...)
Les enfants dont elle a la charge sont de terribles garnements : chaque jour, elle ***en voit de toutes les couleurs****, si bien qu'elle finit par regretter sa douce vie d'étudiante.*

– annoncer la couleur (faire connaître clairement ses intentions)
– en voir de toutes les couleurs (subir des épreuves)

Le langage des couleurs

Les couleurs ont une histoire, celle des peuples à travers l'histoire.

BLANC

Mon nouveau patron ***m'a laissé carte blanche*** *pour mener à bien le projet de formation linguistique. Le délai était tellement court que j'ai dû* ***passer une nuit blanche*** *pour finir l'impression du dossier.*

– un bulletin blanc (bulletin de vote qui ne porte aucune inscription)
– un examen blanc (examen non officiel)
– un mariage blanc (un mariage non consommé)
– voter blanc (lors d'un vote, ne pas se prononcer pour un candidat)
– blanc comme neige (symbole de pureté, d'innocence)
– le drapeau blanc (symbole de la paix)
– passer une nuit blanche (passer une nuit sans dormir)
– donner / laisser carte blanche à quelqu'un (permettre à quelqu'un d'agir comme il l'entend et, donc, renoncer à intervenir)
– les hommes et les femmes en blanc (les docteurs et les infirmières)

Le blanc était aussi la couleur des rois de France (la fleur de lys), ainsi que le bleu.

BLEU

– Le bleu et le rouge étaient les couleurs de la ville de Paris. En 1790, le maire de Paris a remis, par défi, ces deux couleurs au roi Louis XVI, qui les a acceptées en signe de réconciliation et les a rajoutées à sa cocarde blanche. Quelques années plus tard, cela donnera le drapeau français tricolore : bleu blanc rouge.

– Les sangs bleus représentaient les nobles, les aristocrates.

– Le *cordon-bleu* a constitué pendant deux siècles la distinction suprême de l'aristocratie française ; maintenant la Légion d'honneur lui a succédé. Un cordon-bleu, de nos jours, est une personne qui fait très bien la cuisine, c'est dire qu'on ne prend pas la cuisine à la légère !

– Les casques bleus, membres de la force militaire internationale de l'O.N.U. (Organisation des Nations unies), interviennent de par le monde pour sauvegarder la paix et la sécurité internationales.

– Ces dernières années, les Bleus sont devenus les joueurs de l'équipe de France, tous sports confondus.

– Un bleu, c'est aussi un petit jeune qui commence son armée et, par extension, un débutant.

prendre quelqu'un pour un bleu (penser qu'il est un débutant inexpérimenté)

– La Grande Bleue, c'est bien sûr la mer Méditerranée !

GRIS

L'ivresse a la couleur grise :

être gris(e) (être légèrement ivre / soûl[e])

■ griser : Ce petit vin l'a grisé(e). (l'a enivré[e] légèrement)
la griserie du succès (sens figuré)

Il existe aussi l'expression *être noir(e)* pour dire qu'on est complètement soûl(e), mais cette expression n'est plus tellement utilisée de nos jours.

On trouvera aussi d'autres images.

– la matière grise (le cerveau)

*Fais travailler un peu ta **matière grise** !* (Réfléchis !)

– l'éminence grise (d'un président, par exemple) (la personne qui conseille et agit dans l'ombre)

– faire grise mine à quelqu'un (lui faire un mauvais accueil)

*Marc **a fait grise mine** à sa mère quand elle est venue le chercher à l'anniversaire de son petit copain.*

JAUNE

– Couleur du blé et des premiers métaux, le jaune a été pendant longtemps la couleur de la prospérité.

– Il a été aussi la couleur des traîtres : les non-grévistes, soupçonnés d'avoir été achetés par le patronat, étaient appelés les jaunes (ou *briseurs de grèves*) en raison de leurs cirés jaunes de mineurs.

Autres images
- rire jaune (faire semblant de rire)
  Tout le monde s'est moqué d'Éric. Pour faire bonne figure, ***il a ri jaune.***
- le maillot jaune (le Tour de France a fait du jaune la couleur des champions)

NOIR

Le noir est la couleur de l'obscurité, de la tristesse et de la mélancolie :
- la nuit noire (sans étoiles ni lune)
- broyer du noir
- avoir les idées noires
- voir tout en noir

Le noir évoque également le deuil (la mort d'une personne proche : on porte le deuil en noir), la peur, l'angoisse :
- un film ou un roman noir (marqué par des scènes de violences, des meurtres)

Enfin, le noir est la couleur de l'illégalité :
- le marché noir (trafic clandestin, pratiqué notemment pendant l'Occupation lors de la Deuxième Guerre mondiale, par exemple)
- travailler au noir (de façon clandestine, sans être déclaré à l'administration)
  Pour éviter de payer trop d'impôts, ils ont décidé de ***travailler au noir !***

ROUGE

Avant la Révolution, le drapeau rouge était utilisé pour signaler le danger et disperser les foules. Il a été récupéré par la foule révoltée et est devenu l'emblème des opprimés.
- La banlieue rouge était le lieu où se déroulaient les émeutes, en général, autour de la ville.
- Le drapeau rouge est celui des partis communistes, surnommés les rouges.

Le danger et l'interdiction sont aussi de couleur rouge.
- le drapeau rouge (toujours utilisé pour signaler le danger, sur les plages, sur les routes…)
- le feu rouge
- brûler le feu rouge / passer au rouge (ne pas respecter l'arrêt lorsque le feu est au rouge)
- être dans le rouge (se trouver dans une situation délicate et, plus précisément, ne plus avoir d'argent sur son compte)
- être sur liste rouge (quand quelqu'un interdit que son numéro de téléphone figure dans l'annuaire)

Enfin, pour signaler la fin d'un convoi, on attachait autrefois une lanterne rouge au dernier équipage. La lanterne rouge désigne aujourd'hui, le dernier d'une course, d'un classement.

*L'équipe de Saint-Étienne, **lanterne rouge** du championnat.*

VERT

– le billet vert (le dollar)
– le feu vert

*Martine est contente, ses parents lui **ont donné le feu vert** pour chercher un appartement.*

■ Au figuré
avoir / obtenir le feu vert pour faire quelque chose (l'autorisation)
donner le feu vert à quelqu'un pour faire quelque chose

– la langue verte (*l'argot*, qui est à l'origine la langue des joueurs de cartes)

L'environnement et l'écologie
– les espaces verts
– les Verts (un des partis écologiques ; ou, en général, les défenseurs de l'écologie)
– la classe verte (séjour scolaire dans un site où les élèves sont initiés à la découverte de la nature et de l'environnement)
– se mettre au vert (aller se reposer à la campagne)
– avoir la main verte (avoir un don inné pour cultiver les plantes)

L'environnement quotidien et culturel

– une boîte	noire	(une boîte contenant toutes les informations sur le vol d'un avion)
– une caisse	noire	(l'argent utilisé à des fins secrètes : *la caisse noire d'un parti*)
– une carte	bleue	(une carte bancaire)
– une carte	grise	(un certificat de propriété du véhicule)
– une carte	orange	(une carte d'abonnement au métro)
– une carte	verte	(un document d'assurance automobile)
– un numéro	vert	(un numéro gratuit)
– les pages	jaunes	(l'annuaire des sociétés)
– les pages	blanches	(l'annuaire des particuliers)

Les couleurs peuvent exprimer à elles seules ce qu'elles qualifient.

– un petit blanc	(un verre de vin blanc servi dans les bars)
– un bleu (de travail)	(un vêtement de travail en toile bleue)
– un bleu	(une contusion : *un bleu sur le bras, la jambe*)
– le bleu	(un fromage d'Auvergne)
– un petit noir	(un café noir, sans lait)
– une noisette	(un café avec une goutte de lait servi dans les bars, à cause de la couleur marron clair de la noisette)
– un gros rouge	(un vin de mauvaise qualité ou ordinaire)
– un rouge	(un rouge à lèvres)
– un rouge	(un vin rouge)

Les sentiments

– être blanc comme neige	la pureté, l'innocence
– avoir une peur bleue	la peur
– être fleur bleue	le romantisme
– être bleu de colère	la colère
– avoir les / des idées noires	la morosité
– voir tout en noir	
– voir la vie en rose	la gaieté
– voir rouge / se fâcher tout rouge	la colère
– être rouge de honte	la honte
– être vert de jalousie	la jalousie
– être vert de peur	la peur

2 • 3 Les expressions liées aux pays et aux régions

La langue française s'est d'abord enrichie au contact des langues régionales, avant de s'étendre hors de son territoire. À partir du XVIIe siècle, elle s'est développée sur les cinq continents, dans des pays qui sont presque tous devenus indépendants, mais où le français continue à être parlé par une partie de la population.
De cette expansion naîtront des parlers francophones caractérisés par une prononciation et une intonation bien spécifiques.

La variété régionale

L'occupation du territoire par des populations de différentes origines vers le IIIe siècle (notamment par les Francs d'origine germanique) semble être en partie à l'origine des diversités régionales.

Les langues du nord de la France s'appelaient *langues d'oïl*, les langues du sud, les *langues d'oc* (*oïl* et *oc* signifiant « oui » ; et la province française du Languedoc). Parmi toutes les langues qui se parlaient, seule celle de l'Île-de-France allait devenir la langue nationale, en grande partie pour des raisons économiques et culturelles. Certaines d'entre elles ont néanmoins subsisté (le basque, le breton, le catalan, le corse, l'occitan…).

Un mot peut avoir des sens différents selon les régions

→ Quelques définitions, II, 1, p. 141.

• Le pochon, par exemple, est un *sac en papier ou en plastique* dans la région du Centre, et désigne *une louche* (grande cuillère, par exemple pour servir la soupe) dans la région lyonnaise, dans les régions de l'Est et en Picardie.

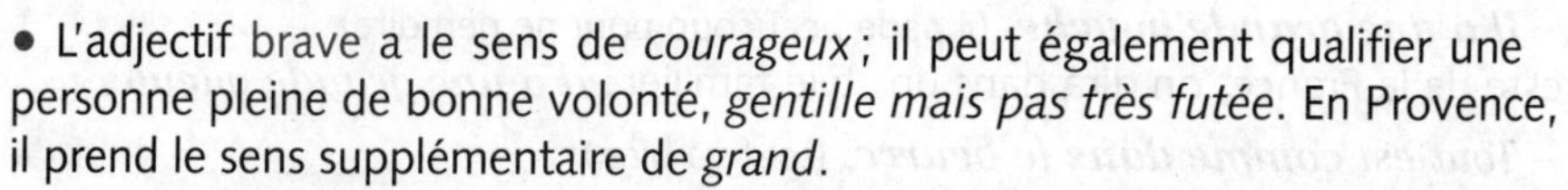

• L'adjectif brave a le sens de *courageux* ; il peut également qualifier une personne pleine de bonne volonté, *gentille mais pas très futée*. En Provence, il prend le sens supplémentaire de *grand*.

*Il m'a fait une **brave** peur en sautant du muret !* (une sacrée peur)

• D'autre part, les gens du Nord donnent le sens de *courageux* à l'adjectif franc, alors que nous lui connaissons le sens de *loyal* et de *sincère*.

Divers mots ou expressions sont utilisés pour signifier la même chose

• Les appellations du **pain** varient d'une région à une autre :
- la flûte est une variante régionale de la baguette parisienne
- le pain (parisien) est nommé restaurant en Provence.

• Dans le sud de la France, les **tomates** sont aussi appelées pommes d'amour, et les **oignons**, les cèbes ou cébettes.

• Dans de nombreuses régions de France et même dans les pays francophones, il peut y avoir des confusions entre le petit déjeuner, le déjeuner, le dîner et le souper. Il sera donc prudent de vous faire préciser l'heure à laquelle vous êtes invité. Dans la langue standard :

– le petit déjeuner	le repas du matin (parfois appelé *le déjeuner*)
– le déjeuner	le repas de midi (parfois appelé *le dîner*)
– le dîner	le repas du soir (parfois appelé *le souper*)
– le souper	c'était le repas d'après le spectacle dans la vie mondaine

• D'autre part, pour signifier qu'il pleut très fort, plusieurs images seront utilisées :

– dans toute la France :	*Il tombe **des cordes** !*
	*Il pleut/tombe **des hallebardes** !* (une *hallebarde* était une grande lance utilisée par les soldats pour faire tomber les cavaliers)
– en Champagne-Ardennes :	*Il pleut **à bouteilles** !*
– en Languedoc-Roussillon :	*Il tombe **des rabanelles** !*
– en Alsace :	*Il pleut **des têtes de chats** !*

• Pour signifier que quelque chose est incompréhensible, les Alsaciens diront : c'est de l'espagnol, alors que nous emploierons plus communément l'expression : c'est du chinois ou c'est de l'hébreu !

Quelques particularismes régionaux

Voici répertoriées quelques expressions dont la plupart sont connues par l'ensemble de la population, mais qui s'utilisent plus fréquemment dans un espace régional donné : zone ouest, zone nord, zone franco-provençale (Savoie, Suisse romande, Val d'Aoste, Lyonnais, Beaujolais).

• En Alsace

– ***Il a une grande bouche.*** (il parle beaucoup pour ne rien dire)

Dans le reste de la France, on dira dans un style familier : *Il a une grande gueule.*

– *Tout est* ***comme dans le beurre.*** (tout va bien)

Ailleurs, on dira couramment et familièrement : *Tout baigne !/Ça baigne/Ça baigne dans l'huile !*

• En Basse-Normandie (zone nord-ouest)

– *Je viendrai te voir* ***ce midi !*** (aujourd'hui, vers midi)

– *Le matin, elle* ***déjeune*** *à 7 heures.* (elle prend son petit déjeuner)

• En Franche-Comté

– *Arrête de* ***chouiner !*** (pleurer, en parlant des enfants)

– *Il ne* ***fait pas gras,*** *aujourd'hui.* (il ne fait pas chaud)

• En Languedoc-Roussillon

– *Arriver plus d'une heure en retard,* ***ça marque mal*** *quand même ! Tu devrais mettre ton réveil la prochaine fois !* (ça fait mauvaise impression)

– *Je ne sais pas ce que j'ai aujourd'hui, je suis toute* ***dévariée.*** (bizarre)

• En Provence

Elle ***me fait peine*** *: depuis la mort de son mari, elle n'a pas ouvert la bouche !* (elle me fait pitié) ***Peuchère !*** (onomatopée qui exprime la pitié, en provençal)

• Région Poitou-Charentes

*Aujourd'hui, j'ai une petite journée : j'****embauche*** *à 10 heures et je* ***débauche*** *à 14 heures.* (*embaucher :* commencer une journée de travail ; *débaucher :* sortir du travail)

Alors que nous sommes habitués aux sens suivants :

– embaucher quelqu'un (engager un salarié)

– débaucher quelqu'un (licencier un salarié, et, dans un **sens figuré**, entraîner quelqu'un à une vie déréglée, à *la débauche*)

• En Picardie (zone nord)

– *Il* ***fait cru.*** (il fait froid et humide ; se dit également en zone franco-provençale)

– *Il* ***me cherche misère.*** (il cherche à se disputer avec moi)

• En Savoie (zone franco-provençale)

Il fait ***grand beau,*** *aujourd'hui !* (très beau)

Le week-end dernier, nous avons fait ripaille chez notre amie Anne: elle avait prévu un vrai festin avec divers hors-d'œuvre, plats et entremets.
(*faire ripaille*: manger en abondance – cette expression d'origine régionale est maintenant intégrée à la langue commune)

■ Une particularité : l'accent... des autres

Tous les Français ne parlent pas de la même façon. Loin d'être un obstacle à la communication, cette diversité permet de localiser plus ou moins le lieu d'origine de son interlocuteur.

• Quand un Méridional « monte » à Paris, il trouve que les Parisiens ont l'accent **pointu**. Il peut remarquer aussi l'accent des **titis parisiens**, c'est-à-dire celui des Parisiens de la rue.

• À l'inverse, quand un Parisien « descend » en province, il sera séduit ou étonné par:
– l'accent **du Midi**: la particularité est de détacher les syllabes et d'accentuer la dernière syllabe en prononçant le « e » dit *muet*. On dit que c'est un accent chantant;
– l'accent **berrichon** ou **bourguignon** qui se caractérise par une prononciation des « r » roulés;
– l'accent « **traînant** » des gens de l'Est...

Chaque région a ainsi ses particularités: l'accent breton, alsacien, l'accent du Nord (le « chtimi »). Ces différentes prononciations régionales varient également en fonction du milieu social et adoptent parfois des intonations issues des banlieues.

• Des expressions représentant un caractère donné ou supposé de certains provinciaux sont à l'origine d'expressions toutes faites en rapport avec une région.

– une promesse de Gascon	une promesse qui n'est pas tenue
– une réponse de Normand	une réponse qui ne répond pas clairement à la question posée
– une histoire marseillaise	une histoire comique et exagérée

• Et quand deux locuteurs français ne se comprennent pas, il n'est pas rare d'entendre:
— *Je parle français ou quoi?*
— ***Vous ne comprenez pas le français, non?*** (c'est-à-dire, ce que je suis en train de dire)

■ Le français hors métropole

À partir du XVIIe siècle, le français s'est étendu dans divers pays du monde. Certains de ces pays sont devenus français:
– les départements d'outre-mer ou DOM, comme les Antilles françaises (la Guadeloupe, la Martinique), la Guyane française, la Réunion, Saint-Pierre-et-Miquelon;
– les territoires d'outre-mer ou TOM: la Nouvelle-Calédonie, Wallis-et-Futuna, la Polynésie française (Tahiti), les terres Australes et Antarctiques françaises (archipel des Kerguelen...) et Mayotte.

➔ Les sigles, II, 1, p. 182

Dans les **DOM-TOM**, on parle français comme en métropole, mais chaque département ou territoire possède des particularismes langagiers (les créoles).

• À Saint-Pierre-et-Miquelon, ils font quelque chose les doigts dans le pouce, alors que nous avons l'habitude de le « faire les doigts dans le nez » (sans se fatiguer). Et alors qu'il tombe de gros « flocons de neige » dans l'hexagone, là-bas, il tombe des bérets basques ou des plumes d'oie.

• À la Réunion, on dira par exemple :
– un film en blanc noir (un film en noir et blanc)
– un pied d(e) bois (un arbre)

De la même manière :
un pied d(e) banane (un bananier), un pied d(e) goyave (un goyavier)... et...
... un pied d(e) riz (la femme ou l'homme riche que l'on va épouser, le riz étant l'aliment à la base de la nourriture créole !)

La variété francophone

L'espace francophone se compose de nombreux pays, pour lesquels le français est présent en tant que langue maternelle ou seconde, selon différents paramètres spécifiques à chacun des pays. Sans entrer dans le détail de ces apports culturels et linguistiques, nous avons voulu montrer, à travers ces quelques exemples, le dynamisme de la francophonie en matière de créativité lexicale et nous incitons les apprenants étrangers à aller plus loin, au cours d'un voyage ou d'une rencontre.

■ Les mots locaux sont créés selon les règles de formation

• En Afrique
une essencerie (un poste à essence, au Sénégal ; selon le même modèle que *boulangerie*, *boucherie*), doigter (montrer du doigt), droiter (tourner à droite)

• En Belgique
un légumier (un marchand de légumes, selon le modèle de *crémier*, *épicier*, *fermier*, *jardinier*), réciproquer (adresser en retour des vœux ou des souhaits pour rendre la réciproque)

• Au Québec
– magasiner (faire les magasins)

Ce mot fait référence à la formation des verbes à partir des substantifs et à certains néologismes comme solutionner (donner des solutions).

– faire son magasinage (ses courses)
Cette expression fait référence à la formation d'un nom à partir d'un verbe qui exprime une action (*dépanner / dépannage*) ou le résultat d'une action (*coller / collage*).

Des mots ou des expressions sont créés en fonction des besoins et des réalités de la vie quotidienne, comme grigriser (jeter un sort, au Niger – le *grigri* est un petit objet censé porter bonheur). Ce mot est créé selon le modèle de *optimiser*. ➔ Les néologismes de formation récente, II, 1, p. 188.

■ Les mots changent de sens : un mot pour un autre !

• En Afrique, un gros mot est un « mot savant », alors que c'est un mot impoli en France. Et une grosse note est tout simplement une « bonne note ».

• Notons aussi qu'au Zaïre, une blonde est une « belle jeune femme », alors qu'au Québec, c'est une fiancée, une « petite amie »... (On retrouve d'ailleurs ce même sens de « petite amie » dans la chanson populaire française « Auprès de ma blonde ».)

• En Belgique, un pistolet est un « petit pain rond » ; un torchon (en France, c'est la serviette que l'on utilise pour essuyer la vaisselle) est une « serpillière » dont l'utilité se limite au lavage du sol. Un bonbon tel que nous le connaissons est en fait un « petit biscuit sec ». Et plus couramment encore, le verbe savoir y a le sens de « pouvoir » :

*Je ne **sais** pas voir, j'ai un grand juste en face de moi !* (je ne peux pas voir – cette construction du verbe *savoir* est courante également dans le Nord)

• En Suisse, un « distributeur automatique de billets » s'appelle un automate, alors qu'en France, ce mot désigne un jouet ou une machine munie d'un mécanisme automatique ; un « étui à lunettes » devient un cache-lunettes ; et une « salle à manger », une chambre à manger, alors qu'en France le mot « chambre » n'est utilisé que pour la pièce où l'on se couche : la *chambre à coucher*. ➔ Les synonymes varient en précision, I, 2, p. 91.

■ Les images changent dans les expressions

• En Afrique, par exemple, au lieu de « baisser les bras » (renoncer à faire des efforts), on baisse les pieds ; et au lieu de « faire la tête » (bouder) on ferme la figure.

• En Belgique, tomber dans le beurre signifie « avoir de la chance » ; faire de son nez, c'est « faire l'important », et avoir un œuf à peler avec quelqu'un, c'est « avoir un compte à régler ».

• Au Québec, de nombreuses expressions expriment le sentiment de colère : être en baptême / être en sorcier, que l'on peut traduire en France par l'expression « avoir la moutarde qui monte au nez ».
Un autre exemple : les Québécois disent dormir comme des ours, alors que les Français ont l'habitude de « dormir comme un loir » (c'est-à-dire profondément – notez que ces deux images font référence à des animaux qui hibernent). ➔ Les expressions comparatives, II, 2, p. 207.

Les pays ou les villes dans les expressions imagées

(Deux étudiants américains, John et Peter, se retrouvent à la fin des cours.)
— Mon Dieu ! je n'ai rien compris au cours de français ce matin et pourtant on est en France depuis plus d'un an maintenant. Je ne sais pas d'où il vient, le prof, mais il ***parle français comme une vache espagnole*** *!*
— Oh ! moi, de toute façon, je n'y comprends jamais rien. Je suis nul en français. Quant aux maths, n'en parlons pas, ***c'est du chinois*** *!*

(John retrouve un copain à la terrasse du café Bastide.)
— Eh bien, Gilles, ***tu bois en Suisse*** *?*
— Non, non, j'étais avec Cédric, et puis mon correspondant anglais s'est avancé et nous avons discuté de notre prochain séjour chez lui. Je ne me suis pas rendu compte que Cédric s'ennuyait ; quand je me suis retourné, il ***avait filé à l'anglaise.***
— Dis, je voulais te demander comment rejoindre notre point de rendez-vous de dimanche.
— Oh ! tu as le choix entre plusieurs trajets. Je te montrerai sur la carte. De toute façon, ***tous les chemins mènent à Rome****, n'est-ce pas ?*
— C'est sympa ! Au fait, tu sais si la visite du musée de la Préhistoire et le déjeuner sont maintenus ?... Parce qu'en ce moment, ***ce n'est pas le Pérou*** *! Ah là là ! vivement que je publie mon roman, je serai riche et ferai le tour du monde !*
— Tu sais bien que c'est impossible : tu n'en es qu'à la trentième page de ton roman et puis, de toute façon, tu ne supportes pas l'avion ! Alors, ce n'est pas la peine de ***bâtir des châteaux en Espagne*** *!*

Tout content d'avoir fêté avec Gilles le début des vacances, il reçoit ***une douche écossaise*** *quand il apprend, par sa famille d'accueil, que ses parents ont eu un accident de voiture. Quel choc !*

– filer à l'anglaise (s'en aller sans dire au revoir)
– C'est du chinois / C'est de l'hébreu. (c'est incompréhensible)
– recevoir une douche écossaise (subir un douloureux renversement de situation en recevant une bonne nouvelle immédiatement suivie d'une mauvaise nouvelle)
– bâtir des châteaux en Espagne (se mettre en tête des projets irréalisables)
– parler français comme une vache espagnole (parler très mal)
– Ce n'est pas le Pérou. (éprouver quelques difficultés financières)
– Tous les chemins mènent à Rome. (on arrive toujours au même endroit, quel que soit l'itinéraire emprunté)

Du temps de César, les routes, construites par les légions romaines, avaient été conçues de façon à mener toutes à Rome.

– boire en Suisse (seul, en secret)

Cette expression viendrait de l'habitude, propre aux pays germaniques, de payer chacun son verre, alors qu'en France, la tradition de « la tournée » veut que chacun paie tour à tour (pour tout le monde).

2 • 4 Les expressions liées à l'air du temps

Selon l'air du temps, la langue s'approprie des expressions en rapport avec les intérêts ou les obsessions du moment. C'est en partie grâce au langage imagé que se traduit l'évolution des mentalités : l'art, la technique, la médecine, le sport et le sacré influencent tour à tour la manière de s'exprimer.

■ L'art

La musique adoucit les mœurs.

La musique, le théâtre, la peinture, la poésie font partie de notre environnement quotidien et donc de notre langue.

La musique

*Bertrand, qui est réglé **comme du papier à musique**, ne comprend pas son frère cadet Mathias, qui a éprouvé le besoin de tout abandonner du jour au lendemain et de recommencer sa vie à l'autre bout du monde. Pas une rencontre familiale ne se déroule **sans fausse note**, depuis que cette décision a été prise.*

*L'ambiance est tendue, alors que jusque-là, toute la famille vivait **à l'unisson**. Des disputes éclatent. Selon l'avis de tous, il est inconcevable de nos jours d'abandonner son travail... Mathias **connaît la chanson**, on ne cesse de lui répéter la même chose !*
*Aline, sa sœur aînée, est la seule à le comprendre vraiment. Chaque fois qu'elle est là, elle les invite à **mettre un bémol** et **à accorder leurs violons**, avant qu'ils ne se fâchent pour de bon !*

– mettre un bémol (atténuer les propos, parler moins fort)
❑ Le *bémol* est un signe musical qui abaisse la note d'un demi-ton.
– connaître la chanson ! (savoir ce qui va être dit pour l'avoir déjà subi plusieurs fois)
– être au diapason (en harmonie avec les idées, l'humeur de quelqu'un ou les circonstances)
❑ Le *diapason* est un petit instrument en métal qui donne la note de référence – le *la* – pour l'accord des instruments de musique.
– se mettre au diapason (se mettre en accord avec les opinions ou les attitudes des autres)
– changer de disque (familier et figuré ; changer de rengaine, arrêter de toujours parler du même sujet)
– une fausse note (un détail qui choque)
– être réglé comme du papier à musique (avoir une vie régulière et réglée ; se dit aussi d'une action qui se répète avec régularité)

– à l'unisson (en parfaite harmonie d'idées et de sentiments)

❏ En musique, l'*unisson* est l'ensemble des voix ou d'instruments chantant ou jouant des sons de même hauteur.

– accorder ses violons (se mettre d'accord)

Le cinéma, le théâtre

Rémi adore ***se donner en spectacle****. Dès qu'il le peut, dans les soirées auxquelles il est invité ou même, faute de mieux, chez lui devant la grande glace de la salle à manger, il* ***fait son cinéma****. Il imagine qu'il* ***joue le rôle*** *d'un chevalier servant, d'un guerrier barbare ou d'un homme politique qui* ***occupe le devant de la scène****.*

Ses amis sont aujourd'hui ***aux premières loges****: ils assistent avec amusement à la* ***scène*** *de ménage imaginée par Valérie, sa compagne, qui adore elle aussi* ***jouer la comédie****.*

– faire son cinéma (familier; exagérer son attitude pour impressionner son entourage)

– faire *ou* jouer la comédie (faire semblant, simuler)

– être aux premières loges (être placé de manière à pouvoir suivre le déroulement d'un événement quelconque)

❏ Dans une salle de théâtre, les *loges* sont des compartiments de plusieurs places.

– passer (quelque chose) au premier plan (accorder une priorité)

– jouer un rôle (influencer)

– avoir le beau rôle / avoir le mauvais rôle (être dans une situation où l'on est à son avantage / à son désavantage)

– faire une scène à quelqu'un (exprimer son mécontentement avec violence: *une scène de ménage, une scène de jalousie*)

❏ Les pièces de théâtre se divisent en *actes* qui eux-mêmes se composent de plusieurs scènes: *acte II scène I*.

– occuper le devant de la scène (être connu du public, être en pleine actualité: *la scène politique, internationale*...)

– se donner en spectacle (attirer l'attention sur soi, faire l'intéressant – valeur négative)

– servir de toile de fond (être utilisé comme arrière-plan, comme contexte)

La peinture, la poésie

En arrivant de l'école, Manon est en pleurs. Entre deux sanglots, elle ***brosse un tableau*** *assez négatif de sa journée de classe: elle a été sévèrement punie par sa maîtresse... Mais Manon* ***s'emmêle les pinceaux*** *dans ses explications: elle se contredit, devient hésitante...*

— Manon, ne nous ***raconte pas d'histoires****, s'il te plaît, tu sais très bien que ça* ***ne rime à rien****!*

— C'est la faute de Camille, c'est elle qui ***a cherché des histoires****. Je ne* ***peux plus la voir en peinture****, cette fille!*

– ne plus pouvoir voir quelqu'un en peinture (familier; détester quelqu'un fortement; même la vue de son portrait serait insupportable)

– s'emmêler les pinceaux (familier: tomber; familier et figuré: s'embrouiller, rendre obscur un propos – *le pinceau:* le pied)

– brosser un tableau (décrire sans rentrer dans les détails)

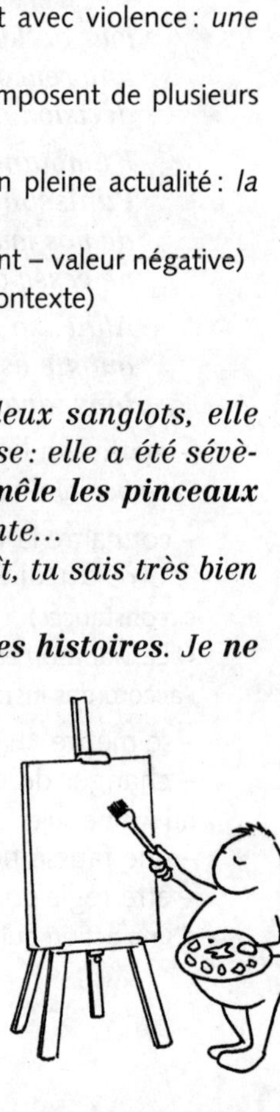

– raconter des histoires (familier ; raconter des mensonges dans le but de tromper son interlocuteur)
– chercher des histoires (familier ; chercher des complications, des ennuis)
– parler comme un livre (se dit de quelqu'un qui s'exprime très bien)
– tourner la page (oublier le passé et penser à l'avenir)
– être à la page (à la mode)
– C'est tout un poème ! (se dit de quelque chose d'incroyable qu'il est difficile de raconter !)
– ne rimer à rien (ne mener nulle part)

■ La technique

Tout nouveau, tout beau.

Ce proverbe souligne que la nouveauté a toujours un certain charme, mais qui ne durera pas forcément.

Le vocabulaire technique attribué à l'homme l'assimile à une machine, un appareil électrique ou à un ordinateur.

(Conversation entre Michel et Sophie, deux collègues de travail.)
*— Ça **marche**, ton nouveau projet ?*
*— Non, je suis **en panne d'inspiration** en ce moment ! Je ne m'entends pas avec Barbara. On n'est pas **sur la même longueur d'onde**. Je trouve qu'elle n'est pas compétente, à croire qu'elle a eu ce poste **par piston** ! Le problème, c'est que je ne peux pas **faire machine arrière** !*
*— Ne t'inquiète pas ! L'entreprise a prévu une **compression** de personnel. Le patron veut **dégraisser** les effectifs ; si ça se trouve, on lui demandera de partir !*
*— On verra. En tout cas, c'est la fin de la journée, je suis fatiguée, je n'**imprime** plus ce qu'on me dit ! Ça te dirait, une partie de tennis avec moi ?*
*— Euh, désolé, mais je suis complètement **rouillé**, ça fait longtemps que je n'ai pas fait de sport !*

– Ça me branche (familier ; ça m'intéresse, ça me plaît), être branché (être à la mode)
❑ *Brancher*, c'est raccorder un appareil à un circuit électrique.

– faire une compression de personnel / de dépenses (réduire)
❑ Une *compression* est le fait de comprimer, serrer pour diminuer le volume de quelque chose.

– dégraisser les effectifs (familier ; réduire en licenciant le personnel)
❑ *Dégraisser*, c'est enlever la graisse.

– mettre le doigt dans l'engrenage (s'engager imprudemment dans une affaire et ne pas pouvoir revenir en arrière)
❑ Au sens propre : l'*engrenage* est un système de roues dentées qui rentrent les unes dans les autres et se transmettent le mouvement.
❑ Au sens figuré : l'*engrenage* est un enchaînement de circonstances qui aggravent une situation à laquelle on ne peut échapper.

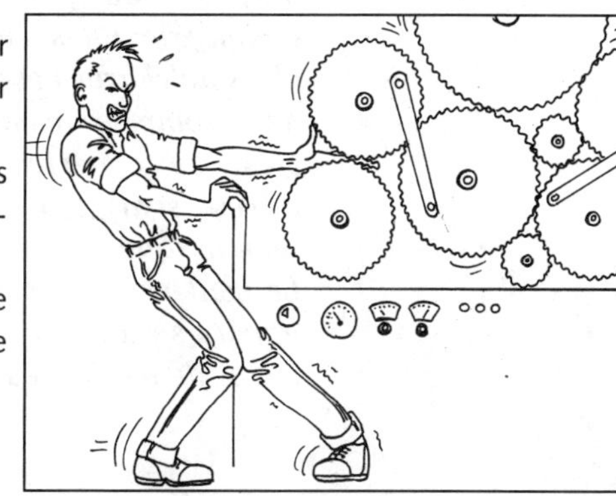

– Je n'imprime plus. (familier ; je n'arrive plus à réfléchir)

❏ *Imprimer*, c'est reproduire sur papier un écrit tapé sur un ordinateur.

– faire machine arrière (revenir en arrière)
– marcher (fonctionner)
– être en panne de quelque chose (manquer de quelque chose)

❏ Une *panne* est un arrêt anormal du fonctionnement d'un moteur ou d'un mécanisme.

– être sur la même longueur d'onde (se comprendre, parler le même langage)
– avoir du piston (avoir un appui haut placé permettant d'obtenir une faveur, un avantage), pistonner quelqu'un (familier ; insister pour que quelqu'un obtienne une place, un avantage)

❏ Un *piston* est une pièce se déplaçant dans un mouvement de va-et-vient et qui permet le fonctionnement d'une pompe à vélo par exemple.

– être rouillé (avoir perdu de sa souplesse physique ou intellectuelle)

❏ La *rouille* est une matière rouge qui se forme sur le fer et abîme les métaux exposés à la lumière ; *rouiller*, *être rouillé*.

■ La médecine

Aux grands maux, les grands remèdes.
Ce proverbe précise que, devant un danger ou face à une épreuve,
il faut savoir prendre de grandes décisions et agir courageusement.

Le langage médical n'est plus le domaine exclusif des praticiens. Par le biais des médias, de nombreux termes médicaux sont passés dans le langage courant avec un sens figuré.

– la bonne ou la mauvaise santé de l'euro, de l'économie, d'une entreprise
– la fracture sociale (expression imagée pour décrire le fossé qui existe entre les personnes aisées et les personnes en dessous du seuil de pauvreté ; v. dessin)
– le mal de la décennie (le stress)
– le malaise de la société
– la mort lente de la Sécurité sociale (fait référence à son déficit)
– la plaie du chômage
– les poumons de la Terre (la forêt)
– la situation d'urgence des banlieues
– le virus de la contestation

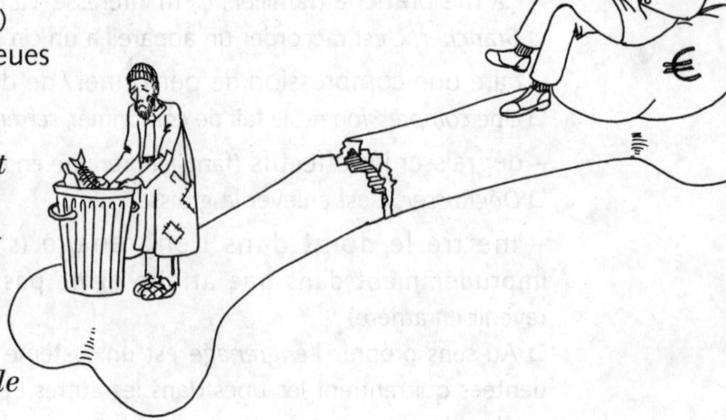

***Certaines entreprises sont parfois au bord de l'asphyxie**. Elles sont accablées de charges et perdent des sommes considérables. Leur pertes financières sont une véritable **hémorragie**.*
*Le seul **remède** consisterait à **injecter** de nouveaux capitaux. Un tel apport serait une vraie **bouffée d'oxygène** pour les employés, qui risquent de perdre leur emploi si on ne fait rien.*

– une asphyxie (arrêt d'une activité)

❏ L'*asphyxie* est l'état de l'organisme quand il manque d'oxygène.

– une bouffée d'oxygène (ce qui redonne du dynamisme, ce qui donne un souffle nouveau)

❏ L'*oxygène* est un gaz contenu dans l'air, indispensable à la vie.

– une hémorragie (perte, fuite importante de quelque chose)

❏ L'*hémorragie* désigne un fort écoulement de sang, survenu après une opération, un accident...

– une injection de capitaux (un apport massif des capitaux), injecter (apporter, ajouter, par exemple des capitaux)

❏ *Faire une injection* est un geste médical courant : faire une piqûre.

– un remède (moyen permettant de résoudre un mal, une difficulté)

❏ Le *remède* est un médicament.

Ces derniers jours, la presse fait état d'une véritable ***épidémie*** *des faux permis : il semblerait qu'il y ait de nombreux automobilistes qui conduisent sans véritable permis de conduire.*

Les enfants aiment les histoires d'Harry Potter. C'est ***contagieux*** *! Toute la famille a voulu lire le livre !*

– une épidémie (sens figuré : apparition subite et développement rapide d'un événement qui n'est pas souhaité)

❏ Dans le domaine médical, on parle d'*épidémie* lorsqu'une maladie contagieuse se propage à un grand nombre de personnes.

– C'est contagieux ! (qui se communique facilement), un rire contagieux

❏ On dira de même à propos de quelque chose qui s'est transmis de façon involontaire:

Florence est une jeune femme très coquette. Elle profite de l'arrivée de ses deux amies pour les amener faire les boutiques avenue Montaigne. Toutes les trois, elles s'imaginent alors qu'elles sont de grandes dames. Dans la ***fièvre*** *de leurs retrouvailles, elles font une* ***folie*** *et sortent du magasin avec une robe d'un grand couturier !*
C'est de la folie*, quand on pense que son mari vient d'être licencié !*

– la fièvre (excitation : *la fièvre du samedi soir*)

❏ La *fièvre* désigne la montée de la température du corps suite à une infection.

– la folie, la démence (le manque de bon sens)

❏ À l'origine, c'est la maladie des personnes qui ont l'esprit dérangé.

– C'est dément ! (familier ; c'est fou, c'est complètement dingue, c'est incroyable !)
– C'est de la folie ! (c'est insensé)
– faire une / des folies (faire des dépenses excessives)

C'est vraiment une ***plaie****, cet homme-là !*
Quelle ***plaie****, ce téléphone !*

– une plaie (une personne ou une chose insupportable et dont on ne peut pas se débarrasser)

❏ Une *plaie* est une blessure corporelle.

Thomas a été ***traumatisé*** *par l'arrivée de sa petite sœur : il n'arrête pas de pleurer.*

– le traumatisme (choc émotionnel), être traumatisé (être choqué)

❑ En médecine, le *traumatisme* est un choc pouvant entraîner des blessures physiques ou psychologiques.

Françoise fait partager sa passion de la lecture à tous ses amis. Même Pierre ***a attrapé le virus*** *: il n'arrête pas d'aller à la bibliothèque.*

– un virus (sens figuré : une passion qui se développe)

❑ Dans le domaine médical, le *virus* est un germe, un microbe qui peut provoquer une maladie, une infection : *le virus du sida*.

■ Autres emplois au sens figuré :

– attraper le virus (être soumis involontairement à quelque chose, une passion par exemple)

– avoir le virus de quelque chose (du cinéma, de la lecture…)

– un virus informatique (programme destiné à provoquer des troubles de fonctionnement des autres systèmes informatiques) ➔ Les néologismes de formation récente, II, 1, p. 185-86.

– Enfin, on parlera de syndrome pour décrire l'ensemble des comportements qui se répètent lors de situations identiques : par exemple, une personne qui a du mal à accepter de vieillir est atteinte du *syndrome de Peter Pan*.

■ Le sport

Rien ne sert de courir, il faut partir à point.

Ce proverbe provient d'une fable de La Fontaine, *Le Lièvre et la Tortue*.

Il vaut mieux fournir un travail lent mais constant, plutôt que d'agir dans l'urgence.

Le sport anime les passions, rassemble les foules et transmet un esprit sportif à la langue.

L'entreprise est au bord de la faillite. Une réunion a eu lieu, au cours de laquelle les deux principaux actionnaires n'ont pas arrêté de ***se renvoyer la balle****.*

Paul a été licencié la semaine dernière. Heureusement, il ***avait assuré ses arrières*** *en mettant de l'argent de côté ; il va donc pouvoir vivre sur ses réserves pendant quelque temps.*

Marion ***est sur la touche*** *depuis qu'elle a commis une faute professionnelle : elle est tenue à l'écart des décisions prises dans la société. Jour après jour, son mari Nicolas l'encourage à relever la tête. Mais Marion ne veut rien entendre, elle* ***n'est plus dans la course****. Nicolas a donc décidé de* ***jeter l'éponge****.*

C'est ***la dernière ligne droite*** *avant le concours interne : il ne reste qu'une semaine pour combler les lacunes. Après l'épreuve, les employés auront besoin de* ***reprendre leur souffle*** *pour* ***être d'attaque*** *pour obtenir les primes de fin d'année.*

Alain, directeur du marketing, a fait entrer son neveu tout juste diplômé dans la succursale de Toulouse :
— Je t'ai aidé à obtenir ce poste, maintenant ***la balle est dans ton camp.*** *À toi de montrer de quoi tu es capable, petit !*

Lionel avait peu de temps à consacrer à la réunion du comité d'entreprise, il ***est*** *donc* ***allé droit au but,*** *en exposant uniquement ce qui était à l'ordre du jour. Son intervention était claire et pertinente :* ***il a marqué des points*** *au sein du groupe, qui le considère désormais comme un membre à part entière de l'association. Lionel arrive enfin au résultat qu'il espérait : il* ***touche au but.***

Son frère est jaloux et ***mauvais joueur*** *: il n'accepte pas de perdre, dans la vie comme au jeu, et n'aime pas qu'on lui dise ce qu'il doit faire. En toutes occasions, il veut* ***mener le jeu.*** *En plus, il* ***est*** *toujours* ***sur la défensive,*** *comme s'il se sentait agressé en permanence.*

Pour se détendre, il restaure une vieille maison avec ses parents. Aujourd'hui, il a arraché les papiers peints, passé une première couche de peinture et, ***dans la foulée,*** *il a aussi repeint tous les encadrements de portes.*
— C'est vraiment du bon travail, dit son père. Mais dis donc, puisque ***tu es sur ta lancée,*** *tu ne pourrais pas restaurer ma maison, non ?*

– assurer ses arrières (être prévoyant et s'organiser en conséquence)

❑ Un *arrière* est un joueur placé près de son but et qui participe à sa défense.

– être d'attaque, se sentir d'attaque (se sentir en pleine forme, comme pour « attaquer »)

❑ Dans les sports d'équipe, un *attaquant* fait partie de la ligne d'attaque.

– se renvoyer la balle (se rejeter mutuellement la responsabilité)

– La balle est dans ton / son... camp. (c'est à toi / lui d'agir)

❑ Dans certains sports, le *camp*, c'est le terrain défendu par une équipe.

– aller droit au but (ne pas prendre de détours pour dire ou faire quelque chose), toucher au but (être près du but)

❑ Dans certains sports, le *but* est l'espace délimité que doit franchir le ballon : le joueur *marque* alors *un but* et l'équipe marque des points.

– ne plus être dans la course (être complètement dépassé par les événements)

❑ La *course* est une épreuve sportive organisée : *la course à pied, la course de fond, la course cycliste* (à vélo)...

– être sur la défensive (être sur ses gardes)

❑ Un *défenseur* est un joueur ou une joueuse qui fait partie de *la défense* et a pour rôle de résister aux attaques adverses.

– jeter l'éponge (abandonner le combat, la partie)

❑ Dans la boxe, réputée pour ses combats violents, l'entraîneur éponge son combattant après chaque round.

– faire quelque chose dans la foulée (dans le prolongement d'une action, d'un événement)

❏ Dans une course, la *foulée* désigne la distance parcourue chaque fois que le pied touche le sol.

– mener le jeu (imposer sa façon d'agir)

– être (un) bon / mauvais joueur (être un bon / mauvais perdant, c'est-à-dire être de bonne / mauvaise humeur lorsqu'on perd)

– être hors circuit ➔ ci-dessous : être sur la touche

– être, continuer sur sa lancée (continuer une action en profitant de l'élan initial)

❏ Le *lancer* est une épreuve d'athlétisme : *le lancer de poids, de disque*… La *lancée* est la vitesse acquise par la chose lancée.

– la dernière ligne droite (les derniers efforts avant le but)

– marquer des points (gagner l'estime, la confiance de quelqu'un)

– reprendre son souffle (faire une pause)

❏ En sport, on parle aussi de *second souffle*, qui désigne un regain de vitalité après un passage difficile, expression reprise également au sens figuré.

– être sur la touche, être hors circuit (être évincé, écarté)

❏ Le *circuit*, c'est le circuit automobile, et la *touche* désigne la sortie du ballon au-delà de la ligne de jeu.

■ Le sacré

Ce que femme veut, Dieu le veut.

Ce proverbe laisse entendre que la volonté d'une femme finit toujours par se réaliser.

Pour attirer l'attention des lecteurs ou des auditeurs, les médias ont tendance à rendre exceptionnel un fait ou une action en employant des termes relevant du sacré.

– Zinedine Zidane est ainsi devenu un dieu du stade, et le terrain de jeu est parfois un espace sacré.

– Le 12 juillet 1998 est devenu une date mythique, en raison de la victoire française à la Coupe du monde de football.

– Gérard Depardieu est qualifié de monstre sacré du cinéma français.

– Un film comme *Les Visiteurs* est déclaré « film culte » (qui fait l'objet d'une admiration fanatique de la part d'une catégorie de la population). Il en est de même pour des séries télévisées qui ont marqué leur époque : une série culte des années 80.

De ce fait, le vocabulaire du sacré est entré dans le langage quotidien.

(Conversation entre deux personnes qui tentent d'arrêter de fumer.)
— Tu es au courant du dernier livre de M. Dupont sur la nouvelle méthode pour arrêter de fumer ?
— Oh ! oui, ce livre est passionnant : il explique qu'on peut arrêter facilement et sans douleur. Je vais appliquer ces conseils à la lettre et suivre mot pour mot ce qu'il écrit.
— Je suis content pour toi, mais ne prends quand même pas sa méthode pour ***parole d'Évangile*** *: chaque cas est différent, tu sais !*
— Écoute, je ne suis pas d'accord avec toi, je suis allé à sa réunion de présentation. M. Dupont est un homme extraordinaire, plein de talent, et quel ***charisme*** *! J'ai été tellement charmé que son livre est devenu ma* ***bible****.*
— Ah, ***sacré*** *Paul, tu m'étonneras toujours !*

– une bible (un ouvrage de référence, qui fait autorité dans un domaine)

❑ La *Bible* est le recueil de livres saints du judaïsme et du christianisme, composé de l'Ancien et du Nouveau Testament.

– avoir du charisme (avoir du prestige, du fait d'une personnalité exceptionnelle)

❑ Dans le domaine religieux, le *charisme* désigne des dons de Dieu attribués à une personne.

– une parole d'Évangile (une vérité absolue, une chose indiscutable)

❑ L'*Évangile* est le recueil de quatre livres qui rapportent la vie et les paroles de Jésus-Christ.

– divin (délicieux, excellent)

Ce repas est ***divin****/est* ***divinement*** *bon.*

❑ Au sens propre, *divin* est ce qui se rapporte à Dieu : *la bonté divine, la volonté divine*...

– sacré (à qui ou à quoi on doit le respect absolu). De nos jours, il a tendance à renforcer tout mot auquel on attache une valeur affective.

Les amis, ***c'est sacré*** *!* (souligne l'importance de l'amitié dans la vie quotidienne)
Tu as une ***sacrée*** *chance, tu es un* ***sacré*** *farceur !*

❑ Au sens propre, *sacré* se rapporte au religieux, au divin : *les livres sacrés* (la Bible...)

LES MOTS ET VOUS

1 SOYONS PRÉCIS DANS CERTAINES SITUATIONS

Le vocabulaire est au cœur de l'apprentissage d'une langue. Quand vous avez un problème de communication, c'est en partie parce que les mots manquent. Pour vous aider à améliorer votre aptitude à communiquer à l'oral comme à l'écrit, nous allons chercher, dans ce chapitre, à être plus précis **en évitant les répétitions des verbes passe-partout** et en maîtrisant l'usage de quelques petits mots du discours : les **articulateurs**.

1 • *1* Localiser, décrire

Comment décrire un lieu, caractériser un objet, une personne en remplaçant **il y a, avoir, être** et **se trouver** par des verbes plus précis ?

Localiser dans l'espace, décrire un lieu

■ La localisation dans l'espace

Les Baux-de-Provence est un petit village pittoresque, ***situé*** *au cœur de la chaîne des Alpilles et* ***entouré*** *de champs d'oliviers et de haies de cyprès. Pour y parvenir, vous longez la route de Saint-Rémy-de-Provence jusqu'au vignoble des Baux, qui* ***s'étend*** *autour du village sur des centaines d'hectares. Vous découvrirez au loin le village des Baux qui* ***s'élève*** *doucement sur une colline, et vous apercevrez en son centre une ancienne chapelle du* XVIe *siècle où désormais,* ***est installé*** *le musée des Santons.*
Surplombant *le village, le château des Baux,* ***bordé*** *par deux ravins,* ***se dresse*** *au sommet d'un pic rocheux et* ***domine*** *toute la Provence. Cet endroit d'une beauté sauvage vous offrira un panorama splendide jusqu'à la mer.*
Toutes ces informations touristiques ***figurent*** *dans les guides de la région.*

border (se trouver, se tenir sur les bords de)
dominer, surplomber (se trouver au-dessus de quelque chose, être en position élevée)
se dresser (s'élever tout droit)

s'élever (se dresser)
entourer (se trouver autour)
s'étendre (occuper un certain espace)
figurer (appraraître, se trouver dans un espace donné)
– Son nom ne figure pas dans l'annuaire.
– Thomas ne figure pas dans la liste des finalistes.

reposer sur (se trouver sur, être établi sur)
situer, être situé (se trouver)

■ La description et l'organisation d'un lieu

Le Salon des vacances ouvre ses portes aujourd'hui; il ***a lieu****, comme chaque année, au parc des expositions de la ville. Pour accueillir les participants, le parc* ***dispose de*** *trois grands halls et de deux grandes salles* ***équipées d'****ordinateurs et* ***d'****outils multimédias, pour initier les plus jeunes au voyage virtuel. Chaque hall* ***comporte*** *plusieurs étages et* ***contient*** *environ une centaine de stands aménagés selon les secteurs d'activités: offices de tourisme, campings, parcs de loisirs, compagnies aériennes...*
Outre l'accès à tous ces services, le prix d'entrée ***comprend*** *également une dégustation de produits régionaux dont le stand* ***se tiendra*** *à l'entrée du salon. Alors, venez rejoindre les milliers de visiteurs pour savourer et apprécier les charmes des régions françaises!*

– Le marché a lieu tous les samedis. (*avoir lieu:* se passer, se dérouler)
– L'immeuble comporte trois étages. Il comporte également une cour intérieure. (être composé de)
– La France comprend des régions très diverses. / La France est constituée de régions très diverses.
– Cette ville compte 28 452 habitants. (contenir en soi)
– La salle de cinéma contient environ une centaine de personnes. (pouvoir faire entrer à l'intérieur)
– Le centre d'accueil dispose de chambres de 4 ou 5 lits. (*disposer de* + nom: avoir à sa disposition)
– La bibliothèque est équipée d'un espace multimédia. (*être équipé[e] de* + nom: posséder)
– Le musée possède des tableaux de Renoir. (avoir à sa disposition)
– Un buffet se tiendra à la sortie du spectacle. (avoir lieu)

Localiser une chose, un objet (abstrait/concret)

Le marché aux puces ***expose*** *parfois des trésors incomparables,* ***posés*** *souvent à même le sol: vaisselle de l'ancien temps, poupées de collection, coffres* ***renfermant*** *des jouets en bois et des livres jaunis. Tout est*

***disposé, rangé, présenté** au vu de tous les visiteurs attendris et nostalgiques du temps passé. Du livre de cuisine qui **contient** toutes les recettes de nos grands-mères, au vase en porcelaine qui **trône** magistralement sur le coin d'une table, chaque objet **présente** un double avantage : tout en étant peu cher, il offre à son propriétaire un voyage à travers le temps.*

contenir (avoir avec soi)
- Le vin contient de l'alcool.
- Un volume de la Pléiade peut contenir toute l'œuvre d'un auteur.

présenter (avoir telle apparence, tel caractère)
- La ville présente un aspect agréable.
- Cette offre présente un avantage.

renfermer (avoir avec soi)
- Le coffre renferme des bijoux et des pièces d'or.

- **Vous pouvez changer la structure de la phrase et passer de la voix active à la voix passive, ou inversement.**

disposer (placer d'une certaine façon), **placer**, **ranger** (mettre à sa place)
- Le livre est rangé / disposé / placé dans un coin de la bibliothèque.
- Le bibliothécaire dispose / range / place le livre emprunté dans les rayons de la bibliothèque.

exposer (présenter, disposer des choses, de manière qu'elles soient vues)
- Le musée de Grenoble expose quelques œuvres de P. Gauguin.
- Plusieurs œuvres de Gauguin y sont exposées.

poser (mettre sur un support), **reposer** (être sur un support), **trôner** (être en évidence)
- Un vase en porcelaine est posé sur la table. Il trône magistralement dans ce décor.

présenter (disposer pour montrer)
- Le collier en or est présenté dans un écrin.
- Le bijoutier présente le collier dans un écrin bordé de soie.

- **Pour une photo, une image :**
  - La photo représente / montre un jeune homme assis sur un banc (sur la photo, il y a…)
  - Sur cette image, on voit / on remarque…

- **Vous pouvez rendre vivants, personnifier des objets inanimés.**
  – Des éclairs au chocolat et des tartes au pommes attiraient le regard des gourmands, dès l'entrée de la boulangerie. (il y avait des éclairs...)
  – Les factures et les courriers de toutes sortes envahissent la boîte aux lettres. (il y a beaucoup de factures...)
  – Un dossier d'une cinquantaine de pages attend patiemment sur le bureau de Georges. (il y a un dossier sur le bureau de Georges)

Caractériser une personne

Caractériser une personne consiste à la décrire, à parler de sa taille, de son aspect physique, de ses caractéristiques, de son caractère, de ses attitudes... Notre préoccupation ici est de remplacer les verbes **avoir** et **être** si souvent employés lors des descriptions.

*Ils **entrent** à peine dans leur douzième année qu'on les pousse déjà à devenir adultes : compétitions sportives de haut niveau, concours de musique, auditions pour des spectacles...*

*Ils **nourrissent** tous l'espoir de devenir célèbres. Certains **se montreront** audacieux, courageux, d'autres **feront preuve de** patience et de ténacité. Tous **rencontreront** des difficultés. Peu **remporteront** des médailles, **recevront** des prix, des récompenses et des félicitations. Mais est-ce vraiment important ?*

■ La description, la caractérisation

– Il / Elle jouit d'une excellente santé. (avoir, jouir de)
– Il paraît, semble agréable, sympathique. (avoir l'air)
– Il possède de nombreuses qualités. (avoir avec soi, détenir)
– Il possède un fort accent alsacien. (avoir)
– Cet homme présente des symptômes inquiétants. (avoir telle apparence)

• **L'âge**

– Ce jeune homme est âgé de 20 ans...
– Il entre / va entrer / est entré dans sa vingtième année.
– Il fête / a fêté / va fêter son vingtième anniversaire.

• **La fonction** ➔ Les synonymes varient en précision, I, 1, p. 94.

– Il exerce le métier de médecin.
– Elle remplit la fonction de bibliothécaire.
– Il occupe le poste de directeur commercial...
– Il a perdu sa situation. (être demandeur d'emploi, être au chômage)

• **La tenue vestimentaire**

– Pour la cérémonie, elle s'habille en noir, blanc, rouge (être en noir...)
– Il porte / Il est vêtu d'un costume. (être en costume)

■ Les sensations, les comportements

– Il éprouve une impression d'angoisse, de solitude. (*éprouver :* avoir une impression)
– Il éprouve un malaise (se trouver mal), il s'évanouit. (perdre connaissance)
– Il souffre du dos. (*souffrir de :* avoir mal de façon permanente)
– Il ressent une douleur. (*ressentir :* avoir en soi)
– Il se sent bien, mal, en forme... (être en forme)
– Il se sent en difficulté. (se trouver dans une situation difficile)

Vous pouvez exprimer une sensation (par exemple, le froid) ou un tempérament (l'indifférence) par une réaction ou une manière de se comporter. Cela vous évitera ainsi, lors d'une description, de répéter les verbes **avoir** et **être**.

claquer des dents (réaction que l'on peut avoir quand on a froid ou peur)
étouffer, transpirer (avoir trop chaud)
frissonner (avoir des frissons, causés par un sentiment d'horreur, de peur ou de froid)
grelotter, trembler de froid (avoir très froid)
rougir de honte (avoir honte)
mourir de faim, de froid, de soif (avoir très faim / froid / soif)

se frotter les mains (être satisfait de quelque chose)
hausser les épaules (être indifférent)
lever les bras au ciel (attitude que l'on peut adopter lorsque l'on est surpris ou étonné)
marcher de long en large / faire les cent pas (être impatient)

rougir, balbutier (être timide ; *balbutier* signifie « dire à voix basse, en articulant mal »)
se sentir bien, mal, en forme...

■ Les sentiments, les tempéraments

adorer, chérir quelqu'un ; éprouver / ressentir de l'amour pour quelqu'un
appréhender, craindre, redouter quelqu'un / quelque chose (avoir peur de)
approuver quelque chose ou quelqu'un, apporter son soutien à (être pour qqch. ou pour qqn)
déprimer (familier ; avoir les idées noires)
détester, haïr quelqu'un, ressentir de la haine
faire preuve de patience, d'initiative, d'audace (montrer que l'on a...)
manifester de l'ironie, de la bonne humeur (être ironique, être de bonne humeur)
manquer de ressources, de vitalité... (être sans ressources / ne pas avoir de vitalité)
se montrer, se révéler courageux, patient, audacieux (montrer que l'on a...)
nourrir un espoir (entretenir)
rencontrer une difficulté (avoir temporairement une difficulté)
ressentir de la pitié pour quelqu'un (avoir...)
témoigner de la sympathie / de l'antipathie pour quelqu'un (montrer que l'on a...)

■ L'appartenance, la possession

acquérir de la valeur, acquérir des connaissances (arriver à avoir)
bénéficier, du beau temps, d'une réduction (avoir l'avantage de)
obtenir un diplôme, une prime (réussir à avoir)
posséder une maison, une propriété (avoir à soi)
profiter de l'occasion, saisir une opportunité (faire en sorte d'avoir)
recevoir un prix, une récompense, une lettre, de l'argent de poche (avoir par un don, un envoi...)
remporter une médaille d'or, d'argent ou de bronze

1 • 2 Raconter, rapporter un discours

Comment rapporter les paroles de quelqu'un autrement qu'avec le verbe dire ?

Dire, c'est exprimer par la parole ce que l'on ressent, ce que l'on pense : ***affirmer*** *son innocence,* ***annoncer*** *une nouvelle,* ***émettre*** *un vœu,* ***exposer*** *sa ligne de conduite,* ***exprimer*** *sa pensée,* ***faire part*** *de ses projets,* ***raconter*** *quelques anecdotes sur sa vie personnelle,* ***retracer*** *son parcours professionnel,* ***soutenir*** *une opinion,* ***révéler*** *un secret...*

exprimer

exprimer sa pensée, sa joie, son étonnement, son mécontentement (faire connaître ce que l'on pense, ce que l'on ressent)
– Il s'exprime clairement. (parler, manifester sa pensée par le langage)
– Ils s'expriment sur un sujet d'actualité.

raconter

raconter une histoire, un film à quelqu'un (faire le récit d'un fait à qqn)
– Raconte-moi ce qui s'est passé !
– Il a raconté à son petit-fils que l'histoire se déroulait dans un petit village de Bretagne et que les habitants auraient une fin heureuse.

Mais aussi :

émettre un vœu, une critique, émettre un doute, un avis (exprimer, formuler)
retracer un événement (raconter de manière à faire vivre ce qui est dit)

Voyons plus particulièrement les verbes qui précisent les intentions de celui qui parle :
– Le locuteur organise son discours en suivant l'ordre dans lesquels les événements se déroulent (selon une chronologie).
– Le locuteur caractérise son discours (il s'exprime selon une certaine intensité de la voix, insiste sur les propos qu'il rapporte, marque son indécision, rend publique une information).

Organiser son discours selon une chronologie

*Pour le départ à la retraite de son collègue et ami Georges, Bernard a préparé un petit discours en son honneur. Il **commence** par **retracer** les moments forts de sa vie professionnelle, **expose** une théorie selon laquelle Georges est un associé irremplaçable et **finit par énumérer**, devant tous les membres du comité d'entreprise, ses nombreuses qualités :*
— Il est généreux, compréhensif, drôle. C'est un homme jovial...
*— ... bon vivant, qui aime la bonne chère et le bon vin, **interrompt** Julien*
*— Oui, c'est vrai, lui **répond** Georges, amusé, mais seulement lors de grandes occasions !*
*— Tu plaisantes ! **rétorque** Julien. Je t'ai toujours vu un verre à la main !*
*— Oui, comme la plupart d'entre nous ! **réplique** Bernard en riant.*
*— D'accord, disons que notre ami Georges est gastronome et amateur de bons vins ! **conclut** Julien, visiblement content d'avoir perturbé le discours ennuyeux de son collègue.*

■ Les verbes introduisant une notion de progression

commencer / finir une histoire, un discours
commencer / finir par (+ infinitif ; dire pour commencer ou finir un discours)
continuer, poursuivre un récit, une conversation
conclure un discours par des remerciements / par une anecdote (terminer un discours) → Présenter une idée, III, 1, p. 262.

■ Les verbes impliquant une interaction

répondre

– Ils ont répondu oui / non. (dire en retour)
– Elle a répondu à un questionnaire, à une question. (faire connaître sa pensée, son avis)
– Elle a répondu à sa fille de faire attention. (+ infinitif)
– Elle lui a répondu qu'elle ne pouvait pas venir ce soir mais qu'elle viendrait le voir demain matin.

répliquer, rétorquer (à quelqu'un) (répondre avec vivacité, en s'opposant)

(s')interrompre / interrompre quelqu'un

– Arrête de m'interrompre tout le temps ! (couper la parole à qqn)
– Elle s'est interrompue un instant, puis elle a répondu. (s'arrêter de parler ou de faire quelque chose)
■ Des expressions pour interrompre, pour prendre la parole
– Désolé de vous interrompre, mais je voudrais signaler que le micro ne marche pas. (+ indicatif)
– Si vous permettez, j'ajouterai que les intervenants ont répondu à l'attente du groupe. (+ indicatif)

Caractériser le discours

■ Dire selon une certaine intensité de la voix et selon son humeur

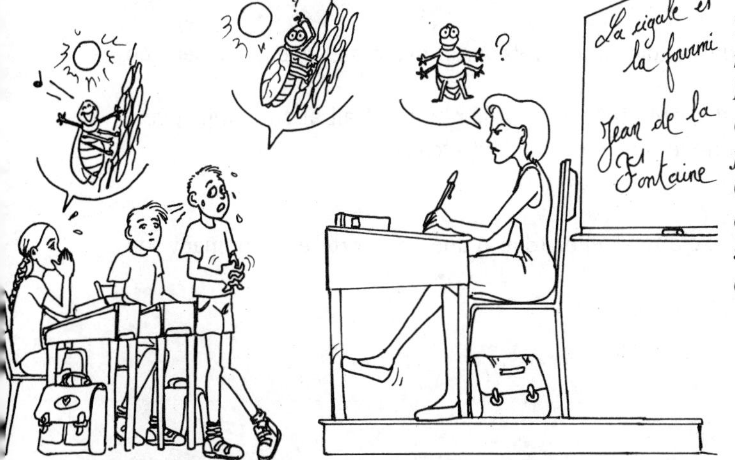

Thomas, élève du cours élémentaire de l'école Victor-Hugo, se lève et ***récite*** *à la demande de la maîtresse la fable de La Fontaine « La Cigale et la Fourmi » : « La cigale ayant chanté tout l'été, se trouva fort dépourvue quand la bise fut venue... ».*

*— C'est parfait ! **s'exclame** la maîtresse à la fin de la récitation. À toi, Nicolas !*
*Nicolas se lève lentement, rougit devant tous les regards posés sur lui et **balbutie** : « La cigale ayant ayant... »*
*— ... chanté tout l'été, lui **murmure** sa voisine de droite.*
*— ... chanté tout l'été, lui **souffle** son voisin de gauche.*
*— ... CHANTÉ TOUT L'ÉTÉ, **crie** Thomas du fond de la classe.*
*— La cigale ayant chanté tout l'été, se trouva... **bredouille** alors Nicolas, tout honteux.*

chuchoter, murmurer

chuchoter, murmurer un secret, une confidence, une excuse à l'oreille de quelqu'un (dire, parler à voix basse, en remuant à peine les lèvres)
– Il a chuchoté, murmuré à l'oreille de sa femme qu'il l'aimait tendrement.

➔ Les onomatopées, II, 2, p. 203. Les synonymes varient en précision, I, 2, p. 93.

souffler

souffler une réplique, une réponse à quelqu'un (dire discrètement à qqn, rappeler tout bas)
– Elle a soufflé à son associé qu'il avait déjà un rendez-vous à cette heure-là.

soupirer

– « Ce n'est pas possible ! » soupira-t-elle. (dire quelque chose dans un soupir)

réciter

réciter un poème, une poésie, une leçon (dire à haute voix un texte que l'on a appris)

s'écrier

– Arrêtez donc de faire autant de bruit, s'écria-t-elle, excédée. (dire d'une voix forte)

crier

crier un ordre, son indignation (dire d'une voix forte, manifester énergiquement un sentiment)
– Il a crié qu'il ne tolérait pas cette attitude et qu'il n'admettrait aucune injustice.
– Il a crié après / contre son neveu. (le réprimander fortement)

s'exclamer

– « C'est magnifique ! » s'exclame-t-elle. (dire d'une voix forte en exprimant son étonnement, sa joie ou sa colère)
– « Quel beau tableau ! » s'est-il exclamé.

hurler

hurler des injures, sa colère, son refus, sa détermination (dire en criant très fort)
– Il a hurlé qu'il en avait assez.

■ Insister sur les propos, les faits que l'on rapporte

affirmer

affirmer son innocence (dire avec force que qqch. est vrai)
– Il affirme avoir reçu cette lettre. (+ infinitif)
– J'affirme que je n'ai pas reçu cette lettre.

assurer

assurer quelqu'un de quelque chose (affirmer, garantir)
– Je t'assure de mon aide en cas de difficulté.
– Elle a assuré qu'elle avait pris son train à 9 heures et qu'elle serait à l'heure au rendez-vous.

Note : *assurer* a aussi d'autres sens (consultez votre dictionnaire).

■ Des expressions pour assurer son propos (à l'oral)
– Hier je me suis arrêtée de fumer. Je t'assure que c'est vrai !
– Mais si, je t'assure ! (familier)

répéter

répéter une phrase, répéter deux fois la même chose (dire de nouveau)
– Elle a répété la consigne à sa voisine.
– Elle lui a répété qu'il fallait mettre tous les verbes au présent.

■ Des expressions pour répéter, reformuler ce qui a été dit

Martin et Lucie ont enfin décidé de se mettre la bague au doigt !

– Tu es en train de me dire qu'ils ont décidé de se marier.
– Tu as bien dit qu'ils allaient bientôt célébrer leur mariage.
– Si je comprends bien, ils vont bientôt vivre ensemble.

soutenir

soutenir une opinion (affirmer une opinion)
– Elle soutient à son frère qu'elle a raison, mais j'en doute ! (+ indicatif ; prétendre)

Note : *soutenir* a aussi d'autres sens : consultez votre dictionnaire.

Des expressions pour insister (à l'oral)

– Allez, dis-le-moi, s'il te plaît !
– Allons, faites-lui plaisir !

■ Marquer son indécision

bafouiller / bredouiller

– « Euh !... je ne me rappelle plus... », a bafouillé Sandrine, apeurée devant les gros yeux de son père. (*bafouiller, bredouiller :* parler d'une manière incompréhensible, en cherchant ses mots)

– « Je... je vous demande pardon », a-t-il balbutié tout honteux. (dire à voix basse et en articulant mal)

hésiter

– Il a hésité un instant, puis il a répondu : « ... » (marquer son indécision, par un temps d'arrêt, un silence)

s'interroger

– Certains parents s'interrogent sur l'attitude à adopter devant les caprices de leurs enfants. (+ nom)

– Ils s'interrogent : doivent-ils céder ou doivent-ils les punir ? (se poser des questions)

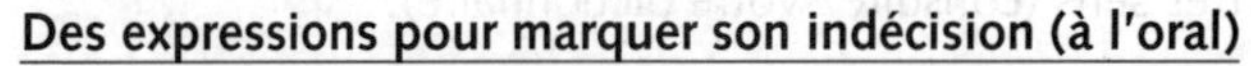

Des expressions pour marquer son indécision (à l'oral)

Tu vas participer au marathon de New York, cette année ?

– Euh ... → Les onomatopées, II, 2, p. 201.

– À vrai dire, je ne sais pas encore si je vais y participer.

– Il faut que je réfléchisse !

– Je ne parviens pas à me décider. (plus soutenu)

■ Rendre publique une information

annoncer

annoncer une nouvelle (faire savoir, rendre public)

– Les journaux ont annoncé la catastrophe aérienne. (+ nom)

– À la stupeur générale, il a annoncé à sa famille qu'il s'était marié la semaine précédente à l'étranger et qu'il ne célébrerait pas son mariage en France.

■ Des expressions pour annoncer une nouvelle (à l'oral)

– Au fait, tu sais que la famille Duval va déménager la semaine prochaine ?

– En parlant de Corinne, sais-tu que ses parents vont déménager ?

– Figure-toi que les voisins vont partir !

– À propos, les voisins déménagent dans une semaine !

confier

confier un secret à quelqu'un (dire en confidence)

– Elle m'a confié qu'elle ne pouvait pas avoir d'enfants et qu'elle en adopterait un.

déclarer

déclarer sa détermination, sa volonté (faire connaître son opinion, ses sentiments)

– Il a déclaré sa volonté de combattre le chômage.

– Le témoin principal a déclaré à la presse qu'il n'avait rien entendu et qu'il se refuserait à tout autre commentaire.

Note : déclarer sa flamme → Les glissements de sens, II, 1, p. 147.

faire part de quelque chose à quelqu'un

faire part d'une nouvelle, d'une décision, d'une intention à quelqu'un (faire savoir, annoncer)

– Elle lui a fait part de son intention de quitter définitivement la région.

révéler

révéler une information, un secret à quelqu'un (dire, faire connaître ce qui était inconnu ou caché)

– Le journaliste a révélé le mobile du crime à la mère de la victime.

– La presse a révélé aux lecteurs que le meurtrier avait pris la fuite et qu'il serait actuellement à l'étranger.

---

1 • 3 Exprimer une intention avec précision

Communiquer une information, **accepter** ou **refuser** une invitation, **remercier**, **s'excuser de** sa conduite ou de son retard, **recommander** la prudence à un ami, **avertir** quelqu'un d'un danger, **exprimer** un souhait, **faire une proposition**... Autant d'actes de paroles, dont vous, apprenants étrangers, avez besoin pour communiquer...

---

communiquer

communiquer une information, un horaire à quelqu'un (faire savoir)

*Elle lui **a communiqué** son heure d'arrivée.*

communiquer par signes, gestes (être en relation, échanger)

Les intentions de communication sont nombreuses et variées. Nous avons sélectionné celles qui manifestent les intentions suivantes :
– dire oui ou non, être ou ne pas être d'accord ;
– dire que l'on est content, mécontent ou contrarié ;
– dire quelque chose à quelqu'un (conseil, demande, information, offre, ordre).

Les verbes ci-dessous servent également à rapporter les intentions de celui qui parle.

Exprimer une approbation, un refus, un accord...

■ Dire oui ou non, dire que l'on est d'accord ou pas

accepter

accepter une proposition, une invitation (dire oui)
– Elle accepte de participer à la soirée.
– Elle accepte que sa fille organise une fête à la maison. (+ subjonctif)

■ D'autres façons d'accepter (à l'oral)
Et si nous allions prendre un verre ?
– Pourquoi pas ?
– Ce n'est pas de refus !
– On ne peut rien vous refuser ! (connivence avec l'interlocuteur, langage plus soutenu)

refuser

refuser un compromis, une invitation (ne pas être d'accord, dire non)
– Il refuse de participer au carnaval.
– Il refuse que sa grande sœur se déguise en vampire. (+ subjonctif)

■ D'autres façons d'exprimer son refus (à l'oral)
Tu peux me prêter ta voiture ce soir ?
– Jamais de la vie ! (refus catégorique)
– C'est hors de question ! (refus catégorique)
– Et quoi encore ? (familier ; refus ironique)
– Tu veux rire ? / Vous voulez rire ? (refus ironique)
– Tu plaisantes ? (refus ironique)

approuver

approuver une décision, une attitude, un comportement (être d'accord avec qqch. ou qqn)
– Il approuve son ami d'avoir démissionné. (donner raison à qqn)

■ D'autres façons d'approuver (à l'oral)
Je pense que les enfants doivent respecter leurs parents.
– Tout à fait !
– Incontestablement ! (langage plus soutenu)
– Je partage entièrement votre avis, votre point de vue, votre opinion ! (langage plus soutenu)

désapprouver

désapprouver un projet, une décision, une attitude (porter un jugement défavorable)
– Elle désapprouve le directeur. (être en désaccord avec qqn)

– Elle désapprouve le directeur d'avoir puni les élèves de la sorte. (« *Vous n'auriez pas dû les punir comme cela !* »)

protester

protester contre une injustice, une mesure, une décision (déclarer avec force son refus, son désaccord)

– « Tu n'as pas le droit », proteste-t-il.

Exprimer sa joie, son regret, son mécontentement

■ Dire que l'on est content, contrarié ou mécontent

féliciter

féliciter quelqu'un pour son courage, sa réussite professionnelle (dire à qqn que l'on est content de ce qui lui arrive)

– Il la félicite d'avoir réussi son examen.

se réjouir

se réjouir du succès de quelqu'un (éprouver de la joie, de la satisfaction)

– Il se réjouit de partir en vacances avec ses amis.

– Il se réjouit que son meilleur ami puisse les rejoindre. (+ subjonctif)

remercier

remercier quelqu'un de son invitation, pour sa proposition, remercier quelqu'un de son aide (dire merci à qqn, témoigner de la reconnaissance à qqn)

– Tu remercieras ta tante d'être venue aussi vite.

■ D'autres façons de dire merci (à l'oral)

– Tu le remercieras de ma part / de notre part.

– Je ne sais pas comment te / vous remercier.

– Mille fois merci pour ton / votre aide !

– Oh, il ne fallait pas !

Remarque Si vous offrez un cadeau à quelqu'un, ne soyez pas étonné qu'il vous réponde : « *Oh ! Il ne fallait pas !* » Cela signifie nullement qu'il n'accepte pas le cadeau, c'est une manière polie de remercier et d'accepter le cadeau.

(s')excuser de

s'excuser d'un retard, d'une absence auprès de quelqu'un (dire que l'on est désolé)
– Excusez-moi d'insister, mais…

Remarque On ne dit pas « *je m'excuse* » mais « *excusez-moi* » ou « *je vous prie de m'excuser* ».

regretter

regretter quelque chose : regretter une absence, une attitude (dire que l'on est mécontent ou contrarié)
– Les employés regrettent Georges depuis qu'il est parti à la retraite.
– Ils regrettent qu'il soit parti à la retraite (+ subjonctif ; « *Quel dommage qu'il soit parti !* »)
– Je regrette de vous avoir fait attendre. (« *Excusez-moi de vous avoir fait attendre.* »)

déplorer

déplorer la mort, l'absence de quelqu'un, déplorer la situation (regretter beaucoup)
– Je déplore que tu ne sois pas venu à la réunion. (+ subjonctif ; constater quelque chose de fâcheux)

■ Des expressions pour déplorer une situation (à l'oral)

Pendant les vacances, leur maison a été cambriolée.

– C'est déplorable ! (« *Je le déplore.* »)
– C'est vraiment très fâcheux ! (langage plus soutenu)

À la fin du trimestre, Romain ramène un mauvais carnet de notes à la maison.

– C'est lamentable ! (très mauvais)
– C'est minable, c'est nul. (familier)

se plaindre

– « J'ai mal au ventre », se plaint-il à sa mère. (*se plaindre :* exprimer sa souffrance ou son mécontentement)
– Bruno se plaint d'un mal de ventre à sa mère. (se plaindre de qqch. à qqn)
– Sa mère s'est plaint de Bruno au professeur. (se plaindre de qqn à qqn)
– Le professeur se plaint d'avoir à supporter Bruno.
– Le pauvre Bruno se plaint qu'on fasse autant attention à lui. (+ subjonctif)

Remarque plaindre quelqu'un (éprouver de la pitié pour qqn), se plaindre de quelque chose (manifester sa douleur ou sa peine)

Dire quelque chose à quelqu'un

■ Formuler un conseil, une demande

conseiller, déconseiller

conseiller la prudence, le repos, la tranquillité à quelqu'un (indiquer à qqn ce qu'il faudrait faire)
déconseiller le stress, l'alcool à quelqu'un (indiquer à qqn ce qu'il ne faudrait pas faire)
– Je te conseille de te tenir tranquille ! (« *Tiens-toi tranquille, sinon attention à toi !* »)

demander / réclamer (demander avec insistance)

demander quelque chose à quelqu'un
demander, réclamer le silence, la parole, des excuses
– Il a demandé / réclamé que son père vienne le chercher à l'école. (+ subjonctif ; « *Je veux que ce soit papa qui vienne me chercher !* »)

Remarque *réclamer* signifie aussi « avoir besoin de » : *Ce travail réclame beaucoup d'attention.*

recommander

recommander la prudence à qqn (demander avec insistance de faire quelque chose)
– Il recommande à son frère d'arriver à l'heure au bureau. (« *Tu ferais bien d'arriver à l'heure, le patron n'aime pas les retardataires !* »)
recommander à qqn de + infinitif
– Il recommande son frère auprès de son directeur. (« *Mon frère a de grandes qualités, il ferait un bon associé...* », dit-il)
recommander quelqu'un (intervenir en faveur de qqn / familier ; pistonner qqn)

supplier

– « Je vous en prie, aidez-moi », supplie-t-elle. (prier qqn, demander humblement et avec insistance)
– Elle supplie son petit frère de la laisser travailler en paix. (« *S'il te plaît ! va-t-en ! je n'arrive pas à me concentrer.* »)
supplier quelqu'un de + infinitif
– Elle supplie qu'on lui pardonne. (+ subjonctif)

■ Donner une information, informer

avertir, prévenir

– Maurice a averti les pompiers qui ont prévenu la police. (« *Allô, la police...* » : informer de qqch. de fâcheux, alerter)
– Les pompiers ont averti les voisins du danger.
– Les voisins ont prévenu Maurice de leurs intentions.
(informer qqn de qqch. pour qu'il fasse attention)
– Les plus proches l'ont averti cent fois de faire attention en allumant la gazinière.

– Les autres l'ont averti qu'ils allaient porter plainte et qu'ils ne toléreraient plus aucun autre incident.
– Je t'aurai averti ! Je vous aurai prévenu ! (« *Je te/vous l'aurai dit !* »)

informer

– La réceptionniste a informé ses clients de la réglementation de l'hôtel.
informer quelqu'un de quelque chose (mettre qqn au courant de qqch.)

– Elles les a informés que trois personnes avaient oublié de s'inscrire pour la visite de la ville, et qu'un bus viendrait les chercher demain à neuf heures. (mettre au courant)

– Dès leur arrivée, les touristes se sont informés du programme des excursions et des manifestations culturelles
s'informer de (se renseigner)

– Informez-vous en lisant notre brochure !
s'informer

■ Formuler une proposition, un souhait

proposer, suggérer

proposer / suggérer un sujet, une solution, une date, un prix à quelqu'un (offrir au choix, à l'appréciation de qqn)
– Il propose / suggère à son fils de l'aider (« *Tu veux que je t'aide ?* »)
– Je propose / suggère que nous continuions la réunion après une pause. (+ subjonctif)

Remarques – proposer quelqu'un pour un poste, un emploi (présenter, désigner qqn comme postulant, candidat) ;
– suggérer une idée, une pensée, une image (évoquer)

■ Des expressions pour proposer quelque chose à quelqu'un (à l'oral)
– Ça vous dit d'aller au ciné ?
– Ça te dirait de venir ?

soumettre

soumettre une idée, un projet à quelqu'un (proposer au jugement, au choix de qqn)
– Le ministre a soumis au gouvernement son projet de réforme.

Remarque Mais aussi : soumettre quelqu'un à un interrogatoire (obliger qqn à obéir)

souhaiter

souhaiter bon voyage, bonne chance à quelqu'un
– Je vous souhaite une bonne année, un bon anniversaire, de bonnes vacances.
– Je souhaite que tu réussisses ! (+ subjonctif ; dire à qqn qu'on espère qqch.)

■ Exprimer un ordre, une interdiction

ordonner

– Après avoir examiné son patient, le médecin lui a ordonné des médicaments. (*« Vous prendrez de l'aspirine trois fois par jour », dit le docteur.*)
ordonner quelque chose à quelqu'un (prescrire)

– Il a ordonné à ses enfants de ne pas faire de bruit. (dire à qqn qu'il doit / ne doit pas…)

– Le professeur a ordonné que les élèves se taisent. (+ subjonctif ; *« Taisez-vous ! »*)

interdire

– On interdit l'entrée des boîtes de nuit aux moins de 16 ans.
interdire quelque chose à quelqu'un (dire à qqn qu'il n'a pas le droit de…)

– Le directeur a interdit à tous les élèves de fumer dans les couloirs du collège. (+ infinitif ; *« Vous ne devez pas fumer dans les couloirs. »*)
interdire à quelqu'un de + infinitif

– Il est interdit de fumer dans les couloirs du lycée.

exiger

exiger des excuses, le silence, le calme, une augmentation (demander avec force et autorité)

– Les parents exigent parfois trop de leurs enfants.
exiger quelque chose de quelqu'un

– Elle exige de percevoir un salaire convenable.

– Ils exigent que leurs enfants fassent des études. (+ subjonctif)

1 • *4* Organiser et enchaîner ses idées

Que ce soit dans un contexte informel (entre amis, en famille) ou formel (lors d'une conférence, d'un examen…), à l'oral (lors d'une conversation) ou à l'écrit (dans un rapport, un compte rendu), il convient de relier, d'enchaîner les idées, afin de rendre son discours cohérent grâce à l'emploi de petits mots qui aident à organiser : les articulateurs.
Pour vous aider dans cette voix, nous avons fait le choix d'une certaine logique, parmi d'autres, pour vous permettre d'utiliser quelques articulateurs et quelques expressions. Vous pouvez ainsi présenter une idée, vous expliquer ou vous justifier, prendre position et vous situer par rapport à votre interlocuteur.

Présenter une idée

*Les classes de découverte sont l'occasion pour les enfants d'une classe de vivre en communauté, de découvrir un autre environnement, d'apprendre à se connaître et à s'apprécier. Il appartient au professeur d'école d'**exposer** aux parents le projet de classe verte.*
*Il s'agit d'abord d'**énoncer** clairement la condition de l'acceptation du projet : la participation de TOUS les élèves de la classe.*
*Puis il convient de **préciser** le lieu, les dates exactes et le tarif du séjour, et d'**énumérer** toutes les activités prévues lors du séjour : visite du parc animalier, randonnée pédestre, sans omettre de **souligner** que des animateurs spécialisés encadreront les activités sportives, **notamment** l'escalade et le VTT...*

*Enfin, la présentation doit laisser la place aux questions, car la classe verte peut **soulever** quelques inquiétudes de la part des parents (transport, hébergement...) et des craintes de la part des enfants (éloignement), mais n'est-ce pas l'occasion de rendre l'enfant plus autonome ?*

Détaillons maintenant cette présentation et notons, à partir d'autres exemples, quelques idées pour :
– présenter une idée, un fait ;
– énumérer les éléments d'information ;
– préciser certains points essentiels ;
– donner un exemple ;
– conclure.

■ Présenter une idée, un fait

exposer un projet, une théorie (exprimer des idées en les présentant dans l'ordre et en les expliquant)
énoncer un fait, une vérité (dire qqch. très nettement)
soulever un problème, une question (faire naître un problème et provoquer une discussion)

Comment exprimer, présenter une idée

– Il s'agit d'exposer clairement la situation. (*il faut* + infinitif)
– Il convient de se documenter. (*il faut* + infinitif, *il est souhaitable que* + subjonctif)
– Il appartient à vos professeurs de vous guider dans cette tâche. (*c'est le rôle de quelqu'un de* + infinitif)

■ Énumérer les éléments d'information

énumérer des arguments, des avantages, des inconvénients (énoncer l'un après l'autre)

Les mots pour énumérer

- **Le point de départ**
  D'abord, ... Tout d'abord, ...
  Premièrement, ...
  En premier lieu, ... (plus soutenu)

- **L'ajout d'un deuxième élément**
  Ensuite, ...
  Puis, ...
  En second lieu, ... (plus soutenu)

- **Au cours de l'énumération**
  – De plus / En outre, les classes vertes dynamisent la classe et renforcent l'esprit d'équipe. (ajoute une idée qui précise l'information)
  – Non seulement elles dynamisent le groupe, mais elles permettent aussi de renforcer l'esprit d'équipe. (met en valeur un point particulier de l'énumération)

- **La conclusion**
  – Enfin / En dernier lieu (plus soutenu) / Pour finir...
  – Pour conclure / En conclusion, les classes vertes enrichissent les relations entre les enfants.

Comment marquer une énumération (à l'oral)?

Prenons l'exemple d'une personne qui intervient lors d'un colloque sur les langues étrangères et le multimédia.

> ***J'aborderai en premier lieu** le rôle du multimédia dans l'apprentissage d'une langue.*
> ***Mon premier point portera sur** l'éducation par le multimédia...*
> ***Passons maintenant au deuxième point**: les différentes utilisations de l'outil multimédia.*
> ***Venons-en à présent** à l'outil proprement dit.*
> ***Je terminerai par** une synthèse des expériences d'utilisation.*
> ***Ma dernière remarque portera sur** les expériences d'un public d'enfants.*
> ***En résumé, on peut dire que** le multimédia peut contribuer à l'apprentissage des langues étrangères à l'école.*

aborder + nom
porter sur + nom
passer à + nom
en venir à + nom
terminer par + nom
pouvoir dire que + indicatif

■ Préciser certains points

formuler une hypothèse, une réclamation, un souhait (exprimer avec précision)

préciser sa pensée, préciser un horaire à quelqu'un (expliquer de manière précise)
– Le directeur a précisé à tous les participants que les cours se terminaient aujourd'hui à 16 heures et que l'institut serait ouvert le 14 juillet.

souligner l'importance de quelque chose (faire remarquer)
– L'hôtesse d'accueil a souligné que la visite au musée est annulée et qu'elle serait reportée la semaine prochaine.

Comment souligner une information ?

– Soulignons que les réservations sont obligatoires.
– Il ne faut pas oublier que l'accueil des clients fait partie du devoir des hôtesses.

Comment préciser certains points essentiels ?

Partons de ce constat recueilli dans un article de journal :

Contre toute attente, le nombre de personnes à la recherche d'un emploi a baissé dans quelques régions de France entre juin 2001 et décembre 2002. (*La Provence* du 21 mars 2003)

• **Vous opposez des faits, des idées**

– Alors que / Tandis que les chiffres sont à la hausse sur le plan national, le Midi-Pyrénées, la région PACA (Provence-Alpes-Côte d'Azur) et le Languedoc-Roussillon affichent un recul du nombre des chômeurs.
– Au contraire / Par contre / En revanche, le marché du travail est fortement perturbé en Alsace qui subit la mauvaise conjoncture du pays voisin.

– Cependant / Mais / Néanmoins / Pourtant / Toutefois, la situation reste préoccupante pour l'ensemble du territoire.

Remarque *pourtant* et *par contre* s'utilisent surtout à l'oral.

• **Vous mettez des idées ou des faits en parallèle**

– D'un côté l'Auvergne bénéficie de ce recul, de l'autre elle manque de population active jeune.
– D'une part, le sud de la France résiste mieux au chômage et, d'autre part, il est encore peu touché par les plans sociaux.

■ Donner un exemple

Il est souvent utile d'appuyer ses réflexions par un exemple concret. Il montre ainsi que ce que l'on dit est vrai.

Comment passer des réflexions générales au cas particulier ?

Reprenons l'exemple du chômage et du constat selon lequel il est en progression dans certaines régions

– C'est le cas de la Bretagne et des Pays-de-la-Loire.
– À titre d'exemple, certains secteurs d'activités s'effondrent dans la région Rhône-Alpes.
– Notamment / Comme la Bourgogne et la Franche-Comté, qui subissent le manque de créations d'emplois.

■ Conclure

conclure un discours, une présentation… (terminer)
– Il a conclu que les frais de déplacement n'avaient pas été pris en compte et qu'il faudrait refaire la déclaration d'impôts. (se faire une idée de qqch. après avoir réfléchi)

– Après de nombreux interrogatoires, les policiers concluent au suicide. (+ nom ; arriver à une conclusion)

Les différentes façons de conclure

Partons d'un débat sur la télévision que nous résumons en deux lignes.

La télévision n'a pas qu'une mauvaise influence chez l'enfant. Elle permet, entre autres, une ouverture sur le monde et peut compléter l'enseignement de l'école.

- **Vous rejetez les arguments avancés**

– De toute façon / De toute manière / Quoi qu'il en soit / En tout cas, la télévision plonge l'enfant dans le monde des adultes et l'expose à la violence des images.

- **Vous corrigez les arguments avancés**

– En fait / En réalité, les émissions destinées à un public de jeunes font le lien entre la vie et l'école.

- **Vous adoptez les arguments mais donnez votre propre interprétation**

– Au fond / En fin de compte, les enfants passent plus de temps à l'école que devant la télévision.
– Finalement, ils apprennent autant, sinon plus en regardant les documentaires.

Expliquer, se justifier

En général, il ne suffit pas de présenter une idée ou d'affirmer un propos, il est nécessaire d'**expliquer** les faits pour justifier sa position.

expliquer un retard, une attitude à quelqu'un (dire pourquoi, faire connaître la raison, le motif)
– L'instituteur explique aux enfants que la nature est fragile.
– Il leur explique comment la protéger. (+ infinitif)
comment ils doivent s'y prendre.
pourquoi il est nécessaire de la préserver.

On dira également :

commenter un match, un discours, un fait d'actualité à quelqu'un (dire, raconter en donnant des explications)

Expliquer revient à établir une **relation de cause à effet** entre deux faits, à l'aide de verbes à valeur explicative.

■ Établir une relation de cause à effet

Partons des deux constats suivants :

– Les grands-parents sont de plus en plus jeunes (à partir de 50-55 ans) ; ils sont encore actifs tout en restant beaucoup plus disponibles que les parents. (la cause)

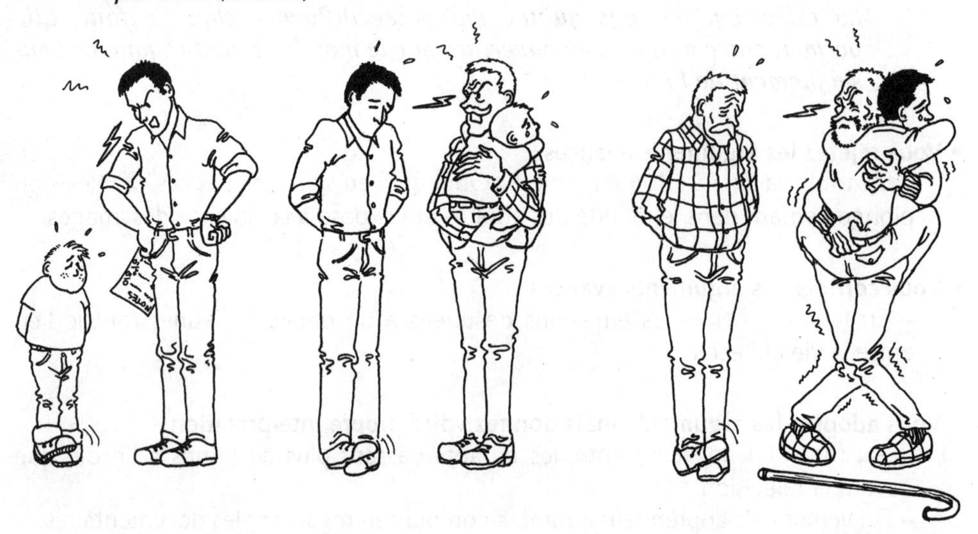

– Les adolescents se rapprochent de plus en plus de leurs grands-parents ; ces derniers leur apportent une stabilité, une référence qu'ils n'ont pas toujours dans leur foyer. (l'effet)

– La jeunesse des grands-parents entraîne un rapprochement des générations.
– Leur disponibilité favorise / facilite les confidences de leurs petits-enfants.
– Leur dynamisme incite les adolescents à prendre en charge leur avenir professionnel.
– Cette nouvelle alliance suscite l'envie et provoque parfois la jalousie des parents.
– Cette jalousie se traduit parfois par des disputes entre parents et grands-parents.

Comment introduire une explication ? (accent sur la cause)

– Il faut privilégier l'échange et le partage car c'est le seul moyen d'éviter les conflits entre générations. (*car* sert à se justifier et introduit en général une information nouvelle. Il s'emploie surtout **à l'écrit** et ne se place jamais en tête de phrase)

– En effet, dans une société où certains repères se perdent, les grands-parents servent de référence aux plus jeunes. (*en effet* sert à confirmer ce qui vient d'être dit. Il est précédé d'un point ou d'un point-virgule)

– D'ailleurs, si vous interrogez les parents, la plupart d'entre eux vous diront qu'ils se réjouissent de cet équilibre familial. (*d'ailleurs* sert à justifier sa position en apportant en renfort une raison supplémentaire)

■ Établir une relation de l'effet à la cause

Soit deux constats relevés dans la presse (*Le Monde* du 5 mars 2003) :

– Le moral des ménages est au plus bas depuis janvier ; leur niveau de vie diminue et le chômage subit une forte progression. (l'effet)

– Depuis le début de l'année, une dizaine d'entreprises ont déposé le bilan et licencié tous leurs salariés. Le chômage a augmenté sensiblement dans certaines régions. L'économie mondiale subit un fort ralentissement. (la cause)

– L'inquiétude des ménages s'explique par la crainte de licenciements.
– La forte progression du chômage résulte de l'importance des licenciements effectués dans de nombreuses entreprises.
– La diminution du niveau de vie est due au fort ralentissement de l'économie mondiale. (au masculin : *être dû*)

Des articulateurs pour introduire une explication (accent sur l'effet)

– Par conséquent, les employés se retrouvent sans emploi du jour au lendemain.
– Il faut donc proposer des plans de restructuration. / Donc, il faut proposer…
– C'est la raison pour laquelle / C'est pourquoi le gouvernement et les organisations syndicales se sont réunis…

Le gouvernement rencontrera prochainement les syndicats et les patronats.

– Alors, il sera possible de prendre les mesures nécessaires. (*alors* se rencontre souvent à l'oral)
– Un plan de restructuration sera donc proposé aux salariés.
– Par conséquent, le patronat et les syndicats devront trouver un terrain d'entente.

Note : attention à la formulation fautive *donc, par conséquent*… qui s'explique par le fait que *par conséquent* est très souvent associé à *donc* dans un raisonnement. Exemple :
– Nous ne pourrons pas prendre de vacances cet été. Nous resterons donc à la maison et, par conséquent, nous subirons encore les fortes chaleurs du Sud de la France.
– Dans ces conditions, les personnes licenciées auront des chances de retrouver du travail.
– C'est pourquoi / C'est la raison pour laquelle / Pour cette raison, ils doivent se réunir demain au ministère.

Prendre position

Pour convaincre votre interlocuteur, vous pouvez, lors de votre exposé, prendre position :
– vous exprimez votre opinion ;
– vous hésitez et préférez ne pas prendre parti.

Remarque Vous pouvez également prendre position par le choix des verbes que vous utilisez lorsque vous rapportez les paroles de quelqu'un (affirmer, soutenir, déclarer) → Caractériser le discours, III, 1 p. 251.

■ Exprimer une opinion, un avis, un jugement

croire penser sembler trouver

– Il pense arriver avant la nuit / il croit pouvoir dormir sans matelas. (+ infinitif)
– Il croit / pense que ses amis arriveront avant la nuit.

Remarque *croire* et *penser* ont d'autres constructions (consultez votre dictionnaire pour en savoir plus).

– Il me semble qu'elle est satisfaite de son nouveau travail. (je crois que)
– Elle est contente, semble-t-il.
– Il trouve normal / anormal / juste / injuste / étonnant / scandaleux… que les footballeurs gagnent autant d'argent. (+ subjonctif)

Comment exprimer un point de vue personnel ?

L'Internet empêche-t-il les relations humaines ?

– Selon moi, il permet de garder le contact et d'effacer les distances entre les gens.
– À mon avis, les gens se réfugient dans ce monde virtuel pour échapper à la réalité.
– D'après moi, l'Internet favorise les échanges et le dialogue avec les parents et les amis.
– En ce qui me concerne / Pour ma part, je ne conçois l'Internet que du point de vue professionnel.

Comment exprimer une position favorable ou défavorable ?

Que pensent les étudiants du projet de loi sur la réforme des universités ?

– Certains étudiants se prononcent pour ce projet. — se prononcer
– Ils adhèrent à cette réforme. — adhérer à
– D'autres rejettent cette idée. — rejeter
– Ils se prononcent contre la réforme.

■ Hésiter, douter, ne pas prendre parti

– Il doute de sa décision. (ne pas être sûr, certain de quelque chose)
– Il doute qu'on lui accorde un crédit. (+ subjonctif)
– Il ne pense / croit pas que les membres du comité votent en sa faveur. (+ subjonctif)

Comment exprimer un doute ? (à l'oral)

Demain, c'est décidé, j'arrête de fumer !

– Vraiment ? – C'est une plaisanterie ! (ironique)
– J'en doute ! – Mon œil ! ➔ Les onomatopées, II, 2, p. 202.

Je pense que la meilleure solution est de diminuer progressivement les cigarettes.

– Vous croyez ?
– Oui, vous avez peut-être raison.
– Oui, sans doute.

Comment marquer son indécision ?

On peut marquer son indécision pour ne pas dire non et/ou pour ne pas blesser son interlocuteur.

Tu es sûr de ne pas vouloir travailler le concours avec nous ?

– Bon, je vais réfléchir / je vais voir !

Et... si on allait en boîte après ?

– Euh !... c'est-à-dire... il faut que j'en parle à ma femme.

On peut marquer son indécision pour ne pas prendre parti, ne pas s'engager.
Partons de l'exemple suivant :

Les enfants apprennent très vite à parler une autre langue, dès leur plus jeune âge. Faut-il, à votre avis, rendre obligatoire l'enseignement des langues étrangères à l'école maternelle ?

- **À l'oral**
  - Difficile à dire !
  - Allez savoir ! Chaque enfant est tellement différent !

- **À l'écrit**
  - Il est encore trop tôt pour se prononcer.
  - On ne dispose pas d'assez d'éléments / d'informations / de résultats.
  - Il faut se demander si c'est raisonnable d'introduire si tôt cet enseignement.

Se situer par rapport à son interlocuteur

Après que vous avez présenté une idée, expliqué les faits et justifié votre position, votre interlocuteur va se situer par rapport à votre point de vue et réagir de deux façons :
– Il est d'accord sur un point mais manifeste son désaccord sur le reste de votre exposé.
On dira :
il concède. concéder
– Il manifeste un désaccord complet, en rejetant tous les arguments que vous avez avancés.
On dira :
il réfute. réfuter (repousser l'avis de qqn à l'aide d'arguments)

■ Concéder

admettre

admettre un retard, une erreur (accepter une idée, être d'accord)
– Elle n'admet pas d'avoir tort. (+ infinitif)
– Elle a admis que tu avais raison, qu'elle n'aurait jamais dû insister. (« *Oui c'est vrai ! je l'avoue.* »)

avouer

avouer son ignorance, avouer une faute, un défaut (reconnaître qu'une chose est vraie)
– J'avoue que tu me surprends ! (« *Ça alors ! je ne m'attendais pas à ce que tu réussisses ton examen !* »)

reconnaître

reconnaître ses torts, reconnaître une injustice (avouer que l'on a eu tort)
– Je reconnais avoir mal agi. (+ infinitif)
– J'ai reconnu que tu avais raison. (« *Oui, c'est vrai, tu as raison. J'avais tort !* »)

Comment marquer une concession ?

Soit l'affirmation suivante.

Durant les fêtes, l'ouverture des magasins et des grandes surfaces le dimanche permet aux consommateurs affairés pendant la semaine de prendre le temps d'acheter les cadeaux...

• **La concession se fait en deux temps.**

a. Vous reconnaissez les faits	b. Vous donnez votre avis en marquant une opposition
– Il est vrai / juste / exact que le dimanche est un jour moins fatigant pour faire les courses pendant les fêtes : moins de cohue, pas d'embouteillages, ...	– ... mais c'est aussi le jour des balades.
– Certes, le dimanche est un jour moins fatigant, ...	– ... cependant les gens qui travaillent ne peuvent pas se reposer ce jour-là.

• **À l'oral, on dira plus simplement :**

Pensez-vous que tous les jours fériés doivent être maintenus ?

– C'est vrai / Vous avez raison / C'est indiscutable, le dimanche est un jour de repos, mais c'est aussi le jour des balades.
– Sans aucun doute ! Cependant, il faut reconnaître que le mois de mai est un cas particulier.

■ Réfuter

nier

nier un fait (dire que ce n'est pas vrai, rejeter comme faux)
– Elle nie avoir reçu cet avertissement. (+ infinitif)
– Elle n'a pas nié que le directeur l'avait prévenue.
– Elle nie le fait qu'il lui ait envoyé un avertissement. (+ subjonctif ; « *C'est faux ! le directeur ne m'a pas envoyé un avertissement !* »)

dénoncer

dénoncer une injustice, un abus, un scandale (rendre public en s'opposant publiquement à, dire publiquement que l'on est contre)
– La presse dénonce un scandale financier. (+ nom)

Remarque *dénoncer quelqu'un* (désigner qqn comme coupable)

Les différentes façons de réfuter

• **Vous n'êtes pas d'accord avec le constat de départ d'un raisonnement, donc vous le rejetez en apportant un argumentaire.**

– On voudrait nous faire croire que le travail des femmes est responsable en partie des divorces.

– Or, de nombreux divorces surviennent dans des familles où la femme ne travaille pas.
– En réalité, c'est la société elle-même qui est responsable de cet état de fait.

- **Vous rejetez une affirmation portée sur quelque chose**
  – Il est faux de dire que l'Internet tue les relations humaines.

- **Vous signalez une contradiction**
  – Il est contradictoire de se plaindre des embouteillages et, dans le même temps, de vouloir prendre systématiquement sa voiture pour circuler.

- **À l'oral, on dira plus simplement :**
  – C'est faux ! C'est totalement injustifié, infondé ! (sans fondement)

2 SOYONS PRÉCIS : NE NOUS TROMPONS PAS SUR...

Quand nous étudions une langue étrangère, même quand nous croyons bien la connaître, nous découvrons un jour ou l'autre que nous l'utilisons en gardant encore en nous l'empreinte profonde de notre propre langue, les habitudes indélébiles de notre environnement lexical. C'est tout à fait normal et il peut même être utile parfois de se reporter à sa propre langue, soit pour constater les différences, soit pour découvrir malgré tout des ressemblances avec la langue étudiée.

Notre propos dans cette partie vise simplement à vous aider à vous débarrasser de certaines erreurs récurrentes provoquées par ces allers et retours entre les deux langues. Ces erreurs peuvent porter sur le genre, sur l'orthographe, sur la préposition, sur la construction, sur le sens...

Ce modeste corpus d'erreurs pourra se révéler utile à tous.

2 • *1* ... le genre

Le genre vous pose de nombreuses difficultés. Il y a bien sûr quelques règles, mais le plus simple c'est d'apprendre les mots avec leur article dès le début de l'apprentissage de la langue, lorsqu'on est débutant absolu. Si on n'a pas suivi cette règle, il est plus difficile ensuite de fixer le genre en français, d'autant qu'il peut présenter un rapport étrange avec quelques autres langues ; ainsi, tel mot masculin en français est féminin dans une autre langue et vice versa.

Nous allons voir ici quelques-uns des mots sur lesquels vous butez.

– La peinture est ***un art*** *majeur.* ***Le chef-d'œuvre*** *de la sculpture de la Renaissance est* ***la statue*** *de David par Michel-Ange.*
– «Eugénie Grandet» est ***une œuvre*** *romanesque de Balzac.*
– Dans la littérature française, la poésie occupe une place importante, le théâtre aussi. Mais, au XIXe *siècle, c'est* ***le roman*** *qui domine.*
– Dans les contes de fées, le héros rencontre souvent un personnage étrange dans ***une forêt****.*

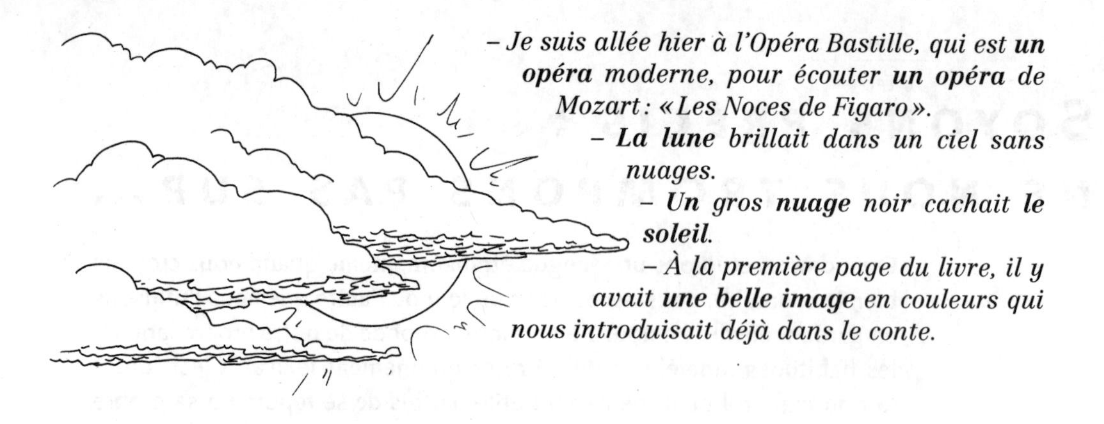

*– Je suis allée hier à l'Opéra Bastille, qui est **un opéra** moderne, pour écouter **un opéra** de Mozart : « Les Noces de Figaro ».*

*– **La lune** brillait dans un ciel sans nuages.*

*– **Un gros nuage** noir cachait **le soleil.***

*– À la première page du livre, il y avait **une belle image** en couleurs qui nous introduisait déjà dans le conte.*

2 • 2 ... l'orthographe

Voici quelques termes pour lesquels les erreurs sont les plus fréquentes. Comme il est toujours délicat d'écrire en regard la forme fautive et la forme corrigée, nous ne présentons que la forme correcte et nous expliquons l'erreur. En corrigeant l'orthographe, il nous arrivera parfois de préciser aussi le sens.

accès, excès, procès, succès

*– Cette porte donne **accès** à un jardin.*

*– « Évitez les **excès**, a dit le médecin, ne buvez pas trop, ne mangez pas trop, ne fumez pas. »*

*– Le **procès** de ce grand sportif qui avait tué sa femme a été suivi par toutes les télévisions du pays.*

*– Ce livre a connu un grand **succès**, un succès mondial.*

Soyez attentif à une petite difficulté que vous rencontrez fréquemment avec des mots qui se terminent par une consonne, en particulier par le « s ».
Il n'existe pas en français de mots qui finissent sur deux consonnes finales semblables : deux « l », deux « m », deux « s »... Quand on en trouve, ce sont généralement des mots d'introduction récente comme : *le stress*.

adresse, adresser, s'adresser à

*– As-tu l'**adresse** de notre ami Jean ?*

Attention : un seul « d » en français pour le nom et pour le verbe.

amoureux, amoureuse

*Roméo est **amoureux** de Juliette.*

Gardez la même syllabe -mour pour le nom **amour** et pour l'adjectif **amoureux**.

appartement

*Ils vivaient dans un **appartement** minuscule mais charmant.*

Deux « p », s'il vous plaît : -pp-. Cela ne changera rien à la qualité de l'appartement, mais cela améliorera votre orthographe.

banaliser, civiliser, vulgariser / banalisation, civilisation, vulgarisation

*Rome a été le centre d'une grande **civilisation**. Mais les **civilisations** passent et les hommes restent, **civilisés** ou non.*

Ce suffixe en -iser, -isation, s'écrit avec un « s » (et non avec un « z »).

chacun(e)

*Il faut donner à **chacun** ce à quoi il a droit.*

Attention à la différence entre chaque et chacun.
Pensez à aucun(e) qui est formé exactement comme chacun(e).

comparaison

*On fait toujours des **comparaisons** entre des frères et sœurs.*

Attention : comparaison (et non *~~comparison~~). Ce nom est formé sur le verbe *comparer*.

confortable

*« Entrez et mettez-vous à l'aise », m'a dit la jeune femme qui m'avait invitée. Alors, j'ai retiré mon manteau et je me suis assise dans un fauteuil très **confortable**. J'y étais très bien.*

Voilà le mot qui peut devenir source d'erreurs ; il ressemble beaucoup au mot anglais.
Mais il s'écrit avec un « n » (et non avec un « m »).
Et il ne s'utilise que pour les choses et non pour les personnes.

douloureux, douloureuse

*Elle s'est fait très mal au dos en portant ses valises ; elle est au lit et prend des calmants mais elle souffre beaucoup, c'est vraiment **douloureux**.*

Attention le nom est douleur mais l'adjectif douloureux se formera sur un autre radical ; il en est de même avec des mots comme *vigueur* qui donne *vigoureux* ; *rigueur, rigoureux*, etc.

écrivain

*Les grands **écrivains** du XVIIIe siècle ont influencé la pensée des révolutionnaires.*

Notez bien la finale -ain. Nous la retrouvons dans d'autres mots : *copain, humain, lointain, main, républicain*.

ensemble, environ, parmi

– *Nous sommes partis **ensemble**. Ils ont travaillé **ensemble**. Vous chanterez **ensemble**.*

– *Elle avait cinquante ans **environ**.*

– *La peur régnait **parmi** les habitants de cette petite ville terrorisée par un tueur.*

Ces deux adverbes et cette préposition sont toujours invariables et ne prennent jamais de « s » final.

Petites remarques qui expliqueraient peut-être les erreurs des étudiants :
– Le mot invariable ensemble en position d'adverbe ne s'utilise que dans un contexte de pluriel. Il renvoie toujours à un sujet pluriel. Mais attention, ne confondez pas l'adverbe ensemble avec le nom *un ensemble* qui, lui, est variable au pluriel.

– Attention, ne confondez pas l'adverbe environ (à peu près, approximativement) avec le nom pluriel *les environs* (les lieux proches de quelque chose).

– La préposition parmi introduit un nom qui exprime une quantité.

examen

*En France, le mois de mai, ce mois si agréable, mois du printemps, du beau temps, de la douceur de vivre, est pour les étudiants un mois d'**examens**, synonyme de cauchemars.*

Cette finale en -en qui se prononce comme une finale en *-in* est troublante pour les étudiants.

exemple, exemplaire

*« Donnez-moi un **exemple** de phrase simple », a dit le professeur.*

Attention : ce mot s'écrit toujours avec un « e » intérieur (et non avec un « a »).

exercice

*Pour demain, vous ferez les **exercices** d'orthographe à la page 28.*

Attention : « exercice » (et non *~~exercise~~)

existence

*Il a mené pendant près de quatre-vingts ans une **existence** terne, ennuyeuse, sans rien d'extraordinaire.*

Attention : s'écrit avec un « e » intérieur (et non « a »).

fauteuil

*Ce **fauteuil** Louis XV ne va pas du tout dans cet intérieur moderne.*

C'est un mot qui vous semble particulièrement difficile. Notez bien la finale en -euil. On la retrouve dans d'autres mots masculins : *seuil, deuil*.
Pour bien mémoriser cette finale, pensez au féminin, qui vous semble plus simple. Pensez à *feuille*. « Feuille » est un féminin et prend donc deux « l » (-ll-), alors que le masculin ne prend qu'un « l ».

film

*Elle aime les **films** d'aventures.*

Surtout pas de « e » final. C'est très gentil d'en mettre un, cela vous semble peut-être plus français, mais non, ce n'est pas nécessaire.

habileté

*Mon ami a une **habileté** manuelle qui surpasse celle de tous les spécialistes.*

Soyez attentif à ce mot. Il vous rappelle peut-être d'autres mots de votre propre langue qui n'existent pas en français. (Par exemple, *~~abilité~~ n'existe pas, pas plus que *~~capabilité~~.)

langage

*Tout le monde devrait étudier le **langage** des sourds-muets.*

À cause du mot *langue*, vous pensez que langage s'écrit avec « -gu- ». Mais non !

magasin

*– Elle aime bien faire les **magasins** ; elle aime regarder les vitrines, entrer dans le **magasin**, regarder, essayer des vêtements, puis aller dans un autre **magasin**, comparer, acheter peut-être...*

*– Dans la salle d'attente des médecins, des dentistes, il y a toujours une pile de vieux **magazines** qui traînent sur une table et que les patients feuillettent en pensant à autre chose.*

Ne confondez pas le magasin (un endroit assez grand où des marchandises sont exposées pour être vendues), et le magazine (un journal périodique, généralement illustré).

mélancolie

*Elle pensait avec **mélancolie** à sa jeunesse passée.*

C'est un mot qui s'écrit très simplement en français. Aucun « h », nulle part, dans ce mot.

mystère, mystérieux, mystérieuse

*Elle adore les **mystères** policiers et elle a lu tous les romans d'Agatha Christie.*

Avec ce mot, vous auriez raison de chercher la difficulté. Il faut un « y » (et non un « i »).

objet, projet, reflet

*– Quel est cet **objet** que tu tiens dans la main ? Un téléphone, un appareil photo ?*

*– Quels sont tes **projets** pour les vacances d'été ?*

*– Chaque fois qu'elle passe devant une glace, devant une vitrine, elle jette un coup d'œil rapide à son **reflet**.*

Ces trois mots s'écrivent très simplement (sans « c » intérieur et sans accent sur le « e »).

Petite remarque Désolé cependant, il faut écrire : aspect.

personnage, personnalité, personnaliser, personnifier

*Hamlet est le **personnage** principal d'une pièce de Shakespeare.*

Tous les mots formés à partir du mot *personne* prennent deux « n » : -nn-.

plupart (la)

*La **plupart** des gens ont du mal à reconnaître qu'ils ont tort.* (la plus grande partie de)

Ce mot s'écrit en un seul mot. Notez que *plus*, lié au mot *part*, a perdu son « s ».

public

*Le **public** a fait un triomphe à la jeune chanteuse.*

Le nom masculin prend la finale -ic. (La présence de l'adjectif féminin *publique* pousse à l'erreur.)

quartier

*J'habite dans un **quartier** très populeux. Beaucoup de gens venus de tous les horizons y vivent.*

Attention : par imitation d'autres langues, certains étudiants ont tendance à écrire ce mot avec un « c » à l'initiale.

quelquefois

***Quelquefois**, je pense qu'il est très difficile d'apprendre une langue étrangère.*

Quand ce mot signifie « parfois », il s'écrit en un seul mot et **il n'y a pas de** « **s** » à la fin de *quelque*.
À ne pas confondre avec *quelques fois* (plusieurs fois), en deux mots.

quotidien, quotidienne

*La vie **quotidienne** peut paraître quelquefois ennuyeuse.*

Même remarque que pour le mot *quartier*.

réflexion

*J'ai besoin d'un peu de **réflexion** avant de prendre cette importante décision.*

*Qui aime les critiques, les observations, les **réflexions** sur sa conduite ?*

*La **réflexion** du soleil sur la neige est aveuglante.*

Attention : toujours avec un « **x** ».

rythme

*Cet enfant a peut-être une bonne oreille, mais il n'a aucun sens du **rythme**.*

Ce mot est plus simple qu'on ne pourrait le croire. Un seul « h » et au milieu.

statue, stylo...

*Nous avons admiré des **statues** grecques.*

*Prête-moi ton **stylo**, s'il te plaît.*

D'une manière générale, évitez d'ajouter un « e » devant l'initiale « s ».

tranquille, tranquillement, tranquilliser, tranquillité

*Cette vedette très célèbre recherche maintenant la **tranquillité** de l'anonymat. Être anonyme, marcher **tranquillement** dans la rue comme tout le monde, ce serait pour elle le paradis.*

Tous les mots formés sur ce radical prennent deux « l » : -ll-.

travail

Observez et comparez :

le travail, le chandail, le bercail	mais	*la bataille, la ferraille, la canaille*
le conseil, le soleil, le sommeil	mais	*la bouteille, la corbeille, la veille*
le fauteuil, le seuil, le deuil	mais	*la feuille*

Tous les mots qui se terminent en -ail, -eil, -euil, prennent un seul « l » quand ils sont masculins, et deux « l », -ll-, quand ils sont féminins.

il vaut mieux

*Généralement, **il vaut mieux** écouter que parler.*

***Il vaut mieux** lire un bon livre que regarder certaines émissions à la télévision.*

Faites attention à la difficulté phonétique. Cette difficulté fait écrire aux étudiants *il ~~faut mieux~~ à la place de il **v**aut mieux.

2 • 3 ... la préposition

Le choix de la préposition est aussi un obstacle souvent difficile, pour ne pas dire impossible à franchir. Vous avez parfois l'impression que la préposition est utilisée d'une façon arbitraire. Nous allons passer en revue quelques verbes et quelques adjectifs avec leurs prépositions.

■ Quelques verbes

aider quelqu'un à + infinitif

Il a aidé la vieille femme à traverser la chaussée encombrée de voitures.

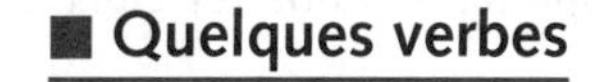

s'approcher de

*Je me **suis approchée de** la cheminée et j'ai réchauffé mes mains glacées.*

autoriser quelqu'un à + infinitif

*On n'**autorise** plus les voyageurs **à** fumer dans les avions.*

Attention : ce verbe est synonyme de *permettre*, mais il se construit différemment.

dépendre de

*Votre résultat **dépend de** votre travail.*

Attention : rejeter absolument la préposition « sur ».

forcer quelqu'un à + infinitif / être forcé(e) de + infinitif

*– Quand j'étais petite, on me **forçait à** manger tout ce que j'avais dans mon assiette.*

*– **J'étais forcée de** tout finir, sinon je n'avais pas le droit d'aller jouer avec mes camarades.*

Notez la différence de prépositions quand on passe du verbe actif *forcer* au verbe passif *être forcé*.

s'intéresser à

*Je **m'intéresse à** la peinture du Moyen Âge, je **m'intéresse** aussi **à** la musique de cette époque et je **m'intéresse** également **aux** gens de ces siècles.*

Notez bien la préposition à (et non « pour »).

se marier avec quelqu'un

*Elle **s'est mariée avec** un ami d'enfance. C'est bizarre d'épouser quelqu'un qu'on connaît depuis si longtemps.*

Attention : on *se marie avec quelqu'un* mais on *épouse quelqu'un*.

permettre à quelqu'un de + infinitif

*On ne **permet** plus **aux** voyageurs **de** fumer dans les avions.*

préférer quelqu'un à quelqu'un / quelque chose à quelque chose

*Mes amis musiciens se désolent de voir que leurs enfants **préfèrent** la musique rap **à** la musique classique.*

promettre à quelqu'un de + infinitif

***J'ai promis à** mes neveux **de** les amener au cirque.*

répondre à quelqu'un / à quelque chose

*Le policier a interrogé les témoins et ceux-ci **ont répondu aux** questions du policier.*

reprocher à quelqu'un de + infinitif

*On **reproche** souvent **aux hommes** politiques **de** ne pas respecter leurs promesses électorales.*

ressembler à

*Comme cette petite fille **ressemble à** sa mère ! C'est stupéfiant, elles se ressemblent comme deux gouttes d'eau !*

Attention : verbes + infinitif **sans préposition** (ou verbes sans préposition devant l'infinitif)

*– Elle **affirme avoir compris**.*

*– Elle **aime sortir**, s'asseoir à une terrasse de café, voir des amis, aller au cinéma.*

*– Elle **espère déménager** un jour, quitter ce minuscule appartement où elle peut à peine respirer.*

*– Elle **a osé s'opposer** à son directeur.*

Il y a des verbes que vous faites suivre d'une préposition alors qu'il n'en faut pas du tout. C'est le cas de tous les **verbes déclaratifs** comme **affirmer** : annoncer, dire, prétendre et des **verbes d'opinion** comme penser, croire, espérer.

■ Quelques adjectifs

amoureux de (tomber, être)

*Dès le premier regard, il est tombé **amoureux d'**elle et elle **de** lui, et depuis ils sont toujours aussi **amoureux** l'un **de** l'autre.*

Retenez bien la préposition de, c'est la seule possible avec l'adjectif *amoureux*.

différent(e) de

*Marie est très **différente de** ses frères.*

Rejetez totalement le « que » après *différent*.

inférieur à, **supérieur** à

*Vingt est **inférieur à** quarante et **supérieur à** dix.*

infériorité de quelqu'un / quelque chose par rapport à / vis-à-vis de...

supériorité de quelqu'un/ quelque chose sur / vis-à-vis de...

*– De nombreuses personnes affirment **la supériorité de** Victor Hugo **sur** les poètes de son temps.*

*– A-t-il un sentiment d'**infériorité** ou de **supériorité vis-à-vis de** ses camarades ? On ne sait pas, en tout cas, son attitude n'est pas naturelle.*

responsable de

*L'alcool est **responsable de** la plupart des accidents.*

Et non pas « *pour ». Oubliez cette préposition.

satisfait de, **content** de

*Il est **content, satisfait de** son travail.* Et non pas « *avec ».

2 • *4* ... certaines constructions particulières

il s'agit de

*– **Il s'agit de** savoir si tu veux poursuivre tes études ou si tu veux trouver un travail. Faire les deux me semble difficile. Alors, que veux-tu ?*

*– Quel est le sujet de ce roman ? **De quoi s'agit-il** dans ce roman ?*

Ce verbe est toujours **impersonnel**. (Rejetez totalement une phrase comme : **Ce texte s'~~agit~~ de...* Ce type de phrase fera bondir votre professeur.)

changer d'avis

*On ne peut pas le croire. Il **change d'avis** toutes les cinq minutes. Il voulait aller au cinéma avec moi, et voilà, il préfère rester chez lui. On avait décidé de partir pour la Grèce cet été, et il veut maintenant partir pour le Chili. C'est toujours comme ça. Il **change d'avis** sans cesse. Et quand je me plains, il me dit : « Il n'y a que les imbéciles qui **ne changent pas d'avis**. »*

Attention : on dit changer **d'**avis. C'est la seule forme possible. Il n'y a pas de possessif avec le mot *avis*.

manquer à quelqu'un

*– « Mon ami Pierre est parti depuis quelques jours seulement et j'ai déjà envie de le voir, j'ai déjà envie qu'il revienne, **il me manque** beaucoup », m'a dit Marie.*

*– Pierre **manque** beaucoup **à** Marie depuis qu'il est parti il y a plusieurs jours, c'est elle-même qui m'a confié à quel point elle s'ennuie de lui.*

Notez bien cette construction difficile pour certains :

Pierre manque à Marie. (Pierre fait souffrir Marie à cause de son absence, l'absence de Pierre fait souffrir Marie)

« Pierre me manque », dit Marie. (l'absence de Pierre me fait souffrir, je souffre de l'absence de Pierre)

poser une question, des questions

***Poser des questions,** c'est vouloir apprendre.*

Attention : c'est une structure figée. Ne changez pas le verbe, même s'il est différent dans votre langue. Le mot *question* appelle le verbe poser. (N'utilisez surtout pas les verbes *demander* ou *faire* avec le mot *question*.)

rendre + adjectif

> *Tous les moyens de communication modernes* ***ont rendu possible*** *la découverte de pays étrangers par le plus grand nombre.*

N'utilisez pas le verbe *faire* à la place de rendre.

■ Ce qu'il faut savoir sur les erreurs à éviter

Attention maintenant à quelques erreurs particulières.

Deux verbes et un complément

N'utilisez jamais deux verbes qui ne se construisent pas de la même façon avec le même complément.

• **aimer quelque chose** et **s'intéresser à quelque chose**

On trouve parfois : **J'aime et je m'intéresse à la musique*. Cette phrase est impossible. Il faut écrire :

> *J'aime la musique et je m'****y*** *intéresse.*

• **être conscient de** et **être attentif à**

Une phrase comme : **Il est attentif et il est conscient de ses erreurs* est impossible. On dira donc :

> *Il* ***est attentif à*** *ses erreurs, il* ***en*** *est conscient.*

• **comprendre quelque chose** et **s'adapter à quelque chose**

Cette phrase est impossible : **Je comprends et je m'adapte à la société moderne*. Il faut donc dire :

> – *Je comprends la société moderne et je m'****y adapte****.*
> – *Je m'adapte à la société moderne, je* ***la comprends****.*

• **intéresser quelqu'un** et **plaire à quelqu'un**

Comment construire une phrase avec un seul complément pour ces deux verbes ? On dira :

> – *Ce professeur veut intéresser ses étudiants et* ***leur plaire****.*
> – *Il veut plaire à ses étudiants et* ***les intéresser****.*

Verbes impersonnels

Ils sont toujours au singulier même s'ils sont suivis d'un nom pluriel.

> – ***Il arrive*** *parfois des événements que personne n'avait prévus.*
> – ***Il existe*** *des différences profondes entre ces deux personnes.*
> – ***Il manque*** *trois élèves aujourd'hui.*
> – ***Il reste*** *quelques erreurs dans l'exercice.*

aucun(e)

Accompagne toujours un nom singulier. *Aucun(e)* signifie « pas un(e) seul(e) », donc « zéro ». Et « zéro » ne peut être pluriel.

*Je n'ai rencontré **aucune difficulté** dans ce travail.*

plusieurs

Ce mot prend toujours le « s » final et il n'est jamais précédé d'un déterminant (article, adjectif démonstratif, adjectif possessif).

*Elle a **plusieurs** amis.*
***Plusieurs** livres s'entassaient sur le bureau.*

en même temps

*Il lit et **en même temps** il écoute de la musique.*
*Quel souffle ! Il faisait son jogging, il courait et il parlait **en même temps** à son compagnon.*

S'il vous plaît, ne dites plus jamais *~~au même temps~~*. Cette expression n'existe pas en français.

par

La préposition *par* n'est jamais suivie de l'infinitif sauf si elle est amenée par un verbe (comme *commencer par, finir par*...), ce qui interdit ce type de phrase :

**~~C'est par étudier qu'on~~ apprend.*

Remplacez cette structure par un gérondif :

*C'est **en étudiant** qu'on apprend.*

se poser la question de + infinitif

Attention à cette structure.

On dira :

*Je me pose **la question de savoir** s'il faut partir ou rester.*

et non **~~je me pose la question s'il faut~~ partir ou rester.*

je veux bien ≠ je voudrais

*– Veux-tu un gâteau ? – **Oui, je veux bien.*** (j'accepte)
*– Voulez-vous nous accompagner au jardin ? – Oui, pourquoi pas, **je veux bien, volontiers.***

N'utilisez pas cette expression à la place de *je voudrais*.

***Je voudrais une attestation** de mon inscription au cours. J'ai besoin de cette attestation pour ma carte de séjour.* (je désire)

2 • 5 ... le sens de quelques mots

➔ Les paronymes, I, 2, p. 131 et suivantes.

■ Les confusions à éviter

à cause de et grâce à

*– Les fleurs se sont fanées **à cause des** fortes chaleurs qu'il y a eu ces derniers jours.*

*– **Grâce à** ses qualités d'observation, Sherlock Holmes trouve la solution de tous les mystères policiers.*

Attention :
La préposition à cause de a plutôt une valeur négative.
La préposition grâce à a une valeur positive.

audience et auditoire

*– L'**audience** du tribunal a été interrompue par des amis de l'accusé qui protestaient.* (la séance)
*Le président a accordé une **audience** au nouvel ambassadeur.* (une entrevue)
*Pendant la guerre, toutes les chaînes de télévision ont vu leur **audience** augmenter.* (leur diffusion)

*– Pendant la conférence, l'**auditoire** était attentif et intéressé.* (le public)

caractère et personnage

*– Michèle a mauvais **caractère** : elle se met facilement en colère, elle se vexe pour une petite remarque, elle est souvent de mauvaise humeur.*

*– Shakespeare a créé des **personnages** inoubliables : Roméo, Juliette, Macbeth, Othello... Comme tous les grands écrivains, comme Balzac, Proust, Garcia Marquez, Cervantès, Goethe, Tolstoï...*

confiance et confidence

*– J'ai **confiance en** vous, je vous crois, je sais que vous ne me trompez pas.*
*Il faut **faire confiance à** ses amis et non pas se méfier d'eux.*

*– Je vais te faire une **confidence**. Je suis amoureuse, mais tu n'en parles à personne, promis ? Je n'ai mis personne d'autre dans **la confidence**.*

confiance : sentiment agréable qui vient du fait qu'on est sûr[e] de quelqu'un ou de quelque chose
confidence : secret

confus et confondu

– *Je suis* ***confuse****, désolée de vous avoir fait attendre.*
Ce discours est incompréhensible, il est ***confus****.*

– *J'ai* ***confondu*** *mes deux amis jumeaux. J'ai pris l'un pour l'autre.*

s'ennuyer et avoir des ennuis

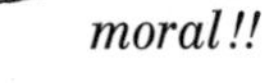

– *Ce conférencier n'est pas du tout intéressant. Tout le monde bâille,* ***s'ennuie****. Quelques auditeurs ont même quitté la salle.*

– *Pauvre Martin ! Il* ***a des ennuis*** *de toutes sortes.* ***Ennuis*** *d'argent, son banquier lui a annoncé que son compte bancaire était vide ;* ***ennuis*** *de santé, son médecin lui demande de faire une radio des poumons, il tousse beaucoup ;* ***ennuis*** *de famille, sa femme veut le quitter. Mais il garde un bon moral !!*

enseigner et renseigner

– *Je suis professeur de mathématiques, j'****enseigne*** *les mathématiques à des élèves.*

– *Elle est très gentille. Elle est toujours prête à* ***renseigner*** *les gens qui sont dans l'embarras.*

enseigner : donner, transmettre à quelqu'un des connaissances, apprendre quelque chose à quelqu'un
renseigner : donner une information, une indication

entourage et environnement

– *Elle a décidé d'arrêter des études brillantes pour se consacrer aux enfants handicapés. Son* ***entourage*** *est partagé. Certains de ses amis l'approuvent, sa famille est désolée.*

– *Les écologistes se battent pour protéger notre* ***environnement****. Protéger les forêts, protéger les côtes, protéger la nature.*

l'entourage : des personnes qui entourent habituellement quelqu'un
l'environnement : le milieu, les lieux, les paysages où nous vivons

image et imagination

– *L'enfant qui, tout petit, adorait les livres où il y avait beaucoup* ***d'images****, est très fier maintenant de lire des livres sans* ***images****, des livres où il n'y a que du texte.*

– *Un livre sans images peut développer l'****imagination*** *d'un enfant.*

l'image : une représentation d'un objet ou d'une personne par un dessin ou une photographie
l'imagination : la faculté qu'a l'esprit d'inventer, de créer, d'avoir des idées

lecteur et lecture

– *Agatha Christie a des milliers de* ***lecteurs*** *à travers le monde.*

– *C'est un livre difficile, sa* ***lecture*** *demande une grande attention.*

Je suis heureuse que mon enfant aime ***la lecture****. Je ne suis pas obligé de lui dire sans cesse : « Lis... ».*

le lecteur : une personne qui lit un livre ; féminin : *lectrice*
la lecture : l'action de lire

mémoire et souvenir

– Elle a une très bonne ***mémoire*** *des dates : elle peut te dire le jour, la date de chaque événement de sa vie.*
Les personnes âgées perdent souvent ***la mémoire****. Elles oublient tout.*

– J'ai gardé un très bon ***souvenir*** *de notre rencontre.*
J'ai des ***souvenirs*** *qui remontent à ma toute petite enfance.*
On a tous de bons et de mauvais ***souvenirs****.*

la mémoire : une faculté, c'est la capacité de se rappeler tout ce qu'on a vécu, tout ce qu'on a appris
le souvenir : une image qui reste dans la mémoire

parler et dire → Raconter, rapporter un discours, III, 1, p. 247.

– Un enfant commence à ***parler*** *à l'âge de deux ans. Et qu'est-ce qu'il* ***dit****? Il* ***dit*** *« papa », « maman », « j'ai faim », « j'ai soif », etc.*

– Des gens sont ensemble et ils ***parlent****. Nous entendons leurs voix. Mais que* ***disent****-ils ? Ils* ***disent*** *ce qu'ils pensent, ce qu'ils font, ce qu'ils ont dans le cœur, dans la tête. Ils* ***disent*** *qu'ils sont heureux, malheureux, fatigués...*

– parler : faire sortir de la gorge des sons
Je parle. (Je ne suis pas muette.)

Le verbe *parler* est normalement un verbe intransitif, sans complément direct, sauf dans les expressions :
parler une langue, parler français, anglais, chinois, japonais, espagnol...
Il peut s'utiliser avec des prépositions.
parler à..., parler de..., parler avec...

– dire : transmettre quelque chose, donner une nouvelle, donner une information

penser à et penser de

– Elle a souvent l'air d'être ailleurs ; elle ***pense*** *toujours* ***à*** *quelqu'un ou* ***à*** *quelque chose. Elle* ***pense à*** *son petit ami,* ***à*** *ses projets de voyage,* ***à*** *ce qu'elle fera dans quelques mois, dans quelques années.*

– Ah, tu es allé voir le dernier film de Woody Allen ? Alors, que ***penses-tu de*** *ce film ? Tu as aimé ?*

penser à quelqu'un / à quelque chose : faire apparaître à l'esprit par la mémoire ou par l'imagination
penser de quelqu'un / de quelque chose : avoir une opinion, un avis sur quelqu'un ou quelque chose

revenir et retourner

*– Je sors, mais je **reviens** bientôt. Coucou, c'est moi, **je suis revenue**.*
*Je vais quitter la ville bientôt, mais **je reviendrai** un jour.*
*Reste encore un peu au lit, je **reviens** t'apporter le petit déjeuner.*
***Reviens** ! Je ne peux pas vivre sans toi !*

*– Je **retourne** dans ma ville natale. Je **retourne** à Shanghai.*
*Je ne me sens pas bien, **je retourne** me coucher.*
*Elle **est retournée** chez sa mère ! Je ne peux pas vivre sans elle !*

Les deux verbes signifient : « retrouver un endroit ». Mais :
– Je reviens dans le lieu où je suis. Et donc, je n'ai pas besoin d'un complément, puisque je sais, et mon interlocuteur sait aussi, où nous nous trouvons.

– Je retourne dans un lieu où je ne suis pas, où je ne suis plus. Et là, le complément de lieu est obligatoire, puisque mon interlocuteur n'est pas obligé de savoir quel est ce lieu.

savoir et connaître

*– Je **sais que** tu as raison. Est-ce que tu **sais s'il** viendra à la soirée ?*
*Nous **savons où** il se cache. Je **ne sais pas pourquoi** il est parti.*
*Est-ce que tu **sais comment** il s'appelle ?*

*– Tu **connais Marie** ?* (On ne pourrait pas dire : **Je sais Marie*.)
*Je **ne connais pas** Venise.* (On ne pourrait pas dire : **Je sais Venise*.)

La différence principale entre ces deux verbes est une différence de structure.
– Le verbe savoir est suivi d'une conjonction ou d'un adverbe interrogatif, et il introduit une proposition. On dira :
savoir que, savoir si, savoir où, savoir pourquoi, savoir comment, savoir quand…

– Le verbe connaître est toujours suivi d'un nom complément, nom de personne, nom de chose.

Attention : on peut malgré tout utiliser *savoir* avec un nom complément quand ce verbe a le sens de « avoir appris ».
*– Je **sais ma leçon**. Je **sais ma récitation**.*
*– Tu n'as pas besoin de me raconter l'histoire, je **sais tout** maintenant.*

vers et envers

*– Les passants curieux se sont dirigés **vers** le lieu de l'accident.*
*– Elle éprouvait une grande reconnaissance **envers** les amis qui l'avaient aidée quand elle avait eu besoin d'eux.*

La préposition vers situe l'action dans l'espace.
La préposition envers a une valeur affective.

vocabulaire et mot

*– Cette phrase comporte six **mots**.*

*– Cet enfant a déjà un **vocabulaire** très riche.*

Un mot est un élément unique.

Le vocabulaire est l'ensemble des mots d'un dictionnaire. C'est l'ensemble des mots qu'une langue a à sa disposition, l'ensemble des mots utilisés par un auteur ou par un locuteur.

Petite précision sémantique : le mot affaire

*– Ce commerçant **fait des affaires** avec le monde entier. Il vend et il achète toutes sortes de marchandises.*

*– Ne laisse pas traîner **tes affaires** dans ta chambre. Ramasse tes vêtements, tes livres, tes CD et range-les.*

Attention au sens de ce mot (en français, une *affaire* n'est jamais « une relation amoureuse »).

■ Attention aux mots qui n'existent pas

… Et que nous refusons absolument de vous donner ici.
Mais nous vous donnons les mots que vous devriez utiliser.

*Je me sens en **sécurité** dans ce refuge de montagne. Ce refuge est **sûr**.*

L'adjectif qui correspond au mot *sécurité* est sûr.

*– Donnez-moi **la signification** du mot « paronyme ».*
*– Quel est le **sens** du mot « antonyme » ?*

Les deux noms qui correspondent au verbe *signifier* sont signification ou sens.

N° d'éditeur : 10100040 - Télémaque Mars 2004
Imprimé en FRANCE par MAME Imprimeurs à Tours (n° 04032059)